D0899329

Diane Chamberlain

AVANT LA TEMPÊTE

Roman

Traduit de l'anglais (Etats-Unis)
par Francine Siety

PRESSES
DE LA CITÉ

Titre original : *Before the Storm*

ISBN 978-2-258-08092-8

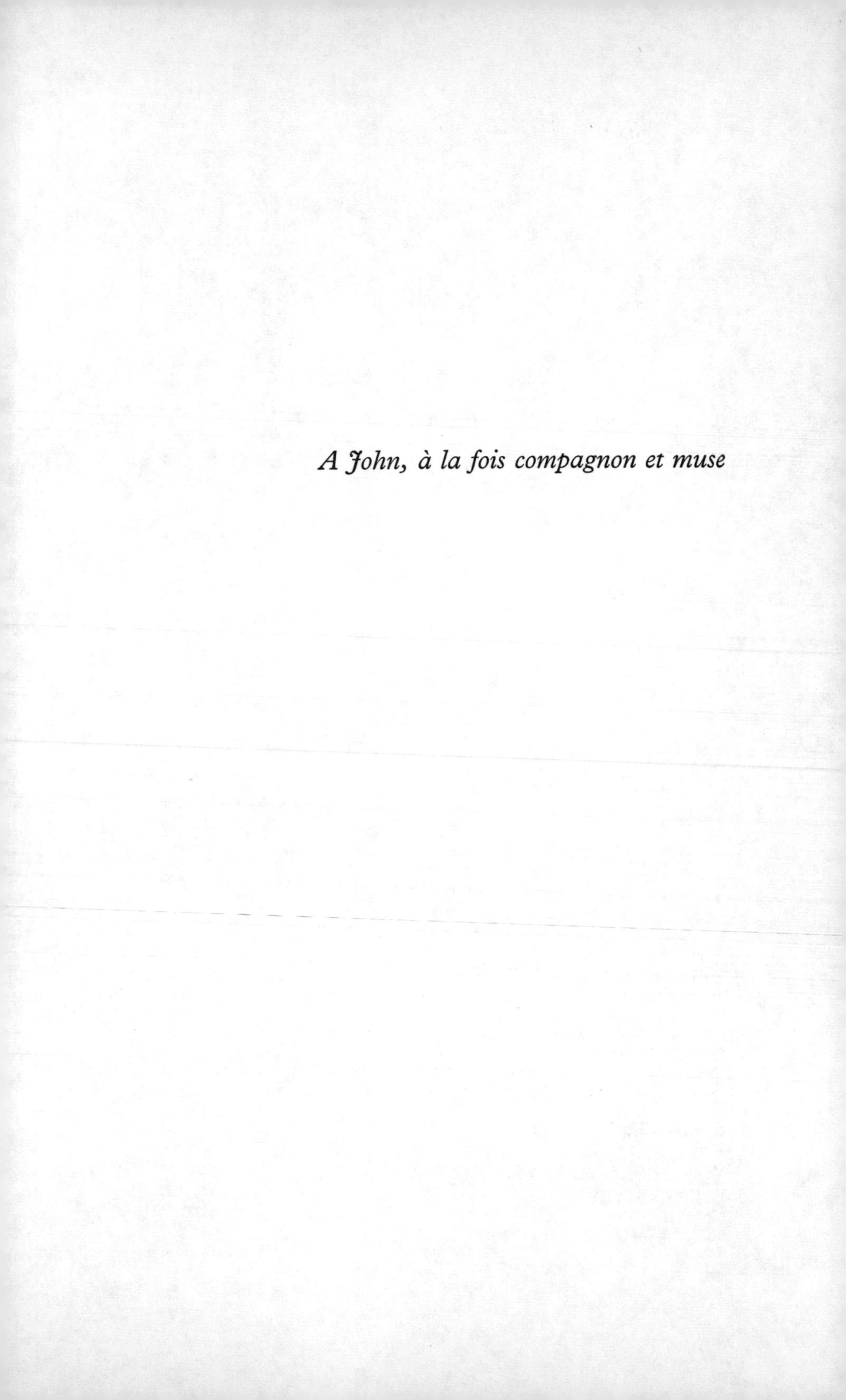

A John, à la fois compagnon et muse

Laurel

On m'a pris mon bébé dix heures seulement après sa naissance.

Jamie avait souhaité l'appeler Andrew en souvenir de son père. Nous avons prononcé ce prénom une ou deux fois pour voir comment il sonnait dans notre bouche. Andrew. Andy. Soudain, mon enfant a disparu. J'avais oublié de compter ses doigts et d'observer la couleur de ses cheveux. Quelle mère oublie ces choses-là ?.

Je me suis battue pour le récupérer, comme quelqu'un en train de couler se débat pour inspirer une bouffée d'air.

Une année entière a passé avant que je le tienne à nouveau dans mes bras. Enfin, j'ai pu respirer, et j'ai su qu'on ne pourrait jamais, plus jamais, me l'arracher.

1

Andy

En entrant dans l'église de mon amie Emily, j'ai tout de suite aperçu la jolie fille. Elle m'avait adressé un sourire et un petit salut à la Maison des jeunes. Depuis, je n'arrêtais pas de la chercher. Quelqu'un avait repoussé les bancs pour nous permettre de danser, et la fille était au milieu de la piste avec mon copain Keith, qui est spécialement cool quand il danse. Je l'ai regardée dans les yeux comme si on était seuls, même quand Emily s'est approchée de moi en me disant :

— Où étais-tu ? C'est un *lock-in* [1], ça veut dire qu'on passe toute la soirée sans sortir.

Comme elle avait les sourcils en accent circonflexe, j'ai compris qu'elle était furieuse.

Je lui ai montré du doigt la jolie fille.

— C'est qui ?

Emily a remonté ses lunettes sur son nez.

— Comment veux-tu que je le sache ? Je ne connais pas tous les gens seuls ici.

1. Soirée réunissant un groupe dans un lieu fermé, pendant un certain laps de temps. *(N.d.T.)*

La fille portait une jupe courte et flottante, et ses longues jambes volaient au-dessus du plancher quand elle dansait. Ses cheveux blonds étaient joliment coiffés à l'afro ; elle avait la tête striée de ces trucs au nom impossible à retenir.

Je suis passé à côté de plusieurs garçons qui jouaient aux cartes par terre et j'ai marché droit sur elle. A une distance de quatre pas, je me suis arrêté, parce que maman me répète tout le temps que ça suffit. J'avais l'habitude de m'approcher trop près des gens et de les mettre mal à l'aise. Il faut respecter leur territoire, à ce qu'il paraît. Même à cette distance je pouvais voir ses longs cils, qui me faisaient penser aux plumes d'un oisillon. Un jour, j'en ai observé un de près. Il était tombé d'un nid dans notre jardin, et Maggie est montée à l'échelle pour le remettre à sa place. J'avais envie de tendre la main pour toucher les cils de cette fille, mais je savais que ce n'était pas une chose à faire.

Keith a brusquement arrêté de danser avec elle et il m'a regardé fixement.

— Qu'est-ce que tu veux, gosse de riche ?

J'ai regardé la fille. Ses yeux étaient bleus sous les plumes. J'ai senti des mots se bousculer dans ma tête, puis me monter à la gorge, et c'était trop tard pour les arrêter.

J'ai dit :

— Je t'aime.

Elle a écarquillé les yeux et fait un O tout rose avec ses lèvres. Et puis elle a ri ; moi aussi. Les gens rient quelquefois contre moi, d'autres fois avec moi. J'ai espéré que c'était avec moi.

La fille n'a rien dit, mais Keith a mis les mains sur ses hanches :

— Trouve-toi quelqu'un d'autre à aimer, gosse de riche !

Je me suis demandé pourquoi il m'appelait tout le temps « gosse de riche » au lieu d'Andy.

J'ai secoué la tête.

— C'est elle que j'aime.

Keith est venu se placer entre la fille et moi. Il était si proche que je me suis senti mal à l'aise, comme m'a expliqué maman. J'ai dû lever la tête pour le voir et ça m'a fait mal au cou.

— Tu ne pourrais pas respecter *mon* territoire ? lui ai-je demandé.

— Ecoute, elle a seize ans et tu n'es qu'une mauviette de quatorze ans.

— Quinze ! Seulement, je suis petit pour mon âge.

— Alors, pourquoi est-ce que tu te conduis comme si tu en avais quatorze ?

Il a ri et ses dents m'ont rappelé les grosses boules de gomme blanches que Maggie aime bien. Moi pas, parce qu'elles me brûlent la langue quand je les mâche.

— Ne fais pas attention à lui, a dit la jolie fille. Si tu l'ignores, il partira.

— Ça ne t'énerve pas qu'il te reluque comme ça ?

La fille a tendu un bras comme si elle repoussait Keith avec un bâton, et puis elle m'a parlé.

— Tu ferais mieux de dégager, mon chou. Sinon, tu risques d'avoir des ennuis.

Des ennuis ? Je n'étais pas dans un endroit dangereux ou en train de faire une chose dangereuse comme de l'escalade – sport que ma mère m'interdit, et pourtant ça me dirait bien.

J'ai interrogé la fille :

— Comment tu t'appelles ?

— Retourne dans ta belle bicoque en bord de mer, a dit Keith.

— Si je te dis mon prénom, tu partiras ? m'a demandé la fille.

J'ai dit oui, parce que ça me plaisait de faire un pacte avec elle.

— Je m'appelle Layla.

Layla. Un nouveau nom, qui m'a plu.

— Joli ! Moi, c'est Andy.

— Contente de faire ta connaissance, Andy. Maintenant que je t'ai dit comment je m'appelais, tu peux partir.

Comme je devais tenir parole, je lui ai dit au revoir et j'ai tourné les talons.

— Débile, a marmonné Keith entre ses dents.

Mais j'ai une très bonne oreille et ce mot a été comme un déclic.

Je me suis retourné, mes poings déjà dans les airs. Je lui ai donné un coup dans le ventre et un autre au menton ; il a dû me tabasser lui aussi, à en croire tous les bleus que j'ai découverts plus tard, mais je n'ai rien senti. Je ne le lâchais pas, la tête baissée comme un taureau, en oubliant que je mesure seulement un mètre cinquante et qu'il est beaucoup plus grand. Quand je suis furieux, j'ai une force pas croyable. Les gens criaient et battaient des mains, et ça bourdonnait dans ma tête. Je n'avais aucune idée de ce qu'ils disaient, mais plus je cognais, plus le bourdonnement devenait fort.

J'ai frappé jusqu'au moment où quelqu'un a attrapé mes bras par-derrière ; un homme à lunettes a empoigné Keith et nous a séparés. Je lançais des coups de pied pour essayer de l'atteindre : je ne lui avais pas encore réglé son compte.

— Quel salopard ! a grogné Keith.

Il a échappé à l'homme à lunettes en se cabrant, mais il ne s'est pas rapproché de moi. Il était rouge comme après un coup de soleil.

— Il ne sait pas ce qu'il fait, lui a dit l'homme qui me tenait. Tu devrais être raisonnable ! Et maintenant, file.

— Pourquoi moi ? a répondu Keith avec un coup de menton. C'est lui qui a commencé ! Il peut tout se permettre.

L'homme m'a parlé doucement à l'oreille.

— Si je te lâche, tu te tiendras tranquille ?

J'ai fait oui de la tête et puis j'ai réalisé que je pleurais et que tous avaient les yeux braqués sur moi, à part Keith, Layla et l'homme à lunettes, qui se dirigeaient vers le fond de l'église. L'homme m'a lâché et m'a tendu un tissu blanc qu'il avait sorti de sa poche. J'ai séché mes larmes, en espérant que Layla ne m'avait pas vu pleurer. L'homme était en face de moi maintenant ; un vieux monsieur, avec une queue de cheval grise. Il me tenait par les épaules en m'observant comme si j'étais un objet à vendre dans un magasin.

— Ça va, Andy ?

Je ne savais pas comment il connaissait mon nom, mais j'ai fait encore une fois oui avec la tête.

— Va rejoindre Emily là-bas et laisse les adultes se débrouiller avec Keith.

Il m'a dirigé vers Emily et j'ai fait quelques pas, avec son bras autour de mes épaules. Avant de me lâcher, il m'a dit :

— On va s'occuper de lui. D'accord ?

J'ai répondu « d'accord ». Emily était debout près de l'espèce de bassin pour les baptêmes.

— J'ai cru que tu allais le tuer !

Emily et moi, on est dans la même classe spéciale de lecture et de maths, deux jours par semaine. On se connaît pratiquement depuis toujours et c'est ma meilleure amie. Les gens disent qu'elle a un drôle d'air parce qu'elle a des cheveux blancs, un œil qui ne fonctionne pas, et une cicatrice à la lèvre depuis qu'on l'a opérée quand elle était bébé ; moi je la trouve jolie. Ma mère dit que je vois le monde entier avec les yeux de l'amour. Après ma mère et Maggie, c'est Emily ma préférée. Mais ce n'est pas ma « petite amie ». Ça, pas question !

Elle m'a demandé :

— Qu'est-ce que cette fille t'a dit ?

J'ai de nouveau séché mes yeux. Ça m'était bien égal qu'Emily me voie pleurer. C'est déjà arrivé très souvent. Quand j'ai remis le tissu dans ma poche, j'ai remarqué que son tee-shirt rouge était à l'envers. Elle a l'habitude de porter ses vêtements à l'envers parce qu'elle ne supporte pas de sentir la couture contre sa peau, mais elle va plutôt mieux. Elle ne supporte pas non plus que les gens la touchent. Notre institutrice ne la touche jamais ; un jour une remplaçante a posé une main sur l'épaule d'Emily, qui a pété les plombs. A force de pleurer, elle a vomi sur son bureau.

— Ton tee-shirt est à l'envers.

— Je sais. Qu'es-ce que cette fille t'a dit ?

— Qu'elle s'appelle Layla.

Layla parlait toujours avec l'homme à lunettes. Keith était parti et je l'ai regardée fixement. En l'observant, je me suis senti tout drôle, comme la fois où j'ai pris ce médicament contre le rhume. Je n'ai pas pu dormir de la nuit, j'avais l'impression que des insectes grouillaient dans mes muscles. Ma mère m'a juré que c'était impossible, mais ça n'empêche.

— Elle t'a dit autre chose ?

Je n'ai pas eu le temps de lui répondre, un grand bruit sourd, comme un grondement de tonnerre, m'a rempli les oreilles. Tous étaient immobiles et regardaient autour d'eux, comme si quelqu'un avait ordonné « Plus personne ne bouge ! ». J'ai pensé que c'était peut-être un tsunami, parce qu'on était si près de la plage. J'ai vraiment peur des tsunamis. J'en ai vu un à la télé. Ils engloutissent les gens. Quelquefois, je regarde l'eau de la baie par la fenêtre de ma chambre, et je guette la grande vague qui va m'engloutir. J'aurais voulu m'enfuir, mais personne ne bougeait.

Comme par magie, les vitres se sont illuminées. J'ai aperçu Marie, l'enfant Jésus, et les anges, et un homme à moitié chauve, dans une longue robe, un oiseau dans sa main. Les couleurs des vitres se reflétaient sur les visages et les cheveux d'Emily ressemblaient à un arc-en-ciel.

A l'autre bout de l'église, quelqu'un a crié « Au feu ! Au feu ! ». Tout le monde s'est précipité vers la sortie en hurlant et en nous bousculant, Emily et moi.

Je ne voyais aucune flamme ; alors, tous les deux, on est restés debout dans la bousculade, à attendre qu'un adulte nous dise quoi faire. J'étais presque sûr que ce n'était pas un tsunami. Ça m'a permis de me sentir mieux, pourtant quelqu'un m'avait donné un coup de coude dans les côtes, et une autre personne m'avait marché sur les pieds. Emily a reculé vers le mur pour se mettre à l'abri. J'ai regardé l'endroit où Layla parlait avec cet homme, mais elle n'y était plus.

Quelqu'un a crié :

— Les portes sont bloquées par le feu !

J'ai regardé Emily et j'ai dû crier moi aussi à cause du bruit :

— Où est ta mère ?

Comme la mère d'Emily était l'une des adultes présents au *lock-in*, maman m'avait permis d'y aller.

Emily s'est mordillé un doigt, comme quand elle est nerveuse.

— Arrête !

J'ai éloigné sa main de son visage et elle m'a jeté un regard noir avec son bon œil.

Tout à coup, j'ai senti le feu. Il crépitait comme un feu de joie sur la plage. Emily m'a montré le plafond : la fumée tourbillonnait autour des poutres.

— Il faut se cacher, elle m'a dit.

J'ai hoché la tête : maman m'avait expliqué qu'on ne peut pas se cacher du feu, et qu'on doit se sauver. Sous mon lit, j'ai une échelle spéciale que je peux accrocher à la fenêtre pour descendre, mais je ne voyais aucune échelle spéciale dans l'église.

Autour de moi, c'était un vrai remue-ménage. Des garçons ont soulevé un des bancs, ils ont compté jusqu'à trois avant de courir vers la grande fenêtre avec l'homme à moitié chauve peint dessus. Le banc a cogné l'homme et cassé la vitre en mille morceaux. Alors, j'ai vu le feu dehors, un feu plus grand que tous ceux que j'ai vus de toute ma vie. Comme un monstre, il a foncé à travers la fenêtre et avalé d'un seul coup les garçons et le banc. Les garçons hurlaient et couraient dans tous les sens, le corps en flammes.

Aussi fort que j'ai pu, j'ai crié :

— Stop ! A terre ! Roulez ! [1]

Emily n'en revenait pas de m'entendre dire aux garçons ce qu'il fallait faire. Je ne pensais pas qu'ils m'avaient entendu, mais certains se sont arrêtés, se sont jetés à terre et ont fait comme j'avais dit ; donc, ils m'avaient peut-être entendu. Ils brûlaient encore et l'air de l'église était si plein de fumée que je ne voyais même plus l'autel.

Emily s'est mise à tousser en gémissant : « Maman ! »

Je toussais moi aussi et j'ai réalisé qu'Emily et moi on était dans le pétrin. Je ne voyais sa mère nulle part, et les autres adultes criaient aussi fort que les enfants.

---

1. En anglais *Stop ! Drop ! Roll !* Formule mnémotechnique indiquant la conduite à tenir en cas d'incendie. *(N.d.T.)*

Je n'arrêtais pas de réfléchir. Maman m'a toujours dit : En cas d'urgence, fais marcher ton cerveau. C'était ma première véritable urgence.

Tout à coup, Emily m'a attrapé par le bras et m'a encore dit :

— Il faut se cacher.

Elle devait être vraiment affolée, parce qu'elle ne m'avait jamais touché exprès avant.

Je savais que c'était une mauvaise idée de se cacher, mais le plancher était en feu et les flammes venaient vers nous.

— Réfléchis !

J'avais dit ça à voix haute, et pourtant je me parlais à moi-même. En me frappant le crâne avec la main, j'ai ajouté :

— Cerveau, vas-y !

Emily a pressé son visage contre mon épaule en gémissant comme un chiot, et le feu s'est élevé autour de nous comme une forêt d'arbres dorés.

2
Maggie

Mon père a été tué par une baleine.

Je dis rarement aux gens comment il est mort parce qu'ils s'imaginent que je fabule. Pour les convaincre, je dois leur raconter toute l'histoire ; ils ouvrent des yeux ronds et ils ont la chair de poule. Ils me parlent alors de Jonas et du capitaine Achab, comme si la mort de mon père les divertissait au plus haut point. Quand j'étais petite, il était tout mon univers, mon meilleur ami et mon protecteur ; un homme étonnant. Prédicateur, il avait construit de ses propres mains une chapelle pour sa petite congrégation. Quand il est devenu un personnage dont les gens discutaient autour d'une pizza ou d'une glace, j'ai dû partir. C'est donc plus facile de ne rien dire, et si quelqu'un me demande comment est mort mon père, je dis simplement « le cœur », la vérité de toute manière.

La nuit où Andy est allé au *lock-in*, je devais aller voir mon père – ou du moins essayer. Ça ne marchait pas toujours. Sur trente ou quarante essais, je n'avais eu que trois contacts avec lui, ce qui donnait d'autant plus d'importance à ces visites auxquelles je n'aurais renoncé pour rien au monde.

J'ai appelé ma mère pour la prévenir que le *lock-in* aurait lieu non pas à la Maison des jeunes de Drury Memorial comme prévu mais à l'église elle-même ; comme ça elle saurait où aller chercher Andy le lendemain matin. J'ai prétendu ensuite que j'allais chez Amber Donnelly. Un pur mensonge ! En fait, je ne vois plus Amber depuis des mois, sauf de temps en temps pour étudier. On ne peut pas rester une seconde avec Amber sans qu'elle parle de son copain, Travis Hardy. « Travis et moi ceci, Travis et moi cela... », à tel point que ça me donne envie de hurler. Amber est comme moi en AP (une classe qui prépare les lycéens à des études supérieures), mais on a du mal à y croire quand on l'entend parler. Et puis c'est une frimeuse, qui ne pense qu'à son look et à ses relations. Je l'ai réalisé cette année seulement.

Donc, au lieu d'aller chez Amber, j'ai roulé jusqu'au nord de l'île, qui m'a paru le bout du monde par cette nuit de mars, en milieu de semaine. Sur dix kilomètres, je n'ai croisé que deux voitures, qui allaient vers le sud. Très peu de maisons étaient éclairées et la lune était si pleine et si brillante que je distinguais sur la route, devant moi, les ombres étranges des boîtes aux lettres et des buissons. J'avais tout le temps l'impression de voir des chiens ou des cerfs sur la chaussée, et je n'arrêtais pas de freiner sans raison. Quand j'ai aperçu la rangée de villas sur la plage, je me suis sentie soulagée.

L'extrémité de l'île a toujours été déchiquetée par des tempêtes, et chacune des six villas en front de mer, le long de New River Inlet Road, est interdite au public. Entre les villas et la rue, il y a une autre rangée de maisons, qui attendent leur tour de se trouver en front de mer. C'était arrivé il y a bien longtemps ; nous avions dû abandonner notre maison après l'ouragan Fran, quand j'avais cinq ans, mais les maisons vides sont toujours debout, et j'espère qu'elles tiendront le coup jusqu'à la fin de mes jours.

Notre petite villa, de forme circulaire, penchait très légèrement à gauche, sur ses pilotis depuis longtemps à découvert. La douche extérieure et le débarras qui constituaient le rez-de-chaussée avaient glissé dans la mer avec la fosse septique. Le revêtement de bois était devenu si pâle, après des dizaines d'années passées au soleil, qu'on aurait dit du verre dépoli, luisant sous la lune. La villa s'appelait Sea Tender, un nom donné par grand-père Lockwood. Longtemps avant ma naissance, il avait gravé au fer rouge ces lettres sur une planche accrochée au-dessus de la porte d'entrée, mais le panneau s'était envolé depuis quelques années. Je l'avais cherché dans le sable sans jamais le retrouver.

Le vent a soufflé mes cheveux devant mon visage quand je suis sortie de la voiture, et les vagues grondaient comme le tonnerre. Topsail Island est si étroite que l'on peut entendre le vent depuis notre maison de Stump Sound, mais c'était différent. Mes pieds vibraient avec le martèlement des vagues sur la plage, et la mer était vraiment déchaînée ce soir-là.

J'avais une lampe torche dont je pouvais me passer sur le chemin en planches menant jusqu'à notre ancienne villa, entre deux maisons en front de mer. La marche du bas était sur le sable autrefois, mais elle m'arrivait maintenant à la taille. Après avoir transporté un parpaing trouvé derrière un pilotis, j'ai grimpé dessus pour me hisser sur la première marche, et de là sur la terrasse. Une planche, clouée en travers de la porte d'entrée, portait l'inscription *Interdit au public* ; j'ai eu du mal à glisser la clé dans la serrure par en dessous. (Ma mère, une vraie fourmi, gardait cette clé dans le tiroir de son bureau. Quand je l'avais trouvée, deux ans plus tôt, j'avais pris la décision d'aller dans la villa.) Je suis passée sous la planche pour entrer dans le salon. Mes sandales crissaient sur le plancher sableux.

Je connaissais l'intérieur de la villa aussi bien que notre maison de Stump Sound. J'ai traversé le séjour obscur jusqu'à la cuisine, en évitant nos vieux meubles, déjà trop affreux dix ans plus tôt pour qu'on les garde. J'ai allumé ma lampe-torche, que j'ai posée sur le plan de travail, de manière à éclairer le placard au-dessus du poêle. J'ai ouvert ce placard, vide, à l'exception d'un sac de marijuana, de quelques joints, et de plusieurs boîtes d'allumettes. Mes mains tremblaient quand j'ai allumé un joint, en inspirant profondément la fumée. Ensuite, j'ai retenu mon souffle jusqu'au moment où j'ai senti le haut de ma tête vibrer. Ce soir-là, j'avais une envie folle de planer.

Quand j'ai ouvert la porte de derrière, j'ai été frappée par le rugissement des vagues. Mes cheveux longs et beaucoup trop bouclés s'imprégnaient de l'humidité de l'air comme une éponge. Ils voletaient dans tous les sens et je les ai glissés sous le col de ma veste en montant sur l'étroite terrasse. A mon retour de la villa, je prenais toujours une douche, comme les gosses qui veulent se débarrasser de l'odeur des cigarettes. Il aurait suffi à ma mère de me humer une fois pour savoir d'où je venais ! J'avais de bonnes raisons de me sentir coupable parce que ce n'était pas seulement l'espoir d'être avec papa qui m'attirait dans la villa. Je n'étais pas si innocente...

J'ai tiré encore une fois sur le joint, en espérant retrouver mon calme.

J'avais quinze ans quand j'ai obtenu mon permis de conduite accompagnée, m'autorisant à prendre le volant avec un adulte à côté de moi. Une nuit, bizarrement, j'ai eu une envie folle d'aller à la villa : je révisais un examen d'histoire, et, une minute après, je me faufilais dehors pendant que ma mère et Andy dormaient. C'était une nuit sans lune de décembre, et je mourais de peur dans l'obscurité. Je savais à peine conduire, encore moins utiliser les freins, mais j'ai parcouru sans encombre la bonne dizaine de kilomètres qui me séparaient de la villa. Assise sur la terrasse, je grelottais de froid, et j'ai senti alors pour la première fois la présence de papa. Je l'ai vu apparaître juste à côté de moi, dans une nuée, et il m'a serrée si fort dans ses bras que j'ai dû retirer mon pull tellement j'avais chaud. J'ai pleuré de joie. Je ne suis pas une illuminée. Je ne crois ni aux fantômes, ni aux prémonitions, ni même au ciel et à l'enfer ; pourtant j'avais la certitude absolue que papa était là d'une manière inexplicable.

J'ai senti la présence de papa un certain nombre de fois, mais, ce soir-là, j'avais du mal à avoir le calme nécessaire pour l'accueillir. J'ai lu sur Internet tout ce qui concerne le contact avec les morts. Chaque site a un point de vue différent, mais ils disent généralement qu'il faut avoir à tout prix l'esprit serein. Moi, j'avais l'esprit en ébullition : l'herbe ne me calmait pas comme d'habitude.

J'ai murmuré dans le vent :

— Papa, j'ai vraiment besoin de toi ce soir.

En fermant les yeux de toutes mes forces, j'ai essayé de me représenter ses cheveux sombres et ondulés, et le sourire qu'il avait toujours quand il me regardait. Ensuite, j'ai prévu d'annoncer à ma mère que je n'aurais pas de mention à mon diplôme, comme elle l'aurait souhaité. Qu'allait-elle dire ? J'avais toujours été en tête de classe jusqu'à ce semestre, mais elle ne ferait sans doute pas trop d'histoires, car j'étais déjà admise à l'Université de Caroline du Nord – l'UNC – de Wilmington. De là, j'ai pensé à mon départ de la maison. Comment ma mère allait-elle se débrouiller sans moi avec Andy ?

En tant que mère, elle est plutôt limite. C'est une femme intelligente et parfois assez cool, mais elle aime Andy d'une manière étouffante, et ça lui échappe complètement. Mon frère est mon plus gros souci, et sa pensée ne me quitte quasiment pas. Même quand je pense à autre chose, il reste dans un coin de mon esprit, comme le fait de savoir que c'est le printemps, que je vis en Caroline du Nord, ou que j'appartiens au sexe féminin.

J'avais convaincu ma mère de laisser Andy aller au *lock-in*. A quinze ans, il était temps qu'elle le lâche un peu ; en plus, la mère d'Emily était l'une des responsables, ce soir-là. J'espérais qu'il allait prendre du bon temps et se comporter normalement. Il est assez mal adapté à la société. Allait-on danser au *lock-in* ? J'essayais d'imaginer Andy et Emily en train de danser ensemble.

Mon téléphone portable a vibré et je l'ai sorti pour regarder l'écran. Maman ! Je l'ai remis dans ma poche en espérant qu'elle n'avait pas essayé de me joindre chez Amber et découvert que je n'y étais pas.

Le téléphone a sonné une seconde fois. Deux appels consécutifs, c'était notre code qui signifiait : *Réponds-moi tout de suite, c'est sérieux.* J'ai bondi dans la maison et fermé soigneusement la porte avant de parler, pour qu'elle n'entende pas le grondement de l'océan.

— Bonjour, maman.

— Bon Dieu, Maggie ! L'église flambe.

Elle haletait comme si elle avait monté un escalier en courant. Je suis restée figée sur place.

— Quelle église ?

— Drury Memorial. Ils viennent de l'annoncer à la télé et ils ont montré une image, a-t-elle dit en étouffant un sanglot. L'église est en flammes.

— Pas possible !

Tout à coup l'herbe a agi. Ma tête s'est mise à tourner et je me suis penchée sur l'évier, de peur de vomir. *Andy*. Il serait incapable de s'en tirer.

— J'y vais tout de suite, a dit maman.

La porte de sa voiture s'est ouverte avec un grincement ; elle l'a claquée ensuite.

— Tu es chez Amber ?

J'ai regardé l'océan sombre de l'autre côté de la porte et j'ai dit :

— Oui.

C'est si facile de lui mentir : elle s'inquiète toujours pour Andy et presque jamais pour moi. J'ai jeté mon joint dans l'évier et ajouté que je la retrouvais à l'église. Elle a murmuré :

— Dépêche-toi !

Je l'ai imaginée en train de démarrer, le téléphone coincé entre son menton et son épaule.

— Garde ton calme et sois prudente, maman !

— Toi aussi, mais rejoins-moi vite.

Je fonçais déjà droit sur la porte. J'avais oublié le panneau *Interdit au public*, et je me suis cognée dedans brutalement. Je me suis penchée, j'ai sauté sur le sable, et j'ai couru sur les planches pour regagner ma Jetta. J'étais à des kilomètres de l'église de Surf City et de mon petit frère. Je me sentais très mal et j'ai fondu en larmes en mettant le moteur en route. En dévalant la New River Inlet Road, je me suis mise à prier, ce que je fais uniquement quand je suis désespérée : Mon Dieu, faites que rien n'arrive à Andy. Je vous en supplie, faites que cela m'arrive à moi. A moi, la menteuse, la mauvaise fille.

J'ai conduit jusqu'à Surf City en me répétant sans cesse cette prière ; et quand j'ai vu la fumée dans le ciel, je l'ai prononcée à haute voix.

3

Laurel

Il n'y a qu'un feu de signalisation sur les quarante kilomètres de Topsail Island. A deux pâtés de maisons seulement de la plage, au cœur de Surf City, il passait au rouge quand ma voiture s'est approchée et il y était encore quand je l'ai dépassé. Une douzaine de feux ne m'auraient pas arrêtée davantage. On m'a toujours considérée comme une femme énergique et je n'ai jamais été plus digne de ma réputation que cette nuit-là.

Plusieurs kilomètres avant, j'avais aperçu une lueur jaune dans le ciel, et je commençais à sentir l'odeur de l'incendie. Je m'imaginais la vieille église où je n'étais entrée qu'en de rares occasions pour des mariages ou des obsèques ; mais je savais qu'elle avait un plancher de pin, sans doute imprégné d'un produit huileux, sur lequel on pouvait être tenté de jeter une allumette. J'en savais long à ce sujet. Mes parents sont morts dans un incendie, et Jamie, qui était pompier bénévole, m'avait parlé de constructions à charpente uniquement en bois. Un gamin avait sans doute allumé une cigarette et jeté ensuite son allumette.

Quelle idée d'avoir écouté les conseils de Maggie ! Je n'aurais jamais dû laisser Andy aller là-bas. A force de s'occuper de son frère, elle finissait par le considérer comme un gosse normal. Quand on prend l'habitude d'être avec lui on ne s'étonne plus de ses bizarreries et de ses déficiences ; mais il suffit de le voir en société pour réaliser qu'il est inadapté, malgré tout le mal que l'on se donne. Dans un environnement familier et soigneusement contrôlé on peut se faire des illusions, mais, ce soir-là, je l'avais jeté dans la fosse aux lions.

La rue, près du Drury Memorial, était encombrée de camions de pompiers, de voitures de police et d'ambulances. J'ai dû me garer un pâté de maisons plus loin, devant Jabeen's Java et The Pony Express. Je suis sortie précipitamment de ma voiture et j'ai couru vers le brasier.

Quelques personnes regardaient les nuages de fumée monter de l'église vers le ciel clair malgré la nuit. En me précipitant vers l'entrée principale de l'église, j'ai entendu des cris et des sirènes. Une odeur âcre et écœurante flottait dans l'air. D'énormes projecteurs illuminaient l'édifice ; je n'avais d'yeux que pour les portes béantes d'où s'échappait la fumée.

J'ai foncé vers elles et quelqu'un a hurlé :

— Retenez-la !

De longs bras maigres m'ont saisie par-derrière.

— Lâchez-moi !

J'avais beau planter mes ongles dans les bras qui me retenaient, je ne parvenais pas à me dégager de ce véritable étau.

— Nous avons établi une aire de rassemblement, madame. La plupart des enfants sont sortis sains et saufs.

J'ai crié en me cabrant :

— La plupart, qu'est-ce que ça signifie ? Où est mon fils ?

L'homme m'a traînée à travers l'espace sablonneux avant de desserrer son étreinte.

— Ils ont établi une liste de noms.

— Où ?

Après avoir pivoté sur moi-même, j'ai reconnu le visage du révérend Bill, pasteur du Drury Memorial. S'il y a une personne que je n'aime pas à Topsail, c'est bien lui. Il ne paraissait pas enchanté non plus en réalisant que c'était moi qu'il tenait dans ses bras.

— Un de vos enfants était ici ?

— Andy.

Il avait l'air abasourdi que j'aie laissé l'un de mes enfants mettre les pieds dans son église. Je n'aurais jamais dû faire cela !

Je me suis mise alors à appeler Andy, en protégeant mes yeux des projecteurs. Andy portait ce soir-là son pantalon brun, sa chemise à rayures vert olive, et de nouvelles baskets. Je cherchais à apercevoir sa chemise rayée, mais le chaos a brouillé mon regard. Il y avait des enfants partout : certains allongés sur le sable, d'autres assis ou penchés en avant, en train de tousser. Les générateurs qui alimentaient les lampes ronronnaient et les parasites des radios de la police crépitaient. Les parents appelaient leurs enfants : Tracy ! Josh ! Amanda ! Un secouriste, penché sur une fillette, pratiquait un massage cardiaque. L'infirmière que je suis aurait voulu l'aider, mais mon instinct maternel l'a emporté.

Au-dessus de ma tête, un hélicoptère vrombissait après avoir décollé de la plage. J'ai crié Andy ! dans sa direction, avec une étrange sensation d'incongruité.

Sans lâcher mon bras, le révérend Bill m'a entraînée de l'autre côté de la rue, à travers un labyrinthe de camions de pompiers et de voitures de police. Un espace éclairé par d'autres projecteurs était délimité par du ruban jaune : à l'intérieur, des gens, épaule contre épaule, criaient en se bousculant.

Le révérend Bill m'a désigné quelqu'un dans la foule.

— Vous voyez cette femme, là-bas ?

Je me suis dressée sur la pointe des pieds.

— Qui ça ? Où ?

— Celle qui porte un uniforme. Elle prend les noms et met les parents en contact avec leurs enfants. Allez voir si...

Je me suis dégagée avant qu'il ait terminé sa phrase. Et sans prendre la peine de trouver l'entrée de la zone bouclée, j'ai enjambé le ruban jaune pour me mêler à la foule.

Une flopée de parents entourait la femme policier que j'ai aussitôt reconnue : Patty Shales, dont les enfants sont élèves de l'école élémentaire de Sneads Ferry où je travaille comme infirmière à mi-temps.

J'ai crié :

— Patty ! Sais-tu où est Andy ?

A l'instant où elle tournait les yeux vers moi, un homme lui a arraché son bloc-notes. Je n'ai pas su ce qui se passait, mais la tête de Patty avait disparu de mon champ visuel, au milieu de bras agités et de cris de colère.

Quelque part derrière moi, j'ai entendu les mots « tué » et « mort ». En me retournant, j'ai vu deux femmes, les mains plaquées sur la bouche.

L'une d'elles a frotté ses yeux rougis de larmes.

— J'ai appris qu'on avait retrouvé un corps. Plusieurs enfants ont été coincés à l'intérieur. Ma fille est dans les parages. Je prie le ciel que...

Elle a secoué la tête, incapable d'en dire plus.

Soudain, j'ai eu la nausée : une odeur goudronneuse me brûlait les narines et la gorge.

— Mon fils est là aussi.

Je doute que la femme éplorée m'ait entendue.

— Laurel !

Sara Weston s'est penchée pour passer sous le ruban jaune et a couru vers moi.

— Laurel ! Toi, ici ?

— Andy y était. Et Keith ?

Elle a acquiescé d'un signe de tête, en pressant une main tremblante sur sa joue.

— Je ne le trouve pas. On m'a dit qu'il aurait été brûlé, mais je...

Elle s'est tue tandis qu'un craquement sinistre s'élevait de l'autre extrémité de l'église – le genre de bruit que fait un grand arbre en train de s'écrouler. Tout le monde est resté figé sur place, les yeux braqués sur l'arrière du toit, qui s'effondrait en une longue vague, dans un nuage de fumée et de braises.

— Oh, mon Dieu, Laurel !

Sara a appuyé son visage contre mon épaule et j'ai passé un bras autour d'elle, tandis que des gens nous bousculaient pour s'approcher de Patty. Ils nous marchaient sur les pieds et nous poussaient dans tous les sens ; Sara et moi avons uni nos efforts pour pousser à notre tour, avec l'énergie du désespoir. Je connaissais sans doute certaines personnes que j'ai refoulées, mais en cet instant intenable, nous n'étions plus que des parents fous d'angoisse. Ça a dû se passer comme ça à l'intérieur, ai-je pensé, la gorge serrée par la panique. Tous les enfants ont dû se précipiter en même temps pour sortir de l'église.

— Patty !

Ma voix s'est élevée parmi tant d'autres, mais Patty a fini par m'entendre.

— Laurel ! a-t-elle crié. On a emmené Andy à New Hanover.

— Oh, mon Dieu !

— Ses jours ne sont pas en danger. Il a de l'asthme et quelques brûlures.

Avec un soupir de soulagement, j'ai remercié le ciel du fond du cœur.

— Vas-y ! a murmuré Sara en cherchant à me dégager sans y parvenir.

Elle a répété :

— Vas-y, mon chou, va le voir !

J'avais envie de courir jusqu'à ma voiture et de foncer à l'hôpital de Wilmington, mais je ne pouvais pas abandonner Sara.

— Pas avant que tu aies des nouvelles de Keith !

— Les parents de Kelly sont ici ? a lancé Patty.

— Ici ! a aboyé un homme derrière moi.

— Elle est à Cape Fear.

— Keith Weston est-il sur la liste ? a crié Sara au milieu du vacarme.

Je craignais que Patty ne l'ait pas entendue : elle parlait à un homme qui ajustait devant ses yeux une paire de lunettes cassées.

— Keith Weston vient d'être évacué par pont aérien à New Hanover, a fait Patty.

— Oh non !

Sara a empoigné mon bras avec une telle force que j'ai sursauté. Je me suis souvenue de l'hélicoptère s'élevant dans les airs au-dessus de moi.

— Allons-y ! Nous ferons la route ensemble.

J'ai entraîné Sara à travers la foule. Tandis que nous rebroussions chemin pour faire place à d'autres parents, les larmes que j'avais retenues jusque-là se sont mises à dégouliner sur mes joues.

— Nous irons séparément, a objecté Sara, qui courait déjà en tête. Au cas où l'une de nous devrait rester plus longtemps…

— Maman !

Maggie venait de surgir devant moi, à bout de souffle et tremblante.

— On m'a dit qu'oncle Marcus était là, mais je n'ai aucune nouvelle d'Andy.

Je lui ai pris la main.

— Il est à New Hanover. Je suis garée près de Jabeen's. Allons-y !

J'ai lancé un dernier regard à l'église fumante. Le revêtement déchiqueté qui tenait encore debout rougeoyait contre un ciel gris et sinistre. Je n'y avais pas pensé, mais mon ex-beau-frère était là, évidemment ! J'imaginais Marcus à l'intérieur de l'église, avec son masque à oxygène, se frayant un chemin dans l'église enfumée pour retrouver des enfants qui n'avaient pas la moindre chance de s'en tirer. Aurait-il été blessé quand le toit s'effondrait ? Mon angoisse pour Andy s'est reportée sur lui.

Pendant le trajet jusqu'à Wilmington, nous avons à peine échangé deux mots, Maggie et moi. Elle pleurait en reniflant doucement et émiettait un mouchoir en papier sur ses genoux. J'avais les yeux rivés sur la route et mon pied presque au plancher. Je voyais Andy essayant de comprendre ce qui lui arrivait dans le chaos de l'incendie et ensuite. Le simple transfert de la Maison des jeunes à l'église avait dû passablement le perturber.

A mi-chemin, j'ai questionné ma fille.

— Rappelle-moi pourquoi le *lock-in* a été déplacé à l'église.

— C'est à cause d'une panne d'électricité à la Maison des jeunes. (Sa voix s'est brisée.) Il paraît qu'il y a eu des morts parmi les enfants…

— Une simple rumeur !

— Je regrette d'avoir insisté pour que tu autorises Andy à…

— Chut ! ai-je dit en lui prenant la main. Tu n'y es pour rien, je t'assure. Ne te mets surtout pas cette idée en tête.

Je lui en voulais pourtant, au fond de moi-même, de son assurance quand elle m'avait affirmé que tout se passerait bien pour Andy.

J'ai voulu lâcher sa main pour négocier un tournant, mais elle m'a retenue avec une ferveur inhabituelle de sa part. J'ai laissé nos mains nouées jusqu'à la fin du trajet.

La salle d'attente bondée des urgences empestait la suie et les antiseptiques ; l'ambiance semblait presque aussi chaotique qu'aux abords de l'église. Devant la vitre de l'accueil, les gens s'étaient agglomérés sur quatre rangs ; j'ai dû jouer des coudes pour nous faire une place à Maggie et moi.

— Chacun son tour ! m'a lancé une grosse femme en me bloquant.

J'ai continué à pousser.

— Je veux savoir comment va mon fils.

Elle a rétorqué :

— On est tous là pour avoir des nouvelles de nos enfants !

Dans la salle d'attente, un homme a éclaté en sanglots déchirants. Je ne me suis pas retournée pour le voir. J'aurais voulu me boucher les oreilles.

— C'était peut-être un problème électrique, a dit Maggie en se penchant vers moi.

— Quoi ?

— Tu sais, la panne à la Maison des jeunes... Il y a peut-être un lien avec l'incendie...

La femme devant nous n'était plus là et notre tour arrivait enfin.

— On m'a dit que mon fils est ici. Andrew Lockwood.

— Bien, madame. Prenez un siège.

— Non!

Brusquement, j'ai fondu en larmes comme si je m'étais retenue jusqu'à la limite de mes forces, et j'ai supplié la réceptionniste.

— Dites-moi comment il va ! Laissez-moi aller le rejoindre. Il a des besoins particuliers...

Maggie a tenté de m'éloigner.

— Maman...

— Je comprends, a dit la réceptionniste d'une voix adoucie. Votre petit garçon va bien. Prenez un siège et quelqu'un va venir vous chercher dans un instant.

J'ai hoché la tête en essayant de reprendre le dessus, mais j'étais effondrée. Maggie m'a menée à l'un des sièges de la salle d'attente, et j'ai réalisé qu'elle pleurait elle aussi. Je l'ai enlacée, incapable de discerner si c'étaient ses épaules ou les miennes qui tremblaient.

— Laurel ?

Une femme se dirigeait vers nous depuis l'extrémité opposée de la pièce. Son visage et son tee-shirt étaient souillés de suie, ses cheveux tellement recouverts de cendre que leur couleur était indiscernable. Deux longues traînées pâles barraient ses joues. Elle avait dû beaucoup pleurer, mais elle souriait maintenant, en prenant mes mains dans les siennes. J'ai reconnu la courbure légèrement décalée de ses lèvres avant de réaliser qu'il s'agissait de Robin Carmichael, la mère d'Emily.

— Robin, ça va ?

— Oui.

Sachant que c'étaient les mots que j'avais besoin d'entendre avant tout, elle s'est empressée d'ajouter qu'Andy allait bien lui aussi.

— Mais on ne m'a pas laissée...

— Et Emily ? m'a interrompue Maggie.

Robin nous a indiqué d'un signe de tête l'autre côté de la salle d'attente, où j'ai aperçu Emily, pelotonnée sur une chaise. Elle tenait ses genoux serrés, tout en pressant un linge taché de sang sur son front.

— Ça va aller, a précisé Robin, mais on attend qu'elle soit examinée. Ses lunettes sont cassées et elle a une petite coupure au-dessus du sourcil.

Sans me lâcher les mains, elle m'a regardée au fond des yeux.

— Andy a sauvé la vie d'Emily.

Sa voix s'est brisée et j'ai senti sa main se resserrer sur mes doigts.

— Il a sauvé des tas de gens ce soir, Laurel.

— Andy ?

Nous avions parlé d'une seule voix, Maggie et moi.

— Oui, Andy ! a répété Robin, aussi stupéfaite que nous. Je vous jure que c'est vrai.

— Madame Lockwood ?

Une femme en blouse bleue se tenait sur le seuil de la salle d'attente. Je me suis levée en entendant mon nom.

— Suivez-moi !

On nous a fait entrer dans une salle de soins que j'avais découverte trois ans plus tôt, quand Andy s'était fracturé le bras à la patinoire. Plusieurs lits étaient séparés par des rideaux. Quelqu'un criait derrière l'un d'eux, une autre personne pleurait. Le rideau n'était pas tiré autour du lit d'Andy. Torse et pieds nus, il portait son pantalon sali. Une femme en blouse bleue lui bandait l'avant-bras gauche, et il avait une canule nasale d'oxygène. A notre vue, il a bondi hors de sa couche. Le pansement diaphane pendait à son bras, et la canule a glissé.

Il s'est écrié :

— Maman, il y a eu un terrible incendie, et je suis un héros !

— Andy, a dit l'infirmière d'un ton sec. J'ai besoin de terminer ton pansement.

Maggie et moi avons attiré Andy dans nos bras, et j'ai respiré plusieurs bouffées de l'horrible odeur du feu. Quand je lui ai demandé s'il allait bien, il s'est mis à gigoter et j'ai compris, en sentant les muscles de son dos tendus comme un arc, qu'on lui avait donné quelque chose contre l'asthme. Je connais bien mon fils ; malgré tout, j'étais incapable de le lâcher.

Maggie a repris ses esprits la première et s'est dégagée de notre étreinte.

— Panda, l'infirmière a encore besoin de toi !

Tout en parlant, elle a soulevé son bras et j'ai vu une vilaine traînée rouge entre son poignet et son coude. Premier degré seulement. Soulagée, je l'ai ramené à sa place. Pendant qu'il grimpait dans son lit, j'ai questionné l'infirmière.

— C'est tout ce qu'il a ?

Elle a acquiescé, avant de replacer la canule dans ses narines.

— Jetez un coup d'œil demain sur ses cloques. Nous allons vous donner une ordonnance pour un analgésique, mais tout ira bien. Une chance pour lui !

— Je me suis fait une nouvelle amie, m'a annoncé Andy. Layla. C'est moi qui l'ai sauvée.

— C'est très bien, mon chéri.

J'ai épousseté ses cheveux jusqu'à ce que leur couleur muscade réapparaisse. L'infirmière a soigneusement fixé son pansement.

— Il ne semble pas souffrir.

— Grâce au bandage, a dit Maggie en se haussant au pied du lit.

— Il aura mal plus tard.

Je me suis rappelé le concours de natation, un an auparavant. Alors qu'il s'était heurté la tête contre le bord de la piscine, Andy avait nagé, épreuve après épreuve, en laissant une traînée de sang derrière lui. Il n'avait pas eu conscience de sa blessure tant qu'avait duré son excitation.

— Tu m'as entendu, maman ? a repris Andy. J'ai sauvé Layla.

J'ai passé la main sur l'élastique de la canule, tendu derrière ses oreilles : j'éprouvais un besoin irrépressible de le toucher, de sentir la vie en lui.

— La mère d'Emily nous a dit que tu as sauvé plusieurs personnes. Que s'est-il passé ?

— Pas plusieurs, tout le monde !

— Vous désirez lui parler ?

L'infirmière regardait par-dessus nos têtes. J'ai tourné les yeux et j'ai aperçu un homme en uniforme de la police. Il regardait Andy.

— Tu es Andy Lockwood ?

J'ai dit oui à la place d'Andy et le policier s'est avancé de quelques pas.

— Vous êtes sa mère ?

— Laurel Lockwood, et voici ma fille, Maggie.

L'infirmière a tapoté l'épaule nue d'Andy.

— Tu nous appelles en cas de besoin, lui a-t-elle dit en tirant le rideau autour de nous avant de partir.

— Je suis l'inspecteur Frank Foley, de l'ATF[1]. Si tu me racontais ce qui s'est passé ce soir, Andy ?

— Je suis un héros.

Après un instant d'hésitation, l'inspecteur a ouvert un petit carnet en souriant.

— Bonne nouvelle. On n'en a jamais trop ! Où étais-tu quand l'incendie a commencé ?

— Avec Emily.

— C'est son amie, ai-je précisé. Emily Carmichael.

---

1. *Bureau of Alcohols, Tobacco, Firearms and Explosives*, bureau d'enquête fédéral. *(N.d.T.)*

— A l'intérieur de l'église ?

— Oui, mais elle est mon amie partout.

Maggie a pouffé de rire malgré elle. J'ai traduit pour Andy :

— On te demande si vous étiez à l'intérieur de l'église, Emily et toi, quand l'incendie a commencé ?

— Oui.

— Dans quelle partie de l'église vous trouviez-vous ? Etiez-vous debout, assis, ou...

J'ai levé une main pour interrompre l'interrogatoire.

— Une question à la fois, si possible ! Je vous assure que ça sera plus facile a-je dit avant de regarder Andy. Dans quelle partie de l'église étiez-vous quand l'incendie a commencé ?

— Je me souviens pas.

— Essaie de te souvenir, ai-je insisté. Etiez-vous près de la porte d'entrée ou du côté de l'autel ?

— Près du truc pour les baptêmes.

L'inspecteur a pris note sur son carnet.

— Très bien, mais vous étiez debout ou assis ?

— J'étais près d'Emily. Elle avait mis sa chemise à l'envers, comme elle fait souvent. Tu te souviens, maman ?

— Tu étais donc debout avec Emily, près des fonts baptismaux, ai-je repris pour éviter qu'il ne se disperse. Et ensuite, que s'est-il passé ?

— Les gens ont crié au feu, au feu !

Tout en parlant, Andy a écarquillé ses yeux sombres et son visage s'est animé.

— Ils ont foncé à côté de nous. Alors, des garçons ont pris ce long... machin, et ils ont compté jusqu'à trois avant de casser la fenêtre avec l'homme chauve.

A mon tour, je n'ai pas pu réprimer mon rire. Une heure avant, j'avais eu peur de ne plus jamais entendre parler mon fils chéri.

L'inspecteur Foley l'observait pourtant d'un air méfiant.

— Y avait-il de la drogue dans l'église, Andy ? As-tu bu ou absorbé certaines substances au cours de la soirée ?

— Non, monsieur, je n'ai pas le droit.

L'inspecteur a cessé d'écrire en se mordillant les lèvres et s'est adressé à moi.

— Vous y comprenez quelque chose, vous ? Ce long machin ? L'homme chauve ?

J'ai hoché la tête, et Maggie a questionné son frère.

— Tu parles toujours de l'intérieur de l'église, Panda ?

— Oui, et alors les garçons ont pris feu, mais il n'y avait pas d'échelle. Je leur ai dit « Stop, à terre et roulez ! » Il y en a qui l'ont fait. Keith était là. Il n'a pas été gentil avec moi, a conclu Andy en me regardant.

— Désolée.

Sara était ma meilleure amie et je me faisais un sang d'encre au sujet de Keith, mais ce gamin était parfois un vrai poison.

— Tu veux dire que qu'il n'y avait pas d'échelle pour échapper aux flammes, comme dans ta chambre à la maison ?

— Oui, pas une seule.

L'inspecteur Foley a repris la parole.

— Eh bien, où étais-tu quand tout cela est arrivé ?

Andy a froncé les sourcils, irrité par son manque de perspicacité :

— Près du machin des baptêmes, je viens de vous le dire !

L'inspecteur a feuilleté quelques pages de son carnet.

— On m'a dit que tu étais sorti de l'église et que...

— Oui, je suis sorti avec Emily par la fenêtre des toilettes des garçons. Il y avait une grosse boîte métallique par terre ; on a grimpé dessus.

— Et alors ?

— On était dehors.

— Qu'avez-vous vu dehors ? Y avait-il quelqu'un ?

— Une seule question à la fois, ai-je rappelé à l'inspecteur Foley.

— Qu'as-tu vu dehors, Andy ?

— Le feu. Partout, sauf sur la boîte métallique. Emily criait que personne ne pouvait sortir par la porte principale à cause des flammes. J'en ai quand même vu un sortir par la porte... il était en feu... mais je ne sais pas qui c'était.

— Oh, mon Dieu !

Maggie a pris sa tête entre ses mains ; ses longs cheveux déferlaient en vagues sombres sur ses bras. Comme moi, elle s'imaginait la scène. Assis là avec Andy, on avait tendance à oublier la tragédie qu'avait été l'incendie pour tant de gens. J'ai repensé à Keith. Où était-il ?

— A part la personne en feu, as-tu vu quelqu'un d'autre dehors ? a demandé l'inspecteur.

— Emily.

— Donc tu es retourné à l'intérieur de l'église ?

— Tu y es retourné, Andy ? ai-je répété, stupéfaite qu'il ait accompli un tel exploit.

— Oui, je suis monté sur la boîte métallique pour rentrer dans les toilettes et j'ai demandé à tout le monde de me suivre.

— Et alors ?

— Alors quoi ?

— Ils t'ont suivi ?

— Pas vraiment. J'ai fait passer certains en premier, comme mon amie Layla. (Il a enlevé la canule de ses narines en me regardant.) Je peux la retirer ?

— Pas avant que l'infirmière revienne te donner l'autorisation.

— Donc, tu as fait sortir Layla la première ? a insisté l'inspecteur.

— Et d'autres aussi. Ensuite, je les ai suivis, mais il y en avait plusieurs qui me suivaient. (Andy a froncé le nez.) C'est difficile à expliquer.

— Tu te débrouilles très bien, mon chéri.

— Comment savais-tu que la boîte métallique se trouvait là ? a repris l'inspecteur Foley.

— Je me souviens pas.

— Essaie quand même.

— Je l'ai vue en allant aux toilettes.

— A quel moment ?

— Quand je suis allé pisser.

Jugeant inutile d'insister, l'inspecteur Foley a refermé son bloc-notes d'une chiquenaude.

— Il me semble que tu es effectivement un héros, Andy.

— Je sais.

L'inspecteur Foley m'a fait signe de le suivre de l'autre côté du rideau, et il m'a adressé un regard inquisiteur.

— De quel... handicap souffre-t-il ? Une lésion cérébrale ?

— Syndrome d'alcoolisation fœtale.

Ces termes m'étaient aussi familiers que mon propre nom.

— Vraiment ?

Décontenancé, Foley a jeté un coup d'œil par-dessus mon épaule, comme s'il pouvait voir à travers le rideau.

— Ces enfants-là n'ont pas une apparence... anormale ?

— Pas toujours. Cela dépend de la partie de leur anatomie qui se développait quand ils ont été affectés par l'alcool.

— Vous êtes donc sa mère adoptive ?

La police de Topsail Island nous connaissait, Andy et moi, ainsi que notre histoire, mais l'inspecteur de l'ATF de Wilmington tombait des nues.

— Non, sa mère biologique. Sobre depuis quinze ans !

Foley a ébauché un sourire avant de murmurer :

— Vous avez une année d'avance sur moi. Félicitations !

Je lui ai rendu son sourire.

— Alors, vous aussi ?

— Eh bien... (Les yeux baissés, Foley tripotait son bloc-notes). Quelle part de ce qu'il m'a raconté puis-je croire ?

— Tout ! Andy est foncièrement honnête.

Foley a jeté à nouveau un regard par-dessus mon épaule.

— C'est un enfant... atypique.

— A qui le dites-vous.

— En fait, je voulais dire que, dans un incendie, soixante-quinze pour cent des gens essayent de s'enfuir par la porte principale. De vrais moutons de Panurge ! Quelqu'un file dans une direction et tout le monde le suit. Les vingt-cinq pour cent restants cherchent une autre issue. Une porte sur cour... Ou bien ils enfoncent une fenêtre. Qui est ce type chauve dont il parlait ?

— Aucune idée !

— Donc, Andy s'est dirigé vers la fenêtre des toilettes pour hommes. Un choix étrange, mais le bon, en l'occurrence.

— Effectivement, les enfants comme Andy ne raisonnent pas comme soixante-quinze pour cent des humains. Tant mieux pour lui ! Il aurait pu se focaliser sur la fenêtre des toilettes pour dames, par exemple, et se faire piéger. A propos... Savez-vous si tout le monde s'en est tiré ? Le bruit court qu'il y a des victimes.

Foley a hoché la tête.

— Trois morts aux dernières nouvelles, malheureusement.

— Oh non !

Certains parents n'auraient pas le privilège d'entendre leurs enfants faire le récit des événements. J'ai eu une pensée pour Keith et pour Marcus.

— Savez-vous de qui il s'agit ?

— Nous n'avons pas encore de noms. Deux enfants et un adulte, je n'en sais pas plus. Un grand nombre de brûlures sérieuses et d'inhalations de fumée. L'église était bondée !

— Et cette boîte métallique ?

— C'était le climatiseur. La personne qui a mis le feu a dû le contourner.

— La personne qui... Vous pensez à un incendie volontaire ?

Foley a levé une main, comme pour retirer ses paroles.

— Ce n'est pas à moi de me prononcer.

— On m'a parlé d'une panne d'électricité à la Maison des jeunes. Ce problème aurait-il eu une répercussion sur ce qui s'est passé à l'église ?

— L'enquête le dira.

— Est-ce pour cela que vous avez demandé à Andy s'il avait vu quelqu'un d'autre dehors ?

— Je vous répète qu'on va mener une enquête.

Il était clair que Foley n'en dirait pas plus.

Quand j'ai ouvert le rideau autour du lit d'Andy, après avoir regagné son box, j'ai remarqué un homme assis à l'autre bout de la pièce, au bord d'un lit. Il avait le crâne bandé, et ses épaules robustes s'affaissaient sous son tee-shirt. Il a levé la tête pour s'adresser à l'infirmière et j'ai reconnu alors ses cheveux sombres, ses yeux bruns aux longs cils. Il a passé une main tremblante sur son visage ; des traces de larmes brillaient sur sa joue.

L'infirmière d'Andy lui auscultait les bronches. Elle lui a demandé d'inspirer profondément, de tousser. J'ai profité de cet instant pour chuchoter à Maggie :

— Ben Trippett est là.

Ben, un pompier bénévole, de vingt-sept ou vingt-huit ans, était aussi l'entraîneur de l'équipe de natation d'Andy. Comment mon fils allait-il réagir en le voyant là, blessé et choqué ?

Maggie a tressailli comme si je l'arrachais à un rêve, puis elle a suivi mon regard. Elle connaissait assez bien Ben, car elle s'occupait de l'équipe des petits.

Je n'ai pas eu le temps de la retenir, elle se dirigeait déjà vers lui. Il serait gêné qu'elle le voie pleurer, mais à dix-sept ans, Maggie avait le droit à l'erreur. Elle me tournait le dos quand elle a salué Ben et je n'ai pas vu comment il réagissait. Après avoir roulé un tabouret près de son lit, elle s'est assise et ils ont parlé, la tête penchée, comme s'ils priaient. Les épaules de Ben tremblaient ; Maggie a posé une main sur son poignet. Parfois, elle me sidère. Une jeune fille de dix-sept ans, capable de réconforter un adulte ! Avait-elle acquis cette empathie en me voyant m'occuper d'Andy ? Peu probable. Tout ce qu'il y a de bon en Maggie est dû à Jamie.

L'infirmière d'Andy s'est redressée.

— Je vais contrôler tes signes vitaux, Andy, et nous pourrons peut-être te libérer.

Andy a tendu son bras gauche vers le brassard du tensiomètre.

— Ton autre bras, Andy ! Je te rappelle que tu devras être prudent avec ton bras brûlé pendant quelques jours.

Après avoir pris sa tension et sa température, elle nous a laissés seuls.

— Je vais écrire un livre pour raconter que je suis un héros, m'a annoncé mon fils tandis que je cherchais sous son lit le sac en plastique contenant sa chemise et ses chaussures.

— Un jour ou l'autre, tu le deviendras peut-être...

J'ai songé à le ramener en douceur à la réalité, mais il avait si peu d'occasions de se vanter de ses exploits... Pourtant, tout le monde n'aurait pas mon indulgence à son égard.

Quand j'ai ouvert le sac en plastique, l'odeur âcre de ses vêtements m'a écœurée.

— Andy, tu as agi ce soir avec beaucoup d'intelligence et de courage.

— Oui...

Il faisait trop froid dehors pour que je le laisse sortir de l'hôpital sans ses chaussures et sa chemise puantes. Je lui ai tendu sa chemise rayée.

— Mais c'était un grave incendie, Andy, et il y a eu beaucoup de blessés.

J'ai ajouté, après un instant d'hésitation, qu'il y avait eu des morts. Il valait mieux lui apprendre moi-même la nouvelle. Il a secoué violemment la tête.

— Je les ai sauvés !

— Tu ne pouvais pas sauver tout le monde. C'était impossible et je sais que tu as fait le maximum ; mais il ne faut pas dire aux gens que tu t'es conduit en héros. Je te rappelle qu'on ne doit jamais se vanter.

— Est-ce que je me vanterais si c'était dans un livre ?

— Non, pas dans ce cas-là.

La porte vitrée s'est ouverte derrière moi et j'ai tourné la tête : Dawn Reynolds, en pleurs, fonçait vers Ben.

— Mon Dieu, Ben ! J'ai eu si peur.

Elle a failli bousculer Maggie, assise sur son tabouret, pour serrer Ben dans ses bras. Tant d'amour et un tel soulagement m'ont émue aux larmes. Dawn vivait avec Ben dans une petite villa sur la plage de Surf City, et travaillait avec Sara à Jabeen's Java.

Ben lui frictionnait les bras pour la rassurer.

— Je vais bien, ne t'inquiète pas !

Maggie s'est levée tranquillement et a offert son tabouret à Dawn avant de nous rejoindre.

— Comment va Ben ? lui ai-je demandé.

— Pas génial ! Il a une petite fille de sept ans qui vit à Charlotte avec son ex-femme. Il se dit qu'elle pourrait se retrouver coincée dans un incendie elle aussi, et il est contrarié parce que les gens… (Maggie nous a regardés tour à tour Andy et moi). Enfin, tu vois…

— J'ai expliqué à Andy qu'il y a eu des morts.

Maggie a fondu en larmes une fois encore et a tiré son mouchoir en papier déchiqueté d'une poche de son jean.

— Je n'arrive toujours pas à comprendre comment c'est arrivé.

— Pour ne pas me vanter, je vais écrire un livre là-dessus, a déclaré Andy en enfilant ses baskets.

Maggie a fourré son mouchoir dans sa poche et soulevé la jambe d'Andy. Son pied reposait ainsi sur sa hanche tandis qu'elle lui nouait ses lacets.

— Ben m'a dit qu'une poutre lui est tombée sur la tête, m'a-t-elle annoncé. Oncle Marcus était avec lui.

Marcus. Je me suis souvenue des paroles de l'inspecteur Foley. Deux enfants et un adulte… Et, pour la seconde fois cette nuit-là, mes inquiétudes se sont reportées sur mon beau-frère.

4

Marcus

J'ai composé pour la troisième fois le numéro de Laurel, en tournant sur Market Street. Toujours sa boîte vocale… J'ai pensé : Laurel, ma mignonne, ce n'est pas le moment de m'ignorer, et j'ai hurlé dans mon téléphone : « Bon Dieu, appelle-moi ! »

Je m'étonnais encore qu'elle ait laissé Andy aller à ce *lock-in*, surtout au Drury Memorial. Pete avait couru vers moi alors que je sortais tout juste du brasier. Il avait élevé la voix, à cause du vacarme des générateurs, du bruit de l'eau et des hurlements des sirènes.

— Ton neveu est à New Hanover. File vite !

Une seconde après, ses paroles avaient pris sens pour moi. *Andy* s'en était sorti ! J'ai enlevé mon masque à oxygène et mon casque. Mes mains, comme des pierres quand j'étais dans l'église, tremblaient.

Pete s'est retourné vers moi en fonçant vers le camion.

— Laisse ton équipement, on s'en occupe, et vas-y.

— Laurel est au courant ?

J'avais crié en me débarrassant de ma veste de protection, mais il ne m'a pas entendu.

J'ai couru ensuite jusqu'à la caserne, distante de quelques pâtés de maisons, et je n'avais plus que mon uniforme sur moi quand j'ai sauté dans ma camionnette et démarré en trombe. Le pont était fermé à la circulation, sauf aux véhicules d'urgence, mais la femme policier postée à l'entrée m'a reconnu ; elle m'a fait signe de passer. J'avais essayé de joindre Laurel chez elle et sur son portable, j'appelais maintenant les urgences du New Hanover. Mes mains tremblaient si fort que j'ai dû m'y reprendre à deux fois. Après avoir mis le haut-parleur, j'ai déposé mon téléphone dans le porte-gobelet.

— Les urgences, a fait une voix féminine.

— Ici le capitaine des pompiers de Surf City, Marcus Lockwood, ai-je crié en direction du téléphone. Vous avez un patient, Andy Lockwood, rescapé du Drury Memorial. Pouvez-vous me faire un rapport sur lui ?

— Un instant, je vous prie.

Le chaos de l'hôpital – cris et sirènes – emplissait mon pick-up. Quelqu'un hurlait des mots indistincts, un autre gémissait. Il me semblait que la scène de folie de l'incendie était transférée à l'hôpital.

Je m'agrippais au volant quand j'ai entendu :

— Monsieur Lockwood ?

— Oui ?

— On le soigne pour inhalation de fumée et brûlures. Attendez une seconde !

Après avoir échangé quelques mots avec je ne sais qui, la femme est revenue au téléphone.

— Brûlures au premier degré, d'après son infirmière. Seulement au bras, et son état est stable. Un héros, paraît-il.

Elle avait dû faire une confusion : les mots « héros » et « Andy » n'étaient pas associables dans une même phrase.

— Vous me parlez d'Andy Lockwood ?

— C'est bien votre neveu ?

— En effet.

— D'après son infirmière, il aurait aidé plusieurs enfants à s'enfuir par la fenêtre des toilettes pour hommes. Elle m'a dit aussi qu'il n'y a pas lieu de s'inquiéter pour lui.

Interloqué, j'ai éteint mon téléphone et gardé tant bien que mal le contrôle de mon véhicule, tandis que la route se brouillait devant mes yeux. Malgré le stress de l'incendie, à aucun instant je ne m'étais senti aussi anxieux que pendant ces deux dernières minutes.

Maintenant que je n'avais plus à m'inquiéter au sujet d'Andy, j'étais scandalisé, car il s'agissait d'un incendie volontaire. Appartenant à la première équipe de pompiers sur les lieux, j'avais fait un tour rapide de l'édifice : le feu entourait également ses quatre côtés, ce qui ne pouvait être un effet du hasard.

Je m'y connais en matière de pyromanie. Enfant, j'étais du genre à jouer avec les allumettes, et, un jour, j'avais mis le feu à notre hangar. Mes parents n'en avaient pas cru un mot quand j'avais cherché à en rejeter la responsabilité sur Jamie : ils savaient que leur angélique fils aîné n'aurait jamais commis un tel méfait. Je ne garde aucun souvenir de ma punition, mais je me rappelle les chiffons huileux de mon père en train de s'embraser sur son établi, et ma terreur devant les flammes qui grimpaient le long du mur. Voilà pourquoi je n'ignorais rien de ce frisson d'excitation que procure le feu.

Mais si un cinglé avait éprouvé le besoin de déclencher un incendie, pourquoi avoir choisi une église bourrée d'enfants plutôt que l'une des centaines de résidences d'été de l'île, vides en cette saison ? Le bâtiment en soi n'était pas une grande perte. Depuis des années, le Drury Memorial s'évertuait à collecter des fonds pour construire une plus grande église. Etait-ce une simple coïncidence ? Une coïncidence aussi le fait que le *lock-in* ait été transféré de la Maison des jeunes à l'église ? En tout cas, après m'être angoissé au sujet d'Andy, je pouvais réfléchir à l'enquête future avec une certaine sérénité.

Ben Trippett et Dawn Reynolds sortaient des urgences quand j'ai couru vers l'entrée. J'étais en présence d'un héros digne de ce nom, et malgré ma hâte de voir Andy, j'ai dû m'arrêter un instant.

— Tu peux être fier de toi, lui ai-je dit en lui tapotant l'épaule.

— Merci, mec !

Appuyé sur Dawn, Ben a ébauché un sourire ; il avait les yeux rougis.

— Comment va ta tête ?

Il rampait devant moi dans l'église quand je ne sais quoi – une solive ou peut-être une statue – avait heurté son casque en s'effondrant. A la lueur de ma torche, j'avais vu du sang couler le long de sa joue.

Dawn s'est serrée contre lui.

— Dix-sept points de suture et peut-être une commotion cérébrale.

— Tu as sauvé au moins une vie ce soir, ai-je repris. Tu peux compter sur mon soutien quoi qu'il arrive, Trippett.

A vrai dire, je n'avais pas été enchanté de faire équipe avec lui. Ben était bénévole depuis moins d'un an, et j'avais l'impression qu'il ne « durerait » pas. Il avait l'enthousiasme, l'ambition et l'intelligence nécessaires, mais il souffrait de claustrophobie. Après une première inspiration à travers le masque, le jour où il avait mis le SCBA[1], il avait eu une véritable attaque de panique. Les gars se moquaient de lui à ce propos ; de simples taquineries, qui avaient dégénéré quand la gravité du problème était devenue manifeste. Je ne pouvais pas les blâmer : qui souhaiterait avoir comme coéquipier une personne qui n'est pas fiable ? Sur le point d'abandonner, et même de quitter l'île, Ben avait finalement suivi avec succès un entraînement à la lutte contre le feu, et il m'avait annoncé, un mois plus tôt, qu'il était prêt à aller sur le terrain.

Je lui avais rappelé qu'il y a une différence énorme entre un feu contrôlé et un incendie véritable, mais il m'avait affirmé qu'il se sentait sûr de lui, et je l'avais pris au sérieux. Ce soir-là, il avançait devant moi à quatre pattes, à travers l'église en feu, quand son alarme lui avait signalé une baisse du niveau d'air. Nous avions tous les deux démarré avec des réservoirs pleins, mais l'angoisse fait respirer plus vite et son réservoir se vidait.

— On fait demi-tour ! lui ai-je crié d'une voix assourdie par mon masque.

Il m'avait certainement entendu, mais il n'a pas rebroussé chemin. Au contraire, il a continué à avancer, et j'ai eu peur qu'il n'ait plus toute sa raison. J'ai entendu un bruit mat quand quelque chose a heurté son casque, puis un gémissement de douleur, et j'ai aperçu une traînée de sang sur sa joue. Je lui ai hurlé de faire demi-tour ; il ne s'est pas arrêté.

Par radio, j'ai prévenu que nous avions un blessé en manque d'air. C'est alors que j'ai aperçu, à travers la fumée, l'écran de sa caméra à imagerie thermique : il y avait un gosse devant nous et Ben cherchait à le rejoindre. Une fillette… Elle s'était réfugiée dans son

---

1. *Self Contained Breath Apparatus*, équipement utilisé par les pompiers pour la protection respiratoire. *(N.d.T.)*

sac de couchage, où elle avait trouvé une poche d'air. Il l'a empoignée et nous l'avons traînée ensemble hors de l'église ; inconsciente mais vivante.

J'ai apostrophé Dawn :

— Ton copain est une vraie tête de mule, mais il y a une fillette qui a eu bien de la chance ce soir...

Dawn a approuvé, et Ben a objecté :

— Il paraît que tous les enfants ne s'en sont pas sortis. J'aurais dû rester et on aurait pu...

Je l'ai saisi par l'épaule.

— Impossible, mon vieux ! Tu avais la tête fendue ! C'est bien, tu as fait le maximum ce soir.

Ben a pressé ses doigts noirs de suie sur ses yeux. Il allait craquer d'une seconde à l'autre. Ses cheveux sombres, sous les lampes de l'hôpital, m'ont soudain rappelé Jamie. Un costaud au cœur tendre, lui aussi.

Dawn s'est tournée vers Ben, une main sur son torse.

— Tu l'entends, chéri ? Tu as fait le maximum !

A mon intention, elle a ajouté :

— Savez-vous comment l'incendie s'est déclenché ?

— Probablement un incendie volontaire.

— Qui peut faire une chose pareille ?

— Vous n'auriez pas vu mon neveu à l'intérieur ? ai-je demandé en secouant la tête avant de jeter un coup d'œil à travers les portes vitrées des urgences. Andy ?

Dawn a effleuré mon bras.

— Il est là et il va bien.

Assis en tailleur sur un lit de la salle des urgences, Andy avait l'air d'un petit bouddha maigrichon, avec un bras bandé. Ma gorge s'est nouée. A son chevet, ses cheveux noirs retenus par une barrette, Laurel me tournait le dos. Maggie était pelotonnée au bout du lit, les genoux repliés sous elle.

Andy m'a aperçu dès que j'ai ouvert la porte vitrée.

— Oncle Marcus !

J'ai atteint le lit en quelques enjambées et je me suis penché pour le serrer dans mes bras. Il avait le dos étroit d'un jeune enfant, mais des muscles fermes grâce à la natation. Incapable de parler, j'ai respiré l'odeur de fumée qui se dégageait de ses cheveux, et j'ai attendu d'avoir repris mes esprits pour me redresser.

— C'est bon de te revoir, Andy !

— Je suis un héros. Maman, je peux en parler à oncle Marcus ?

Laurel a refoulé un éclat de rire.

— Oui, ton oncle Marcus fait partie de la famille. (Elle m'a regardé.) J'ai dit à Andy qu'il ne devait pas se vanter en public.

J'ai passé un bras autour de Maggie pour l'attirer vers moi.

— Ça va, Mags ?

— Ça va.

Elle avait pourtant le teint cireux et des cernes violacés et translucides sous les yeux.

— Ne t'inquiète pas, ai-je murmuré. Tout va bien pour lui.

Elle m'a dévisagé d'un air absent.

— Pour qui ?

— Pour Andy, ma belle.

— Oui, je sais.

En se penchant, elle a passé une main sur le genou d'Andy.

— Et toi, Marcus ? Dans quel état es-tu ?

— Pas de problème, mais je voudrais qu'Andy me dise pourquoi il est un héros.

Ne sachant où m'asseoir, je me suis appuyé au siège de Laurel, les mains dans mes poches. Andy s'est lancé dans son histoire avec un enthousiasme qui m'a fait oublier que j'en voulais à Laurel de ne pas m'avoir appelé. Il était soudain devenu un véritable narrateur.

On a échangé un regard pendant une demi-seconde, Laurel et moi, pendant qu'Andy racontait ; elle a détourné les yeux la première.

— Alors je m'ai hissé par la fenêtre... disait Andy sur sa lancée...

Laurel a passé le pouce sur sa main.

— Je me *suis* hissé, mon chéri.

— Je me suis hissé par la fenêtre des toilettes des garçons, sur la boîte métallique, avec Emily. Ensuite je suis rentré de nouveau dans l'église, et j'ai demandé à tout le monde de me suivre.

— Incroyable ! Comme le Joueur de flûte de Hamelin, ai-je dit à voix basse.

— C'est qui ? a demandé Andy.

— Un personnage de conte de fées, a expliqué Laurel. Les enfants l'ont suivi, et oncle Marcus veut dire que tu es comme ce joueur de flûte parce que les enfants t'ont suivi toi aussi.

Maggie est intervenue.

— Je croyais que c'étaient des rats.

J'ai grommelé que ça n'avait pas d'importance et que ma comparaison était d'ailleurs inexacte.

Après un coup d'œil à sa montre, Laurel s'est levée.

— On peut se parler une minute ?

Penché vers Andy, sa tête entre mes mains, j'ai planté un baiser sur son front. En même temps, j'ai humé les relents pestilentiels du feu que j'espérais ne plus jamais sentir sur lui.

— A tout à l'heure, Andy.

J'ai dû courir pour rejoindre Laurel. Croqueuse de vitamines, obsédée par la santé, elle pratiquait le jogging et marchait généralement au pas de course.

Elle s'est retournée, les bras croisés. C'était sa posture quand elle m'adressait la parole, et j'avais pris l'habitude de me la représenter ainsi : les bras devant sa poitrine comme un bouclier.

— Pourquoi diable ne m'as-tu pas appelé ? ai-je lancé.

— Tout s'est passé si vite... Sais-tu que Keith Weston est dans les parages ?

— Keith était au *lock-in* ?

— Il a été évacué par pont aérien. Sara est partie à peu près en même temps que moi, mais je ne l'ai pas vue depuis.

Je me suis dirigé vers la réception.

— Allons voir !

— Un inspecteur de l'ATF est venu interroger Andy, m'a alors annoncé Laurel.

Ils allaient vite en besogne, ce qui n'était pas pour me déplaire.

— D'après lui, il y aurait trois morts. Sais-tu de qui il s'agit ?

— Aucune idée. Tout ce que je sais, c'est qu'il y a eu de nombreux blessés.

J'ai effleuré son dos de ma paume. Elle craignait que Keith figure parmi eux, et moi aussi.

On arrivait à la réception, mais l'employée était trop débordée pour que nous l'importunions. J'ai hélé un homme en blouse bleue qui se rendait à la salle de soins.

— Pourrions-nous connaître l'état de l'une des victimes de l'incendie ? lui ai-je demandé après m'être présenté. Il s'agit de Keith Weston.

— Bien sûr !

Il a disparu dans un couloir comme s'il n'avait rien de mieux à faire. Moi, j'ai regardé Laurel, en ébauchant un signe de tête en direction de la salle de soins.

— C'est vrai qu'il a aidé d'autres gosses à sortir ?

— Incroyable, n'est-ce pas ? Mais l'inspecteur me l'a affirmé. Je pense que, contrairement à la majorité, il n'a pas eu le réflexe de se ruer vers la porte principale.

— Et il n'a peur de rien.

Laurel n'a pas acquiescé tout de suite. Andy avait peur de beaucoup de choses, mais elle savait ce que j'entendais par là. Il n'avait pas le sens du danger et il était impulsif. J'ai repensé au jour où il avait plongé de la jetée pour récupérer un chapeau entraîné par le vent.

L'homme en bleu est revenu.

— Ce garçon n'est pas ici. On l'a emmené directement à l'hôpital universitaire de Caroline du Nord... à Chapel Hill.

— Le centre de traitement des grands brûlés ? a soufflé Laurel, une main sur la bouche.

— Oui. J'ai parlé à l'un des internes. On l'a plongé dans un coma thérapeutique.

— Il va s'en tirer ?

Les mains de Laurel se sont mises à trembler et j'ai senti ma colère à son égard retomber.

— Je n'en sais rien, a grommelé l'homme.

Le bip accroché à sa ceinture venait de se déclencher, et il s'est éloigné au pas de course.

— Sa mère est avec lui ? a crié Laurel, mais il était déjà presque au bout du couloir.

Elle a pressé ses mains sur ses yeux.

— Pauvre Sara !

— Oui, nous avons beaucoup de chance qu'Andy soit sain et sauf.

Exceptionnellement, elle m'a regardé dans les yeux plus d'une demi-seconde.

— Oh, Marcus, j'ai eu si peur...

— Et moi donc !

Sur le point de la serrer dans mes bras, histoire de me réconforter et de la réconforter elle aussi, je me suis retenu. Elle allait se crisper et me repousser. J'ai simplement laissé ma main reposer sur son dos, et nous sommes retournés au chevet d'Andy.

5

Laurel

1984

Jamie Lockwood m'a métamorphosée. Du moins, je n'ai plus jamais regardé un homme à moto sans me demander ce qu'il cachait au fond de lui-même. Plus l'apparence extérieure est grossière, plus il y a de tatouages, plus le cuir est épais, et plus je m'interroge sur l'âme. Mais Jamie m'a beaucoup appris aussi sur l'amour et la passion, et, sans le faire exprès, sur la culpabilité et le chagrin. Des leçons que je ne pourrai jamais oublier.

A dix-huit ans, j'étais en première année à l'UNC, l'université de Caroline du Nord, quand je l'ai rencontré. Je sortais d'un parking, dans une rue de Wilmington, au volant de ma Honda vieille de trois mois. Ma Civic rouge m'avait été offerte, à l'occasion de mon diplôme, par mon oncle et ma tante, qui compensaient leur froideur affective par une certaine générosité matérielle à mon égard. Après un coup d'œil à mon rétroviseur – voie dégagée –, j'ai braqué sur la gauche et pris un peu de vitesse. Brusquement, j'ai senti un grand choc contre ma porte : un météore de cuir noir et de jean passait à côté de ma vitre.

J'ai hurlé à pleins poumons, étonnée par la puissance de ma voix, et incapable de m'arrêter. Impossible d'ouvrir ma portière, car la moto s'y appuyait. Le temps pour moi de sortir par la portière passager, le motard se remettait déjà d'aplomb. Une véritable armoire à glace, que j'aurais craint d'approcher si j'avais eu tout mon bon sens. Il aurait pu appartenir au gang des Hell's Angels... Pourtant, ma seule pensée était que j'avais fait du mal à quelqu'un. J'aurais pu tuer cet homme.

J'ai foncé vers lui comme un automate. De profil, il roulait les épaules et pliait les bras, apparemment pour s'assurer que tout fonctionnait encore. Je me suis immobilisée à quelques pas.

— Désolée, je ne vous avais pas vu. Comment vous sentez-vous ?

— A mon avis, je survivrai.

Quand le motard a enlevé son casque blanc, une masse de cheveux sombres a déferlé sur ses épaules. Il a examiné une grande éraflure noire sur son casque et marmonné qu'il devrait envoyer un témoignage de satisfaction au fabricant :

— Vous vous rendez compte, il n'est même pas cabossé !

Le motard m'a tendu son casque ; je n'avais d'yeux que pour le cuir en lambeaux de sa manche droite.

— J'ai vérifié dans mon rétroviseur, mais je guettais une voiture, et vous avez échappé à mon regard.

— Pitié pour les cyclistes ! a crié une femme sur le trottoir. Vous auriez pu renverser mon fils sur son vélo.

— Je sais, je sais... C'est de ma faute !

Le motard a regardé la femme.

— Inutile de la tourmenter ! Elle ne commettra pas la même erreur une deuxième fois, a-t-il dit avant de s'adresser à moi plus doucement : N'est-ce pas ?

J'ai acquiescé d'un signe de tête, au bord de la nausée. Pendant ce temps, il faisait un tour d'horizon.

— Bon... Je vais voir dans quel état est ma moto, et vous allez vous garer près du trottoir pour régler les problèmes d'assurance. D'accord ?

J'ai hoché la tête une seconde fois.

Cet homme avait un pur accent de Wilmington, contrairement à moi. Quand il a éloigné sa moto de ma portière éraflée, j'ai pu l'ouvrir sans trop de peine. J'ai dû me concentrer pour mettre le contact, passer en marche arrière et reculer : j'avais soudain l'impression de ne plus savoir conduire, et j'ai reculé d'un mètre pour me garer avec la maladresse d'une gamine de quatorze ans. Après avoir extrait ma carte d'assurance froissée de ma boîte à gants, je suis sortie de mon véhicule. Le motard s'était garé un peu plus loin, le long de la rue.

— Tout marche normalement ? lui ai-je demandé en serrant mes bras contre ma poitrine.

Bien que je n'aie pas froid, je tremblais des pieds à la tête.

— Oui, c'est votre voiture qui a tout pris.

— Non, c'est vous ! ai-je objecté, les yeux fixés sur sa manche. Qu'attendez-vous pour piquer une terrible colère contre moi ? Je vous trouve beaucoup trop calme...

Il a ri.

— C'est exprès que vous m'avez barré la route ?

— Non.

— Vous vous sentez déjà suffisamment coupable. Je ne vois aucune raison de vous enfoncer davantage ! Allons prendre un café au bout de la rue pour discuter de l'assurance. De toute façon, vous n'êtes pas en état de vous remettre au volant maintenant.

Effectivement, je tremblais toujours, debout à côté de lui dans la file d'attente du café. Mes genoux ont cédé et j'ai dû m'appuyer de tout mon poids au comptoir quand nous avons passé la commande.

— Un décaféiné pour vous, a-t-il dit d'un ton moqueur. Si vous nous trouviez une table ?

Je me suis assise à une table près de la vitrine. Mon cœur battait toujours la chamade, mais j'éprouvais un réel soulagement. Quelle chance j'avais eue ! Ma voiture n'avait rien de grave, je n'avais tué personne, et j'avais affaire à un Hell's Angel miséricordieux.

Cet homme (d'au moins un mètre quatre-vingt-quinze) me dépassait d'une bonne trentaine de centimètres. J'ai remarqué son imposante carrure, sous le cuir noir, quand il a pris nos deux chopes de café. Un joueur de foot bien rembourré... Mais dès qu'il a retiré son blouson, pour le poser sur le dossier d'une troisième chaise, ses proportions m'ont paru sans aucun rapport avec le rembourrage. Il portait un tee-shirt bleu marine avec Topsail Island écrit en lettres blanches sur le devant, et il n'était ni gros ni particulièrement musclé. Solidement charpenté et vigoureux. Ces mots m'ont traversé l'esprit, et, toute vierge que j'étais, après une scolarité en échec social, je me suis demandé comment ça serait de faire l'amour avec lui. Parviendrait-il à ne pas peser sur mon corps ?

— Tout va bien ?

Ses yeux brillaient de curiosité. J'ai senti mes joues s'empourprer à l'idée qu'il ait pu lire mon fantasme sur mon visage.

— Ça va mieux, ai-je bredouillé. Encore un peu secouée.

— Votre premier accident ?

— Et mon dernier, j'espère. Vous en avez eu d'autres ?

— Quelques-uns, mais j'ai plusieurs années d'avance sur vous.

— Vous avez quel âge ? ai-je demandé au risque d'être indiscrète.

— Vingt-trois ans. Et vous environ dix-huit, je suppose.

J'ai acquiescé d'un signe de tête.

— En première année à l'UNC ?

J'ai froncé le nez : était-il écrit sur mon front que j'étais une novice ?

Après avoir avalé son café à petites gorgées, il a poussé légèrement vers moi mon mug resté intact.

— Vous avez déjà choisi votre voie ?

— Je voudrais devenir infirmière. (Pour imiter ma mère, qui n'en saurait jamais rien). Et vous, ai-je poursuivi en versant le contenu d'un sachet de sucre en poudre dans mon déca, êtes-vous un Hell's Angel ?

Il a pouffé de rire.

— Oh non ! Je suis menuisier, tout en ayant obtenu, il y a quelques années, un diplôme d'études religieuses à l'UNC. Un diplôme sans aucune valeur...

— Pourquoi sans valeur ?

J'ai aussitôt regretté de ne pas avoir changé de sujet. Il risquait de me prêcher la bonne parole afin de me sauver, comme font certains croyants. Lui étant redevable, je serais obligée de l'écouter au moins un moment.

— Eh bien, j'avais l'intention d'entrer au séminaire et de devenir pasteur, mais plus j'étudiais la théologie, plus l'idée d'être lié à une seule et unique religion me rebutait. Donc, je cherche encore ma vocation.

Il a tendu la main et pris dans la poche de son blouson un stylo bille et sa carte d'assurance. Sur son biceps, j'ai aperçu un tatouage : le mot *empathie*, écrit à l'intérieur d'une bannière. Aussi excitée sexuellement que cinq minutes avant, je sentais maintenant le bout de ses doigts se poser doucement sur mon sein. Sur mon cœur…

— Ecoutez, m'a-t-il dit, les yeux sur sa carte, votre voiture roule normalement, n'est-ce pas ? C'est juste un problème de carrosserie.

J'ai approuvé d'un hochement de tête.

— Dans ce cas, ne vous adressez pas à votre compagnie d'assurance, vous n'y avez aucun intérêt. Faites établir un devis et je me charge du reste.

— Vous ne pouvez pas faire ça pour moi ! Je suis fautive.

— Tout le monde a droit à l'erreur.

Je l'ai regardé droit dans les yeux.

— J'ai manqué de vigilance et je m'étonne que vous ne soyez pas furieux. Un peu plus et je vous tuais !

— Furieux, je l'ai été au début. J'ai juré comme un charretier quand j'ai valsé dans les airs. Mais la colère est un poison que je refuse d'accueillir en moi ! Dès que je me suis focalisé sur vos sentiments – au lieu des miens – ma colère s'est volatilisée.

— Le tatouage sur votre bras…

— Il est là pour me rappeler à l'ordre. Ce n'est pas toujours facile.

Il a retourné sa carte d'assurance et décapuchonné son stylo-bille.

— Je ne connais même pas votre nom.

— Laurel Patrick.

— Joli ! Je m'appelle Jamie Lockwood

Après avoir noté mon nom, il m'a serré la main par-dessus la table.

On a commencé à sortir ensemble : activités sur le campus, films, et même un pique-nique. Je me sentais jeune en comparaison, mais il ne se montrait jamais condescendant. Sa gentillesse et la bonté de son regard m'attiraient. Il avait d'abord été charmé par mon physique, me confia-t-il ; ce qui prouvait qu'il n'était pas totalement différent des autres hommes, après tout.

« Tu étais si jolie quand tu es sortie de la voiture ce jour-là, m'avait-il dit. Tu avais les joues rouges, ton petit menton pointu tremblait, et tes longs cheveux noirs, tout ébouriffés, étaient vraiment sexy. »

Il avait enroulé une mèche de mes cheveux, raides comme des baguettes, autour d'un doigt, et ajouté que cet accident lui était apparu comme un signe du destin.

Par la suite, il m'a affirmé que c'étaient ma douceur et mon innocence qui l'avaient ému.

On s'est contentés de s'embrasser pendant les premières semaines. J'ai éprouvé avec lui mon tout premier orgasme, sans qu'il me touche. On était sur sa moto, et il est passé à une vitesse supérieure, qui a allumé un brasier entre mes jambes. Une sensation soudaine et absolument surprenante ; j'ai serré mes bras autour de lui, tandis que des spasmes me parcouraient, et il m'a tapoté les mains avec l'une des siennes, comme s'il me croyait effrayée par la vitesse. J'ai mis un certain temps avant d'oser lui dire que je considérerais toujours sa moto comme mon premier amant.

On parlait de nos familles. J'avais vécu en Caroline du Nord jusqu'à la mort de mes parents. Ensuite, à l'âge de douze ans, j'étais allée habiter dans l'Ohio chez mon oncle et ma tante, en pleine ascension sociale, et mal préparés à accueillir un enfant, surtout une préadolescente accablée de chagrin. Mes camarades de classe et certains professeurs avaient tendance à prendre les gens du Sud pour des imbéciles. Au début, ce préjugé m'avait empêchée de me concentrer sur mes études ; j'ai régressé dans toutes les matières. Mes parents me manquaient et je pleurais dans mon lit chaque soir, jusqu'au jour où j'ai trouvé le moyen de ne plus penser à eux au moment de m'endormir. Je comptais à rebours à partir de mille, en m'imaginant les nombres sur le flanc d'une colline, comme celle qui porte le panneau d'Hollywood. Cela marchait. J'ai commencé à mieux dormir, donc à mieux étudier. Mes professeurs ont dû reconsidérer leur point de vue sur ma bêtise de Sudiste, à mesure que mes résultats s'amélioraient. Même mon oncle et ma tante semblaient surpris. Pourtant, au moment de m'inscrire en fac, j'avais opté pour les universités du Sud, dans l'espoir de retrouver mes racines.

La mort de mes parents a impressionné Jamie.

— Tes deux parents sont morts quand tu avais douze ans ? Au même moment ? m'a-t-il demandé.

— Oui, mais je n'y pense pas beaucoup.

— Tu ferais peut-être mieux d'y penser.

— C'est de l'histoire ancienne.

Croyant avoir fait mon deuil, je ne voyais pas la nécessité de replonger dans mon passé.

Il a insisté.

— Ces choses-là reviennent nous mordre si on n'ose pas les regarder en face. Ils ont été victimes d'un accident ?

— Tu es terriblement intrusif.

Je riais, mais il m'a affirmé, sans sourire, qu'il était sérieux.

Je lui ai alors raconté, en renâclant, l'incendie qui avait anéanti cinquante-deux personnes, dont mes parents, au cours d'une croisière.

— Un incendie sur un bateau... a-t-il dit avec un hochement de tête. On doit se sentir affreusement coincé !

— Certaines personnes ont sauté à l'eau.

— Tes parents ?

— Non. Mais j'aurais préféré.

Avant de perfectionner ma technique de comptage à rebours, des images terrifiantes de mes parents me venaient en tête quand je cherchais le sommeil.

Jamie a lu dans mon esprit.

— Dis-toi qu'à cause de la fumée ils étaient probablement inconscients avant que le feu les atteigne.

Je ne tenais pas à en parler, mais cette remarque sur la fin de mes parents avait eu un effet apaisant sur moi. En tant que pompier bénévole à Wilmington, Jamie savait de quoi il parlait. Pendant des jours après un incendie, je pouvais sentir l'odeur de la fumée sur lui. Il avait beau se doucher et frictionner ses longs cheveux, des relents suintaient de ses pores. J'ai fini par les assimiler à lui et par aimer cette odeur.

Au bout de trois semaines, il m'a présentée à sa famille. Bien qu'ils habitent Wilmington, j'ai fait leur connaissance dans leur villa de Topsail Island, où ils passaient la plupart des week-ends. Enfant, j'étais probablement allée sur l'île, mais je n'en gardais aucun souvenir. Jamie me taquinait en me disant que ma mauvaise prononciation – *Topsale* ou *Topsul* – était gravement révélatrice.

A cette époque, il m'avait déjà acheté un blouson de cuir noir et un casque blanc. J'avais pris l'habitude de monter sur sa moto, mes bras passés autour de lui. Quand on s'est engagés sur le pont suspendu, j'ai aperçu, bien au-dessous de nous, un immense labyrinthe de toutes petites îles.

J'ai crié :

— Qu'y a-t-il en bas ?

Jamie a garé sa moto sur le côté, bien qu'aucun autre véhicule ne soit sur la chaussée, et j'ai mis pied à terre pour regarder par-dessus la rambarde. Une mosaïque de petites îles semblait longer à perte de vue le littoral de l'Intercoastal Waterway. Des sapins miniatures et une végétation variée croissaient sur des rectangles de terre irréguliers, séparés par une eau aux reflets dorés, sous un soleil de fin d'après-midi.

— On dirait un village d'elfes...

Jamie se tenait debout à côté de moi, nos bras se frôlaient à travers plusieurs épaisseurs de cuir.

— Un terrain marécageux, m'a-t-il dit, mais il prend un aspect féerique, surtout à cette heure de la journée.

Après avoir admiré le paysage un moment, nous sommes remontés sur la moto. Les parents de Jamie étaient propriétaires de nombreux terrains sur l'île, en particulier dans la partie nord, dénommée West Onslow Beach. Je savais qu'après la Seconde Guerre mondiale, son père avait participé à un programme secret de lancement de missiles à Topsail Island, l'« Opération Bumblebee ». Tombé amoureux de cet endroit, il avait acheté, avec l'argent dont il disposait, des terres dont la valeur n'avait cessé de croître les décennies suivantes. Comme nous roulions sur la route de la plage, Jamie me montrait des parcelles appartenant à sa famille. Sur certaines étaient garés des mobile homes, parfois vétustes et rouillés, malgré la grande valeur du terrain. Il y avait plusieurs maisons en bon état, avec des écriteaux « à louer » sur la façade, et même quelques anciennes tours de guet, à deux étages, utilisées durant l'Opération Bumblebee.

— Nous n'avons pas un train de vie élevé, m'a signalé Jamie en me parlant des investissements astucieux de son père. Papa dit que le fait d'avoir beaucoup d'argent donne la liberté de vivre comme si on pouvait s'en passer.

J'ai trouvé cela admirable, d'autant plus que mon oncle et ma tante avaient une conception inverse.

Le nom de toutes les maisons de Lockwood était pyrogravé sur des écriteaux, au-dessus de la porte d'entrée. Loggerhead, Osprey, Oasis, Hurricane, Heaven. Au niveau de la dernière rangée de maisons, je me suis mise à transpirer dans mon blouson de cuir : l'une d'elles appartenait à la famille de Jamie, que je n'allais pas tarder à rencontrer.

Jamie a ralenti et tourné la tête pour que je l'entende.

— Les cinq dernières villas appartiennent à mon père.

J'ai lu « Terrier » au-dessus de l'une des portes.

— C'est là que nous allons m'a dit Jamie, mais faisons un petit détour. La maison suivante s'appelle Talos. Terrier et Talos étaient les deux premiers missiles supersoniques testés ici.

Ces deux maisons m'ont paru presque identiques : hautes, étroites, à un étage, et perchées sur de hauts pilotis, pour les protéger de la mer.

— J'adore celle-ci !

Je désignais à Jamie la dernière maison de la rangée, après Talos. Une construction circulaire, à un seul niveau, et sur pilotis comme toutes les autres. « Sea Tender » était pyrogravé sur l'écriteau.

— On a, de cette villa, une incroyable vue panoramique.

Jamie s'est engagé sur une route étroite.

— Je vais te montrer mon coin préféré.

Nous avons suivi cette voie à moto jusqu'à ce qu'elle devienne sablonneuse, puis nous avons continué à pied. J'ai resserré mon blouson autour de moi : l'air n'était pas froid, mais le vent d'octobre avait un certain mordant, et Jamie m'a enlacée.

Nous avons fait quelques pas sur une étendue de sable blanc, quasiment cernée par l'eau. L'océan était à droite, le New River Inlet devant nous, et l'Intercoastal Waterway quelque part à gauche, bien qu'invisible de là où nous étions. Le coucher de soleil rosissait le ciel, et j'avais l'impression de me trouver au bout du monde.

— Mon coin préféré, a soufflé Jamie.

— Je comprends pourquoi.

— Il change sans cesse. L'océan grignote le sable ici et le recrache là-bas, m'a expliqué Jamie en tendant le bras vers la gauche. Ce lieu que j'aime plus que tout autre sera peut-être totalement différent la semaine prochaine.

— Ça te contrarie ?

— Absolument pas. Tout ce que fait la nature ici est beau.

On a gardé le silence un moment. Et quand Jamie a repris la parole, je l'ai trouvé moins sûr de lui que d'habitude. Presque timide.

— Je peux te dire quelque chose ?

— Bien sûr.

Il me tenait toujours enlacée, et j'ai levé mon bras pour le glisser autour de sa taille.

— Je vais te confier un secret dont je n'ai jamais parlé à personne, mais tu risques de me trouver cinglé.

— Dis toujours !

— Un jour, j'aimerais fonder ici ma propre église. Un lieu où les gens pourraient croire ce qu'ils veulent tout en appartenant à une communauté.

Je n'étais pas certaine de comprendre ce qu'il voulait dire, mais je savais déjà qu'il y avait en Jamie une lumière qui n'existait pas chez la majorité des hommes. Je la voyais parfois briller dans ses yeux quand il parlait.

— Imagine, a-t-il repris, une petite chapelle à cet endroit précis. Des tas de fenêtres pour voir l'eau tout autour. Les gens pourraient venir célébrer un culte de leur choix. (Il a regardé l'océan en soupirant.) Je crois au père Noël, non ?

Une idée un peu folle, au premier abord, mais je suis parvenue à imaginer une petite église blanche, avec un grand clocher, s'élevant à l'endroit précis où nous étions.

— Tu aurais l'autorisation de construire ici ?

— Le terrain appartient à mon père. Il possède chaque grain de sable au nord de ces maisons. Mais la nature m'autoriserait-elle à construire ? Tout le problème est là. Elle n'en fait qu'à sa tête en ce lieu, et d'ailleurs dans l'île tout entière.

Une senteur de pâtisserie nous a accueillis à Terrier. Jamie m'a présentée ses parents à la mode du Sud : Miss Emma et Mister Andrew. Ce dernier a immédiatement insisté pour que je l'appelle Daddy L. De sa mère – qui avait pourtant les cheveux courts et sobrement coiffés – Jamie tenait ses boucles sombres, et il avait hérité de Daddy L ses yeux ronds et bruns. Ils ont serré leur fils sur leur cœur comme s'ils ne l'avaient pas vu depuis des mois (et non un jour ou deux). Miss Emma m'a prise moi aussi dans ses bras et m'a embrassée sur la joue, puis elle m'a observée en me tenant les mains.

Quand elle a fini par les lâcher, j'ai respiré son haleine alcoolisée.

— Un vrai trésor !

— Je te l'avais bien dit, maman ! s'est exclamé Jamie en m'aidant à m'extirper de mon blouson de cuir.

— J'espère que vous avez faim, est intervenu Daddy L, adossé au chambranle de la porte. Maman a cuisiné tout l'après-midi.

— Ça sent délicieusement bon.

— C'est l'odeur de la meringue sur mon pudding à la banane, a précisé Miss Emma.

— Où est Marcus ? a demandé Jamie.

Je savais déjà que son frère de quinze ans avait tout du mauvais garçon. Né huit ans après lui, il avait été une surprise pour ses parents, qui s'étaient faits à l'idée d'avoir un enfant unique.

— Dieu seul le sait, a répondu Miss Emma qui assaisonnait une salade de pommes de terre. Il est allé faire du surf, mais je n'ai aucune idée de l'endroit où il se trouve en ce moment. Je l'ai prévenu que nous dînions à six heures trente... Le jour où il sera ponctuel, j'aurai une attaque !

Jamie a pressé affectueusement les épaules de sa mère.

— Alors, espérons qu'il sera en retard...

Une heure après – toujours en l'absence de Marcus – nous nous installions autour d'une table chargée de poulet frit, de salade de pommes de terre et de pain de maïs. J'ai admiré la vue, à travers de grandes baies donnant sur l'océan. Elle devait être spectaculaire en plein jour.

En me tendant le saladier pour que je me resserve, Miss Emma m'a priée de lui parler de ma famille. Je lui ai appris que ma mère était née à Raleigh, mon père à Greensboro ; qu'ils étaient morts tous les deux sur un bateau de croisière ; et que j'avais été élevée par mon oncle et ma tante dans l'Ohio.

— Doux Jésus ! a dit Miss Emma, une main sur le cœur, avant d'ajouter en regardant Jamie : Pas étonnant que vous vous soyez trouvés tous les deux.

Qu'entendait-elle par là ? Jamie m'a souri et je me suis promis de l'interroger plus tard.

— Cela explique votre accent indéfinissable, a remarqué Daddy L, que sa femme a approuvé d'un signe de tête.

Il s'est servi une cuisse de poulet croustillante et a jeté un coup d'œil à sa montre, puis à la chaise vide de Marcus.

— Tu pourrais peut-être lui dire un mot de ses notes, Jamie.

— Un problème particulier ?

— On vient de recevoir son bulletin trimestriel. Il court à l'échec s'il ne se met pas au travail !

Miss Emma parlait à mi-voix, comme si elle craignait que Marcus surprenne notre conversation.

— Il a des notes médiocres et il est en classe de première ! Je pense qu'il n'a pas réalisé l'importance de cette classe pour entrer à l'université.

En me regardant, Miss Emma a ajouté :

— Le père de Jamie et moi n'avons pas fait d'études supérieures ; je tiens absolument à ce que mes fils aient cette chance.

Je me suis déclarée « heureuse » d'étudier à l'UNC, tout en me disant que les parents de Jamie avaient brillamment réussi... sans diplôme universitaire.

— Eh bien, je lui parlerai, a fait Jamie.

— En dehors des cours, il passe son temps sur sa planche de surf. Et il disparaît avec ses copains pendant les week-ends, sans nous demander notre avis.

— Ce garçon est indomptable ! a surenchéri Daddy L.

J'étais depuis une heure à peine dans cette maison, mais la dynamique de base de la famille Lockwood n'avait déjà plus de secret pour moi : malgré ses longs cheveux, son tatouage et sa moto, Jamie était le fils préféré. Sans l'avoir encore rencontré, j'éprouvais une certaine sympathie pour Marcus, la brebis galeuse.

La fin du repas approchait quand nous avons entendu la porte d'en bas s'ouvrir et se refermer. Une voix masculine a retenti.

— Me voici !

— Et ton dîner est froid, a répliqué Miss Emma.

J'ai entendu Marcus monter l'escalier. Il est entré dans la salle à manger pieds nus, avec une combinaison humide, dont la fermeture à glissière était ouverte presque jusqu'au nombril. Il avait une silhouette dégingandée qui ne s'étofferait jamais comme celle de Jamie, même en tenant compte de leurs huit années de différence d'âge. Une croix en or brillait sur son torse hâlé, et ses cheveux courts formaient une calotte châtaine et bouclée, striée de blond par le soleil. Il avait les yeux bleus de sa mère, éclaboussés d'un ciel d'été.

Il a tiré à lui la chaise à côté de Jamie, avant de me saluer en souriant, et les voix ont fusé.

Daddy L :

— Va t'habiller !

Jamie :

— Laurel, je te présente Marcus.

Marcus :

— Bonjour !

Miss Emma :

— Tu es couvert de sable. Va t'habiller et je réchauffe ton assiette au micro-ondes.

— Je n'ai pas faim.

— Va tout de même te changer si tu veux t'asseoir à cette table avec nous, a tranché Daddy L.

— J'y vais, j'y vais.

Marcus s'est levé avec un soupir dramatique et je l'ai entendu traîner les pieds vers les chambres. Au bout de quelques minutes, le son d'un piano électrique a retenti. Un air hésitant qui ne m'était pas familier.

— Il s'est acheté un piano ? a demandé Jamie.

Sa mère :

— Tu appelles ça un piano ?

Son père :

— Il aimerait jouer dans un orchestre de rock. Pendant des années, nous lui avons proposé d'acheter un piano pour prendre des leçons dignes de ce nom. Mais il n'a jamais voulu d'un vrai piano.

— Donc, a précisé Miss Emma, il a fini par s'acheter un piano électrique d'occasion et il essaye d'apprendre à jouer tout seul. Ça me rend malade de l'écouter !

— Maman, a conclu Jamie, au moins ça l'empêche de traîner dehors.

Après avoir savouré le plus délicieux des puddings à la banane, j'ai traversé l'entrée en direction des toilettes. Marcus jouait un air du groupe The Police. En sortant des toilettes, je suis allée frapper à la porte de sa chambre.

— Ta mère m'a dit que tu apprends à jouer tout seul...

Il portait un short et un tee-shirt bleu marine. Les doigts toujours sur le clavier, il a levé les yeux.

— Oui, je joue de mémoire. Je ne sais pas déchiffrer.

— Tu pourrais apprendre, lui ai-je suggéré, adossée au chambranle de la porte.

— Plutôt me faire arracher toutes les dents ! Je suis dyslexique.

— Joue encore un peu. C'était bien.

— Tu as reconnu ce que je jouais ?

— Un air de The Police, *Every Breath You Take* ?

— Génial ! (Il avait un sourire arrogant et les plus beaux yeux bleus du monde ; les filles de son âge devaient le trouver irrésistible.) Je ne suis pas aussi mauvais que je croyais... Et que dis-tu de ceci ?

Il s'est penché sur son clavier avec une extrême concentration. Son côté arrogant avait disparu, et sa nuque m'a semblé fine et vulnérable. Chaque fausse note lui arrachait une grimace. J'ai eu beaucoup de mal à reconnaître l'air, mais au bout de quelques minutes, j'ai pu lui donner cette satisfaction. J'ai lancé :

— *Queen Song !*

— Exact ! Nous sommes des as.

— Très impressionnée, d'autant plus que je n'ai jamais pu jouer de mémoire.

— Tu joues toi aussi ?

— J'ai pris des leçons pendant plusieurs années.

— Alors, à ton tour !

Il m'a cédé sa place. Après avoir joué quelques gammes pour « sentir » le clavier, je me suis lancée dans la *Lettre à Elise*, un des rares morceaux dont je gardais le souvenir. A la fin, quand j'ai levé les yeux, Jamie était debout sur le seuil, un sourire aux lèvres. Un sourire si tendre que j'ai senti mon cœur fondre.

— C'était beau, a-t-il dit.

— Oui, a approuvé Marcus en me jaugeant, la tête penchée sur le côté. Serais-tu... une jeune fille de bonne famille ?

— Pourquoi cette question ? me suis-je étonnée en riant.

— Parce que tu n'as rien à voir avec les autres copines de Jamie.

— Un bon ou un mauvais point pour moi ?

— Bon ! a dit Marcus en se tournant vers son frère. Celle-là, tu devrais la garder.

Un cliquetis de plats et d'assiettes me parvenait de la cuisine et j'ai laissé les deux frères ensemble pour aider Miss Emma à débarrasser. Je l'ai trouvée devant l'évier, de l'eau jusqu'aux coudes.

— C'est moi qui essuie, ai-je décidé en prenant un torchon pendu à la poignée du réfrigérateur.

Elle m'a tendu une assiette.

— Merci, ma chérie. Je t'ai entendue jouer. C'était charmant. Je n'aurais pas cru qu'un son pareil pouvait sortir de ce truc électrique.

Je l'ai remerciée, puis j'ai insisté sur le fait que Marcus jouait fort bien de mémoire.

— Le genre de musique qu'il choisit me rend malade.

Il m'a semblé que rien de ce que faisait Marcus ne pourrait satisfaire Miss Emma.

— C'est la musique que tout le monde écoute, ai-je risqué.

— Je comprends pourquoi Jamie tient tant à toi.

Cette remarque de Miss Emma m'a fait rougir. Avait-il parlé de moi à ses parents ?

— Tu aimes ton prochain exactement comme lui, a-t-elle repris.

J'ai protesté.

— Bien sûr que j'aime mon prochain ! Mais pas comme lui. Je le trouve exceptionnel... Il y a trois semaines, j'ai vraiment failli le tuer, et maintenant j'ai l'impression que...

Je me suis tue, incapable de traduire ma pensée en mots. Je me sentais captivée par Jamie, par sa famille... Plus à l'aise avec eux que pendant les six années en compagnie de ma tante glaciale et de mon oncle silencieux.

— Jamie a, effectivement, un sens inné d'autrui. Un privilège qu'on possède dès la naissance, comme le sens de la musique ou le don des mathématiques. C'est génétique.

Devant mon air dubitatif, elle a ajouté :

— Je n'ai pas ce don, mais mon frère l'avait. Il est mort autour de la trentaine, que son âme repose en paix. Sa bonté... En fait, c'est plus que cela. Une manière de lire dans le cœur des gens, et de partager leurs sentiments.

— L'empathie !

Miss Emma a pressé une dose supplémentaire de produit à vaisselle dans l'évier.

— Oh, ce tatouage ridicule ! Il aurait pu s'en passer... J'ai failli piquer une crise en le voyant, mais mon fils est un adulte et sa maman n'a plus grand-chose à dire. Ma tante – qui aussi avait ce don – estimait que c'était parfois une malédiction de partager les chagrins d'autrui. Un jour, nous étions au cinéma... Une femme et un petit garçon se sont assis devant nous avant que la lumière s'éteigne. Ils n'ont pas prononcé un seul mot, mais ma tante Ginny a dit que la jeune femme avait un problème, qu'une grande angoisse émanait d'elle. *Angoisse*, c'est le mot qu'elle a employé.

— Oui, ai-je murmuré d'un ton neutre.

Miss Emma n'y allait pas par quatre chemins, mais je ne voulais pas laisser paraître mon scepticisme.

A l'époque, ça m'a paru absurde à moi aussi, a-t-elle repris. A la fin du film, tante Ginny n'a pas pu s'empêcher de demander à cette femme comment elle se sentait ; elle avait une manière de s'adresser aux gens qui leur inspirait une confiance immédiate. La jeune femme lui a répondu que tout allait bien. Mais en sortant du cinéma, quand le petit garçon ne pouvait pas l'entendre, elle nous a appris que sa mère avait eu une attaque le matin même, et qu'elle était folle d'inquiétude à son sujet. Ginny avait tout de suite deviné son souci... A force de partager tant de chagrins, elle a fini par mourir d'un ulcère à l'estomac. Jamie est de la même trempe.

Les paroles de Jamie après l'accident, quand je m'étonnais qu'il n'exprime aucune colère à mon égard, me sont revenues à l'esprit. *« Vous vous sentez déjà suffisamment coupable ; je ne vois pas de raison de vous enfoncer davantage. »*

J'ai frissonné. Miss Emma m'a tendu le moule que j'ai essuyé.

— Voilà ce qui se passe avec les gens comme Jamie, mon frère ou ma tante. Ils ressentent si fort ce qu'éprouvent les autres qu'ils n'ont pas intérêt à résister. Quand Jamie était petit, j'ai tout de suite compris qu'il possédait ce don... Il était bouleversé dès que ses amis avaient un problème, même s'il ne savait pas de quoi il s'agissait (Elle a plongé une main dans l'eau de vaisselle sale et enlevé la bonde.) Le chien d'un gamin de sa classe s'était fait renverser par une voiture. Ce soir-là, j'ai trouvé Jamie, qui avait huit ou neuf ans, en larmes dans son lit. J'ai eu beau lui dire qu'il connaissait à peine ce garçon et ce chien, il a continué à pleurer. J'ai pensé : « Mon Dieu, je retrouve mon frère et ma tante Ginny tout crachés ! » C'est un problème d'élever un enfant pareil. La plupart des gosses, comme Marcus, ont besoin qu'on leur apprenne à compatir. Avec Jamie, a-t-elle conclu en se séchant les mains, c'était exactement l'inverse. Je devais lui apprendre à se soucier de lui-même.

Je me suis mordu les lèvres en posant le moule sec sur le comptoir.

— Est-ce un avertissement ? ai-je demandé.

— Peut-être... Je réalise qu'il s'est attaché à vous et que vous êtes une fille sympathique, avec les pieds sur terre et la tête sur les épaules. Il a eu des copines qui ont abusé de sa gentillesse. J'aimerais vous prier de ne pas suivre leur exemple, de ne pas le faire souffrir.

— Je ne le ferais souffrir pour rien au monde !

Je pensais au bonheur que j'éprouvais dans les bras de Jamie. Et je croyais si bien me connaître...

6

Laurel

— Je pense qu'on doit s'asseoir ici.

Maggie me désignait la première rangée de sièges, dans la salle de réunion bondée. La secrétaire de Trish Delphy nous avait appelés la veille pour nous avertir que le maire souhaitait « nous voir au premier rang » pendant le service de commémoration. Notre statut particulier était certainement en rapport avec Andy, qui se grattait le cou sous le col de sa chemise bleue. J'avais dû lui acheter un nouveau costume pour l'occasion : l'ancien était devenu trop petit depuis la dernière fois qu'il l'avait porté. Il avait choisi lui-même une cravate Jerry Garcia voyante, avec des arabesques rouges et bleues, mais j'avais oublié qu'il avait besoin d'une chemise. Il portait donc une chemise bien trop petite.

Nous avons suivi Maggie le long de l'étroite allée centrale. L'air bruissait de bavardages et la salle était bondée, un quart d'heure avant le début de la cérémonie. J'avais remarqué des cars scolaires garés sur le parking, de l'autre côté de la rue ; de nombreux adolescents occupaient les sièges. Le *lock-in* avait attiré des enfants des trois bourgades de l'île, mais aussi de plusieurs localités du continent, nous rapprochant les uns des autres au-delà des frontières géographiques et économiques. Si j'avais su qu'il y aurait autant de monde, je n'aurais pas laissé Andy y aller. Mais, sans lui, les morts auraient été plus nombreux. Difficile à imaginer...

Je me suis assise entre mes enfants, près de Joe et Robin Carmichael, les parents d'Emily. Face à nous, le podium était flanqué de deux douzaines de bacs de jonquilles. A gauche, trois photos – de la taille d'une affiche – reposaient sur des chevalets ; je n'étais pas encore prête à les regarder. A droite, environ vingt-cinq sièges vides étaient placés perpendiculairement à nous. Sur une banderole entre les sièges, on pouvait lire : *Réservé au corps des sapeurs-pompiers de Surf City.*

Andy était assis à côté de Robin, qui l'a embrassé.

— Bravo, mon petit, a-t-elle dit en le retenant trois secondes de plus qu'il n'aurait fallu.

Il s'est tortillé dans ses bras et elle l'a lâché en riant.

— Contente de te voir, Laurel.

Elle s'est penchée un peu en avant pour faire signe à Maggie, et j'ai pris des nouvelles d'Emily.

Joe s'est avancé sur son siège pour me répondre.

— Ça ne va pas fort !

— Elle a un peu régressé, a précisé Robin. Des cauchemars... Pas question qu'on la touche et je peux à peine lui brosser les cheveux. Elle a peur de retourner à l'école.

— Elle avait mis son tee-shirt à l'envers, a claironné Andy.

Je lui ai fait signe de baisser le ton.

— Tu as raison, Andy, a approuvé Robin. Elle régressait déjà un peu avant l'incendie, mais c'est bien pire maintenant. (Elle a échangé un regard avec moi.) Il va falloir consulter de nouveau le psychologue.

Emily souffrait d'une lésion cérébrale à sa naissance, et ses parents se mettaient en quatre pour elle depuis des années. Il doit être si difficile d'avoir un enfant qui ne supporte aucun contact ! Les enfants présentant le syndrome d'alcoolisation fœtale (SAF pour les initiés !) présentent souvent ce problème, mais j'avais eu de la chance : Andy appréciait les contacts physiques. Je m'efforçais pourtant de freiner ses embrassades avec les personnes extérieures à la famille, surtout depuis qu'il entrait dans l'adolescence.

Robin a regardé derrière nous.

— Tant de gens ont été touchés par ce désastre...

Je n'ai pas tourné la tête : l'arrivée des sapeurs-pompiers de Surf City, qui s'installaient maintenant aux places réservées, captait toute mon attention. En tenue de cérémonie et gants blancs, ces hommes – auxquels s'ajoutaient trois femmes – étaient la dignité même. Quand ils se sont assis, un murmure a parcouru la foule. Marcus tournait les yeux vers nous, et je me suis immédiatement plongée dans le programme enrubanné de rose que l'on m'avait remis à l'entrée.

Il avait été question de retarder le service de commémoration de quelques semaines afin que la nouvelle maison de quartier de Surf City soit ouverte ; il aurait pu alors être célébré dans le gymnase. Mais l'humeur ténébreuse de l'île ne permettait pas d'attendre si longtemps. Pendant la semaine qui avait suivi l'incendie, la psychologue à mi-temps de l'école primaire où je travaillais avait été débordée d'enfants souffrant de cauchemars (peur de brûler ou d'être pris au piège), de sorte qu'elle m'avait envoyé le trop-plein : ceux dont l'angoisse se traduisait par des maux de ventre et des migraines. Les gens étaient non seulement tristes mais furieux. Ils se doutaient qu'il s'agissait d'un incendie criminel, bien qu'aucun officiel n'ait encore prononcé ces mots, du moins en public.

Maggie était restée muette depuis notre arrivée. Je lui ai jeté un coup d'œil : elle regardait fixement les sapeurs-pompiers. A quoi pensait-elle ? Je ne savais pas dans quelle mesure elle se souvenait de son père. Elle gardait sur son bureau une photo encadrée de Jamie, en grande tenue, à côté d'une photo d'Andy à son douzième anniversaire. Sur une autre, prise quelques années plus tôt à une soirée, on la voyait avec Amber Donnelly et d'autres filles.

Pas une seule photo de moi sur ce bureau. Je l'avais constaté peu de temps auparavant.

Andy s'est mis à agiter une jambe, faisant ainsi vibrer ma chaise. Il m'arrivait de poser une main sur son genou pour interrompre ce manège, mais de moins en moins souvent maintenant. J'avais réalisé que si je bloquais son énergie en un point, elle se libérait en un autre. Agiter les genoux était préférable à sa manie de taper les mains sur ses cuisses ou de faire craquer ses articulations. J'imaginais parfois, à l'intérieur de mon fils, un ressort tendu à bloc, et risquant de se détendre à la plus infime provocation. C'était vraisemblablement ce qui s'était produit quand Keith l'avait insulté au *lock-in*. Andy n'avait que rarement des réactions violentes, mais une insulte pouvait en entraîner.

— Lui, je le connais, a-t-il dit.

— Chut, Andy !

J'avais cru qu'il parlait de Marcus ou de Ben Trippett, mais il me désignait la troisième photo, à l'avant de la salle : Charlie Eggles, de longue date agent immobilier à Topsail Beach. Charlie n'avait pas d'enfants, mais participait souvent en qualité de bénévole aux festivités locales. J'avais été navrée d'apprendre qu'il figurait parmi les victimes. J'ai scruté un moment son sourire affable et ses cheveux gris tirés en queue de cheval.

— C'est M. Eggles, ai-je chuchoté.

— Il m'a retenu pour que j'arrête de frapper Keith. (Une ride s'est creusée entre les sourcils d'Andy, à l'instant où il prenait conscience de cette réalité.) Il fait partie des morts ?

— J'en ai peur.

Surprise par son silence, je lui ai demandé posément à quoi il pensait.

— Pourquoi il ne m'a pas suivi quand je lui ai dit de venir ?

— Il ne t'a peut-être pas entendu, ou bien il essayait de sauver d'autres enfants. Qui sait ? Mais tu as fait de ton mieux, mon chéri...

Un air de piano sinistre a soudain empli la pièce et noyé mes paroles, tandis que Trish Delphy et le révérend Bill remontaient l'allée centrale. Le maire a pris le dernier siège vide de notre rangée ; le révérend s'est placé derrière le micro. Grand et dégingandé, il avait un cou d'aigrette. Sara m'avait dit qu'il venait chaque jour à Jabeen's Java avaler un grand café glacé avec une double dose de caramel et de crème fouettée ; pourtant il n'y avait pas une once de graisse sur cet homme sec et anguleux.

Il a tendu son long cou pour parler au micro.

— Prions.

J'ai baissé la tête en m'efforçant d'écouter. Le corps chaud de Maggie contre mon bras gauche et celui d'Andy à ma droite, je sentais la respiration de mes enfants, et mes yeux se sont emplis de larmes une fois de plus. J'avais eu une telle chance...

Quand j'ai relevé la tête, le révérend Bill parlait des deux adolescents morts dans l'incendie, et je me suis sentie obligée de fixer mon regard sur les photos agrandies, à gauche du podium. Je ne connaissais aucune des deux victimes, venues l'une et l'autre de Sneads Ferry. Jordy Matthews, la fille, était une blonde souriante au visage couvert de taches de rousseur et aux yeux du même bleu-gris que les chemises des sapeurs-pompiers. Henderson Wright semblait avoir environ treize ans ; l'air maussade et un peu craintif, il portait un petit anneau en or à l'extrémité du sourcil droit, et son crâne rasé ne permettait pas de distinguer la couleur de ses cheveux.

— ... et Henderson Wright vivait depuis trois dans la vieille fourgonnette verte de ses parents, disait le révérend Bill. Certaines personnes de notre communauté sont obligées de vivre ainsi, sans le mériter en aucune manière.

A ma droite, j'ai entendu des sanglots étouffés : les familles des victimes partageaient sans doute le premier rang avec nous. Le révérend devait-il absolument évoquer le dénuement du petit Wright ? La pêche à la crevette avait longtemps procuré une activité aux familles de Sneads Ferry, mais l'importation de crustacés les avait privées de ce moyen de subsistance. De nombreuses familles pauvres vivaient dans notre région prospère.

Ma pensée s'est attachée à Sara. Keith avait traité Andy de *gosse de riche* ; je bouillais littéralement depuis que j'étais au courant. Andy et Keith s'étaient connus bébés, et la différence de nos situations financières n'avait jamais posé de problème, que je sache. Sara nourrissait-elle de l'amertume à mon égard ? Etait-ce possible, alors que je l'aimais comme une sœur ? Nous étions unies par une amitié sans faille. Depuis une dizaine d'années, nous étions seules pour élever nos enfants, mais Jamie m'avait laissée dans une situation plus que confortable. Nous vivions, mes enfants et moi, dans une belle maison de quatre pièces, vieille de seulement dix ans, alors que Sara et Keith se contentaient d'un double mobile home vétuste, en sandwich parmi beaucoup d'autres.

Mes joues me brûlaient. Comment avais-je pu m'imaginer qu'elle n'en souffrait pas ? Avait-elle dit quelque chose à Keith derrière mon dos ? La rancœur de Keith s'était-elle accumulée au point d'éclater au cours du *lock-in* ?

Depuis le drame, Sara était au centre de traitement des brûlés de l'UNC avec Keith ; nous n'avions donc pas eu l'occasion de nous parler. Nos conversations téléphoniques concernaient Keith, toujours entre la vie et la mort. Il souffrait de graves brûlures, en particulier aux bras et d'un côté du visage, et il avait les poumons gravement atteints. On le maintenait donc dans un coma artificiel pour lui éviter une douleur intolérable.

Aucune de nous deux n'avait mentionné la dispute entre nos fils. Peut-être Sara n'était-elle même pas au courant. Elle n'avait qu'une idée en tête : la guérison de Keith. Je lui avais proposé de prendre en charge toutes les dépenses non couvertes par l'assurance de santé militaire de son mari. Son refus m'avait paru glacial, comme si je l'avais insultée. Etait-ce mon imagination ? Avait-elle simplement souffert du fait qu'Andy était sain et sauf, alors que son fils risquait de mourir ?

Tout le monde s'est levé autour de moi, y compris Andy. Absorbée par mes pensées, je n'avais pas réalisé que nous devions chanter un hymne, dont les paroles étaient imprimées au dos du programme. Je n'ai pas chanté, Andy et Maggie non plus, et je me suis demandé à quoi pensaient mes enfants.

Il y a bien longtemps, Sara m'avait aidée à redémarrer dans la vie. Andy était resté jusqu'à un an en foyer d'accueil, et quand je l'ai repris, il était un étranger pour moi. Jamie avait été à la fois le père et la mère de Maggie à cet âge ! Sara m'était donc indispensable ; son fils, Keith, avait à peu près un an de plus qu'Andy et à mes yeux elle était la mère idéale, mon modèle. Keith était délicieux et nos enfants devinrent amis. Ils le sont restés longtemps, mais Andy avait environ neuf ans quand Keith a commencé à se soucier du qu'en-dira-t-on, et mon étrange petit garçon est devenu gênant pour lui.

Andy n'avait jamais compris la raison de ce rejet. Il croyait n'avoir que des amis : depuis le portier de l'école jusqu'à l'inconnu qui lui souriait à la plage. Récemment, je m'étais pourtant réjouie que Keith et Andy se soient éloignés l'un de l'autre. Keith avait été sanctionné une fois parce qu'il avait bu, plusieurs fois à cause de son absentéisme, et on l'avait même trouvé en possession de marijuana. L'influence qu'il aurait exercée sur Andy aurait été déplorable. Mon fils cherchait à s'intégrer ; connaissant son impulsivité, je me demandais jusqu'où il était capable d'aller pour atteindre ce but.

Nous nous sommes rassis et j'ai eu honte d'avoir été si peu attentive. Le révérend Bill a parcouru la foule des yeux en promettant qu'un nouveau Drury Memorial « surgirait des cendres de l'ancien ». La lueur chaleureuse qui brillait dans ses yeux est passée directement du voisin de Maggie aux Carmichael, de l'autre côté d'Andy. Il nous a évités mes enfants et moi – nous les barbares – car il était du genre rancunier. J'aurais volontiers parié que son regard éviterait aussi Marcus quand il se tournerait vers les sapeurs-pompiers. Malgré tout, j'étais peinée pour lui car il avait perdu son église, même si sa congrégation comptait en élever une nouvelle. J'avais entendu dire que certaines familles songeaient à lui intenter un procès pour négligence. D'autres se demandaient s'il n'avait pas lui-même mis le feu à l'église pour toucher l'argent de l'assurance. Malgré mon peu de sympathie pour lui, je trouvais ce soupçon ridicule.

Mon regard a dérivé vers Marcus. Ses traits s'étaient affaissés et j'ai décelé sur son visage les premiers signes de l'âge. Il n'avait que trente-huit ans, donc trois années de moins que moi, mais j'entrevoyais pour la première fois l'apparence qu'il prendrait en vieillissant. Je n'avais pas eu cette opportunité avec Jamie, mort à trente-six ans.

Le révérend Bill et Trish Delphy ont échangé leurs places sur le podium. Trish a passé la langue sur ses lèvres avant de s'adresser à la foule.

— Notre communauté ne sera plus jamais la même après cette terrible tragédie. Nous pleurons ceux qui ont perdu la vie et nous prions pour ceux qui sont en train de se remettre de leurs blessures. Mais je voudrais vous demander de regarder autour de vous l'énergie qui se dégage dans cette salle. Nous sommes forts et résilients, et sans jamais oublier ce qui s'est passé samedi à Surf City, nous irons ensemble de l'avant. Et maintenant, Dawn Reynolds a une annonce à vous faire.

La compagne de Ben Trippett semblait mal à l'aise en prenant place sur le podium.

— Je voudrais... hum... vous annoncer à tous que je coordonne la collecte de fonds en faveur des victimes de l'incendie. (Le papier qu'elle tenait d'une main s'est mis à trembler, et je l'ai admirée de s'exprimer en public malgré son trac.) Il nous reste beaucoup à faire pour assumer toutes les dépenses médicales. De nombreuses familles n'ont pas d'assurance. Je travaille avec Barry Gebhart qui est, comme vous ne l'ignorez pas, comptable à Hampstead, et nous avons créé un fonds spécial, le Drury Memorial Family Fund. J'espère que vous y contribuerez avec un chèque que vous pouvez nous donner aujourd'hui, à Barry ou à moi, à moins que vous ne préfériez passer à Jabeen's Java à mes heures de travail. Nous prévoyons d'autres actions en faveur des victimes, et nous souhaiterions avoir vos suggestions à ce sujet. Nous veillerons, termina-t-elle en regardant son papier, à ce que l'argent parvienne aux familles les plus concernées.

Elle s'est rassise au bout de notre rang et j'ai vu Ben, la tête toujours bandée, lui sourire. Sur le podium, Trish s'est relevée.

— Merci, Dawn. Nous appartenons à une communauté généreuse et nous ferons tout ce qui est en notre pouvoir pour alléger les souffrances des familles frappées par l'incendie. J'aimerais maintenant rendre hommage aux sapeurs-pompiers et aux urgentistes qui ont fait un merveilleux travail dans des circonstances particulièrement difficiles. Non seulement le corps des sapeurs-pompiers de Surf City, mais les bénévoles de Topsail Beach, North Topsail Beach, et Surf City

Des applaudissements ont retenti dans la salle. Quand ils ont décru, Trish a baissé les yeux vers nous.

— J'aimerais aussi demander à Andy Lockwood de bien vouloir se lever.

Andy a tressailli à côté de moi ; je lui ai soufflé de se lever. Il a obtempéré maladroitement. Les applaudissements ont repris et les gens se sont levés.

— C'est moi qu'ils applaudissent ? a dit Andy.

J'ai acquiescé en refoulant mes larmes.

— Pourquoi ils se sont levés ?

— Pour t'honorer et te remercier.

— Parce que je suis un héros ?

— Oui.

Il s'est retourné en souriant pour saluer la foule derrière nous. J'ai entendu des rires étouffés.

— Je peux me rasseoir ? a-t-il fini par me demander.

Quand il s'est rassis, les joues roses d'émotion, il a fallu encore une minute pour que les applaudissements se calment.

— Comme vous le savez sans doute, Andy a non seulement trouvé une issue, mais il a risqué sa propre vie en revenant chercher de nombreux enfants dans l'église pour les amener en lieu sûr. Nos pertes sont effroyables, a conclu Trish, mais elles auraient été pires sans l'esprit d'initiative et le sang-froid d'Andy face au danger.

Andy se tenait plus droit que d'habitude, le torse légèrement bombé : il était surpris d'être devenu soudain le chouchou de Topsail Island.

7

Andy

Ma mère a aligné ses vitamines à côté de son assiette. Elle en prenait au petit déjeuner et au dîner. Maggie et moi, seulement au petit déjeuner. Maggie m'a passé le plat d'épinards. C'était idiot ! Elle sait que je n'en mange pas. J'ai essayé de refiler le plat à ma mère.

— Prends-en un peu, Andy. Pendant que ton bras guérit, tu as besoin d'une alimentation saine.

— Mon alimentation est très saine !

J'ai soulevé mon assiette pour lui montrer ma part de poulet et les morceaux de patate douce.

— Bien. Ne renverse rien !

Elle a posé les doigts sur mon assiette pour la remettre sur la table. J'ai mangé un morceau de patate douce, parce que j'aime beaucoup ça. Ma mère fait quelquefois une tourte aux patates douces, mais elle n'en mange pas. Elle ne prend jamais de dessert pour ne pas tomber malade ; elle dit que trop d'aliments sucrés peuvent faire du mal. Maggie et moi on a l'autorisation de manger du dessert parce que nous ne sommes pas encore adultes.

— Andy, a dit ma mère, après avoir avalé toutes ses vitamines, ton bras est en bien meilleur état, mais tu ferais mieux de ne pas participer à la compétition demain.

— Pourquoi ? (Je voulais nager à tout prix.) Je n'ai plus mal.

— Il faut attendre la cicatrisation complète.

— C'est déjà cicatrisé !

— Après ce qui s'est passé, un peu de repos serait bon pour toi.

— Je n'ai pas besoin de repos.

Je parlais trop fort pour la maison, mais je ne pouvais pas m'en empêcher. Elle allait finir par m'énerver...

— Si ton bras va parfaitement bien, tu peux y aller.

— Je te dis qu'il va bien !

J'ai voulu lui montrer mon bras, mais j'ai renversé mon verre de lait d'un geste maladroit. Il a roulé sur la table et s'est écrasé au sol, en mille morceaux. Il y avait du lait partout, jusque dans les épinards.

Ma mère et Maggie m'ont dévisagé, la bouche ouverte ; j'ai même vu un morceau de poulet mâché dans la bouche de ma sœur. Je savais que je venais de faire une bêtise. Mon bras l'avait faite.

Je me suis levé précipitamment.

— Oh pardon ! Je vais nettoyer.

Maggie m'a arrêté.

— Rassieds-toi, Panda. Je m'en charge. Tu risques de te couper.

— Je m'en occupe, a dit ma mère, déjà debout pour chercher des serviettes en papier.

— Pardon !

J'ai répété ce mot et ajouté que mon bras était parti trop vite pour moi.

— Un petit accident, a constaté ma mère.

Maggie l'a aidée à ramasser les débris de verre, et elle a étalé les serviettes en papier sur le lait renversé.

— Mon bras a fait ça parce qu'il est guéri et très fort.

Ma mère était accroupie, en train de nettoyer. Quand je parle, on dirait quelquefois qu'elle va rire, mais elle ne rit pas. C'était le cas.

J'ai posé ma serviette sur mes épinards pour éponger le lait.

— Andy, a dit Maggie, en allant chercher cinq ou six serviettes de plus, je sais que tu es déçu de ne pas pouvoir aller nager, mais tu dois réfléchir avant d'agir.

J'avais l'impression d'entendre ma mère.

— Mais je réfléchis !

En fait, je mentais un peu : j'essaye de réfléchir avant d'agir, mais quelquefois j'oublie.

Ma mère s'est relevée.

— Nous verrons demain matin comment va ton bras. (Elle a jeté les serviettes en papier trempées.) S'il a toujours l'air d'aller bien et si tu te sens en forme, tu pourras aller nager.

— Je serai en forme, maman.

Il fallait que j'y aille. J'étais l'arme secrète, Ben me l'avait dit. J'étais le projectile magique. La piscine était le seul endroit où l'on pouvait apprécier mon démarrage au quart de tour.

8

Maggie

J'étais dans la lune quand j'ai aligné mon équipe de dix petits Pirates à l'extrémité de la piscine couverte. Aidan Barber sautillait partout comme s'il avait besoin de faire pipi ; j'espérais que ce n'était pas le cas.

— Arrête de danser la gigue, Aidan, lui ai-je lancé, et reste à ta place.

Il a obéi, mais alors Lucy Posner s'est assise au bord de la piscine pour se curer les ongles de pieds.

— Lucy, debout ! Ça va siffler d'une minute à l'autre.

Apparemment surprise, elle s'est levée d'un bond. D'habitude, j'aime ces gosses et je m'en occupe bien. Les parents me disent toujours qu'ils admirent mon calme. Ils me trouvent beaucoup plus patiente qu'eux. Ce jour-là, j'avais flotté dans une sorte de rêve pendant toute la compétition. Je n'avais plus aucune patience et j'avais hâte que tout soit fini.

Il avait été question d'annuler la compétition, car l'incendie datait seulement d'une semaine. Pour moi, c'était comme si ma mère m'avait appelée il y avait à peine quelques minutes pour m'annoncer que l'église brûlait ! J'étais encore bouleversée, j'avais des insomnies, et je voyais toujours des flammes et de la fumée sortir de l'église. J'avais peur de ce dont j'allais rêver si je fermais les yeux.

En tant qu'entraîneuse de l'équipe des petits, j'avais eu mon mot à dire au sujet de la rencontre de nos Pirates avec les Sounders de Jacksonville. J'étais favorable à l'annulation et j'avais déclaré à Ben (qui entraînait l'équipe d'Andy) que maintenir cette rencontre me paraissait absurde. Ben partageait mon point de vue : il avait toujours un bandage autour du front, et il était sous analgésiques à cause de ses maux de tête.

Mais l'une des fillettes soignées au centre des brûlés de l'UNC appartenait à l'équipe de Ben ; ses parents insistaient pour que la rencontre ait lieu, car, selon la mère, les enfants avaient besoin d'un « retour à la normale ». Ils avaient persuadé Ben et j'avais dû m'incliner à contrecœur.

Un coup de sifflet a retenti ; mes gosses se sont jetés à l'eau avec une frénésie qui faisait habituellement rire le public des gradins. Soit les rires étaient moins vifs ce jour-là, soit le brouillard dans ma tête m'empêchait de les entendre. J'ai lancé des encouragements à mes petits sans conviction.

Ils ont perdu à toutes les épreuves, sans doute par ma faute, et j'ai serré leurs petits corps humides dans mes bras quand ils sont sortis de l'eau, en leur disant qu'ils s'en étaient bien tirés. J'étais si contente que ce soit terminé. Après avoir enfilé un short sur mon maillot de bain, je me suis dirigée vers les gradins. Ben est passé près de moi tandis que son équipe se rassemblait à l'autre bout de la piscine.

— Ils s'améliorent, Maggie.

J'ai presque ri en murmurant :

— Tu crois ?

— Tu es formidable avec ces gosses, m'a assuré ma mère comme à son habitude quand je l'ai rejointe dans les gradins. J'aime te regarder.

— Merci, maman.

J'ai tout de suite aperçu Andy, à l'autre bout de la piscine. Bien que les enfants de son équipe aient son âge, il n'est qu'une crevette facile à distinguer. Il discutait avec deux gamins, qui l'ignoraient probablement. Ben lui a mis la main sur l'épaule et l'a guidé vers la ligne d'eau cinq.

Sa brûlure allait beaucoup mieux. En le voyant aligné avec les autres lycéens, j'aurais eu pitié de lui si j'avais ignoré ses talents. Sa petite taille induisait toujours les équipes adverses en erreur. Quarante kilos de muscles... Il avait de l'asthme, mais à condition d'utiliser son inhalateur avant chaque compétition, il était d'un niveau incroyable. Je l'ai observé, bandé comme un arc au bord de la piscine. Ben l'appelait son « arme secrète ». Il s'est penché en avant, à l'affût du coup de sifflet ; ma mère paraissait tendue, et j'ai deviné que comme moi elle retenait son souffle.

Un coup de sifflet dure à peu près une seconde et demie, mais Andy semblait l'entendre dès la première nanoseconde et il partait aussitôt. On aurait dit un projectile quand il s'est élancé. Dans l'eau il jouait des bras et des jambes comme une machine. A mon avis, il possédait une ouïe plus fine que les autres et pouvait donc percevoir le sifflement avant eux, mais ma mère m'avait parlé du sursaut des nouveau-nés, un réflexe qu'ils perdent au bout de quelques mois, mais que certains enfants présentant un SAF conservent jusqu'à l'adolescence. Andy l'avait effectivement gardé. A la maison, si je le surprenais en entrant du séjour dans la cuisine, il sautait en l'air. Mais à la piscine ce réflexe était une bonne chose, l'arme secrète de Ben.

Ma mère riait, les poings sous son menton. Comment pouvait-elle rire si peu de temps après l'incendie ? Je ne savais même pas si je pourrais recommencer à rire un jour

— Salut, Mags.

Oncle Marcus s'est faufilé entre les gradins pour s'asseoir sur le banc, entre le père d'un garçon de l'équipe de Ben et moi.

Je me suis serrée contre maman pour lui faire de la place.

— Bonjour, je ne savais pas que tu étais là.

— J'arrive à l'instant. Dommage, j'ai manqué ton équipe. Ça s'est bien passé ?

— Rien de spécial.

— Andy a l'air égal à lui-même.

Mon oncle regardait vers le bassin, où Andy avait deux longueurs d'avance sur tous les autres. Il s'est penché devant moi pour saluer ma mère.

— Ça va, Laurel ?

Elle a marmonné « ça va », les yeux toujours rivés sur Andy.

J'aurais pu croire qu'elle ne voulait pas quitter son fils des yeux une seule seconde, mais je savais que ce n'était pas tout. Ma mère est en général bizarre avec Marcus. Froide...Elle lui répond en peu de mots comme si elle n'avait aucune envie de lui parler. Un jour, je l'ai questionnée à ce sujet ; elle a prétendu qu'elle le traitait normalement et que je me faisais des idées. La bonne blague ! Je suppose que c'est en rapport avec le fait que mon oncle a survécu à la baleine alors que papa est mort.

Oncle Marcus est toujours gentil avec elle, comme s'il ne remarquait pas qu'elle le traite mal. Il y a quelques années je trouvais que ça serait cool si maman et lui se mettaient ensemble ; mais on dirait qu'elle ne veut fréquenter personne, et surtout pas son beau-frère. Sara et elle vont quelquefois voir un film ou dîner toutes les deux, c'est toute la vie sociale de ma mère. Peut-être garde-t-elle un souvenir si extraordinaire de mon père qu'elle n'arrive pas à s'imaginer avec un autre homme.

En grandissant, j'ai pensé de plus en plus souvent qu'elle avait besoin d'autre chose dans sa vie que son travail d'infirmière scolaire à temps partiel, ses joggings occasionnels, et Andy, qui l'occupe à plein temps. Un jour je lui ai dit tout cela, mais elle a retourné le problème et elle s'est étonnée que je ne sorte jamais avec des garçons. Je lui ai répondu que je voulais me concentrer sur mes études et mon activité d'entraîneuse de natation, et que j'aurais bien le temps de fréquenter des garçons à la fac. Je n'en ai pas dit plus : moins j'en dis à ce sujet, mieux c'est ! Si ma mère savait comme mes notes ont baissé cette année, elle réaliserait que je n'ai pas travaillé du tout. Voilà l'avantage d'avoir une mère qui ne s'intéresse qu'à un seul de ses enfants.

La dernière épreuve de la compétition arrivait et je me suis levée en même temps que tous les spectateurs. J'ai aperçu Dawn Reynolds, au premier rang, quasiment au bout de la piscine. Elle n'avait pas d'enfants dans l'équipe de natation ; c'était pour voir Ben qu'elle était là. J'ai suivi le regard qu'elle lui lançait. Il était torse nu (son torse légèrement velu) et portait son maillot jaune, avec un palmier orange. Il est grand et assez corpulent, mais ses muscles étaient visibles sous la peau bronzée de ses bras et de ses jambes.

— Allez les Pirates ! a crié Dawn, les mains en porte-voix, sans même regarder les nageurs.

J'ai trouvé son attitude presque indécente et je me suis sentie gênée, comme si j'assistais à quelque chose de trop intime. Si j'allais m'asseoir près d'elle, au bas des gradins, après la course ? Je pourrais lui demander des nouvelles de la collecte et lui proposer mon aide ; j'en mourais d'envie. Maman avait donné trois mille dollars et moi cinq cents, sur mes économies personnelles, en prétendant que je n'avais donné que cent. Andy avait prélevé trente dollars sur son compte bancaire. Mais l'argent ne suffisait pas, je voulais faire plus. J'ai regardé Dawn encourager l'équipe de Ben, en imaginant la conversation que je n'aurais jamais avec elle.

La course prenait fin avec Andy en tête. Pour une surprise… J'ai crié « Vas-y, Andy ! », et ma mère a levé les poings à l'approche de la victoire. Oncle Marcus a émis un sifflement perçant.

Quand Andy a plaqué sa main au bout du bassin, des applaudissements ont retenti en son honneur, comme deux jours avant, à la soirée de commémoration. Il a juste tourné la tête et continué à nager au même rythme d'enfer. Maman a ri et j'ai grommelé. Il ne réalise jamais qu'une course est terminée ! A la fin de la longueur suivante, Ben s'est penché et l'a sorti de l'eau en l'attrapant par les bras. Je l'ai vu articuler « tu as gagné ! », puis quelque chose qui ressemblait à « maintenant, tu peux cesser de nager ».

On s'est tous rassis, et Andy, souriant, s'est approché du banc en nous adressant des signes.

— J'ai quelque chose pour toi, Laurel, a dit oncle Marcus en se penchant vers ma mère.

Elle a daigné lui accorder un regard, et il a sorti de sa poche un article de journal plié en quatre, qu'il lui a tendu.

— Un copain m'a rapporté du Maryland cet article du *Washington Post*.

Par-dessus l'épaule de ma mère, j'ai lu le titre : « *Un enfant handicapé sauve ses amis* ». Elle a hoché la tête en riant.

— Leur propre actualité ne leur suffit pas ? Je peux le garder, Marcus ?

— C'est à toi !

Oncle Marcus s'est étiré en soupirant, puis il a humé mon épaule, et il m'a taquinée :

— Tu embaumes le chlore comme d'autres femmes le parfum, Mags.

Il n'était pas le premier à me dire cela, mais j'ai apprécié qu'il ait employé le mot « femme » plutôt que « fille ».

La piscine était mon deuxième chez-moi, depuis sa construction, quand j'avais onze ans. Avant, je ne pouvais nager qu'en été, dans la baie ou l'océan.

Papa nous avait appris à nager à Andy et moi : il disait que des enfants qui vivent au bord de l'eau ont intérêt à être de bons nageurs. Il m'avait appris d'abord à moi, avant qu'Andy vive avec nous. Je garde un très lointain souvenir d'une journée paisible au bord de l'océan. Rien d'extraordinaire, mais nous avions pataugé un peu partout, il me prenait sur ses genoux, me lançait en l'air, et me faisait tourbillonner jusqu'à ce que je manque m'étouffer de rire. La béatitude absolue.

Une fois que j'ai été un peu plus grande, Andy nous a rejoints dans l'eau et il s'y est mis lui aussi. Papa m'avait dit qu'il ne se débrouillerait pas aussi bien que moi, mais il a été surpris par ses progrès.

Je ne revois pas ma mère en train de jouer dans l'eau avec moi. Elle n'est qu'une ombre dans mes souvenirs d'enfance, et quand je me rappelle cette époque, elle est si marginale, si indistincte, que je ne peux pas vraiment dire si c'est elle ou non. Je crois qu'elle ne m'a jamais tenue dans ses bras ; je me revois toujours dans les bras de papa.

— Comment va la tête de Ben ? m'a demandé oncle Marcus.

— Mieux, mais il prend toujours des analgésiques.

— Tu sais à qui il me fait penser ?

— A qui ?

— A ton père, a-t-il murmuré, comme s'il ne voulait pas que ma mère l'entende.

— Vraiment ?

J'ai essayé d'imaginer Ben et papa debout côte à côte. Les coudes sur les genoux, oncle Marcus observait Ben.

— Je ne sais pas exactement pourquoi. Sa carrure, sa taille peut-être. Ses yeux bruns, ses cheveux sombres et bouclés... Les traits de leur visage sont différents, bien sûr, mais il y a cette vigueur... Il ne lui manque plus que le mot « empathie » tatoué sur le bras.

J'aime quand il me parle de mon père. J'aime toujours qu'on me parle de lui, sauf quand c'est le révérend Bill.

Je devais avoir cinq ou six ans. Mon père et moi on était assis sur la terrasse de Sea Tender, nos jambes ballottaient par-dessus le parapet, et on guettait les dauphins. J'ai passé mes doigts sur les lettres du tatouage et je lui ai demandé le sens du mot « empathie ».

Il m'a répondu :

— Ça veut dire qu'on sent quand les gens ont mal. Hier, par exemple, tu as embrassé mon bobo quand je me suis donné un coup de marteau sur le doigt.

Pendant qu'il réparait l'escalier menant à la plage, je l'avais entendu grommeler « Que diable ! » pour la première fois de ma vie.

J'ai hoché la tête, et il a ajouté :

— Tu as eu de la peine pour moi quand je me suis fait mal, n'est-ce pas ? C'est ça l'empathie. J'ai fait tatouer ce mot sur mon bras pour ne jamais oublier de penser aux autres.

Il a regardé l'océan une ou deux minutes, et j'ai cru que notre conversation s'arrêtait là, mais il a insisté :

— Quand on a beaucoup d'empathie, on peut souffrir davantage quand quelqu'un qu'on aime a mal que quand on a mal soi-même.

J'étais encore petite mais j'ai compris ce qu'il voulait dire. C'était ce qui m'arrivait chaque fois qu'Andy avait un problème. Quand il tombait parce qu'il n'avait pas les jambes assez solides, ou quand il se pinçait les doigts dans la porte-écran, je pleurais si fort que ma mère ne savait pas tout de suite lequel de nous deux s'était fait mal !

Quand j'avais appris qu'Andy – ou je ne sais quel autre enfant – était peut-être coincé dans l'incendie, je m'étais sentie aussi paniquée que si je me trouvais moi-même au milieu des flammes.

— J'étais inquiet pour lui, a dit oncle Marcus.

J'ai dû recentrer mon esprit brumeux sur notre conversation.

— Pour qui ? Papa ou Ben ?

— Pour Ben. Un costaud comme lui, on jurerait qu'il n'a peur de rien, pourtant il a eu un problème à la brigade des pompiers, au début ; un problème de claustrophobie. J'étais d'avis qu'il ne resterait pas longtemps avec nous... Mais après l'incendie de Drury, j'ai réalisé que je m'étais trompé. Il a vraiment montré de quoi il était capable ; il ne lui manquait que l'épreuve du feu.

A cet instant, je me suis dit que ce n'était pas la brume qui me troublait l'esprit, mais la fumée.

9

Marcus

Un jour idéal pour naviguer ; les amateurs de bateau le savaient bien. Je me suis arrêté pour regarder Stump Sound depuis les marches, devant la maison de Laurel. Des bateaux, des kayaks, des *pontoon boats*. J'étais jaloux. J'avais un kayak avec lequel je faisais de l'exercice et un petit bateau à moteur pour la pêche. Quand j'avais un rendez-vous galant, il m'arrivait de faire un tour au clair de lune sur l'Intercoastal. J'aurais aimé emmener un jour Andy avec moi. Mais je ne me faisais plus d'illusions, c'était impossible.

J'ai sonné à la porte de Laurel.

Presque tous les dimanches, si je n'étais pas d'astreinte ou de service, je prévoyais une activité avec Andy. Ballon, patinage, pêche sur la jetée. Autrefois, Maggie venait avec nous, mais quand elle a atteint l'âge qu'a Andy aujourd'hui, elle a eu mieux à faire. Je l'ai comprise : moi aussi j'ai eu quinze ans. D'ailleurs, j'aime être seul avec Andy. Il a besoin d'un homme dans sa vie, d'une figure paternelle.

Ma jolie nièce m'a ouvert la porte et elle m'a embrassé sur la joue. Quelque temps avant, j'étais sorti avec une personne un peu trop bohême pour moi, qui s'intéressait à la peinture. Un jour où nous étions allés à la National Gallery de Washington, j'avais vu, dans une salle, des portraits de femmes aux longs cheveux ondulés et aux grands yeux, avec de lourdes paupières. Des créatures aériennes, presque intangibles ; quand j'avais remarqué qu'elles ressemblaient à ma nièce, mon amie m'avait demandé :

« Elle a vraiment un air préraphaélite ? »

Bizarre, avais-je pensé.

Elle aurait bien aimé la rencontrer, mais nous avons rompu avant que l'occasion se présente. Depuis, le terme de « préraphaélite », dont j'ignore le sens, me vient à l'esprit chaque fois que je vois Maggie. J'aurais donné mon bras droit à couper, et même mes deux bras, pour que Jamie ait la chance de voir la beauté aux longs cheveux et aux lourdes paupières qu'est devenue sa fille.

— Des projets aujourd'hui, Mags ?

— Je vais étudier chez Amber. La semaine prochaine, je passe des examens.

Je me suis assis sur les marches de l'escalier menant à l'étage.

— Tu commences à voir la lumière au bout du tunnel, hein ?

— N'oublie pas de noter sur ton agenda la date de la remise des diplômes !

— Je n'arrive pas à croire que tu pars l'année prochaine.

— Wilmington n'est pas si loin.

— Ce n'est pas une simple question de géographie, petite.

Elle a regardé vers l'étage et chuchoté :

— Comment fera maman pour se débrouiller toute seule avec Andy ?

— N'oublie pas qu'elle peut compter sur moi ! Elle n'a qu'un mot à dire et j'accours. Et toi, as-tu déjà choisi ta matière principale ?

— J'hésite entre psycho et gestion.

Comment imaginer une beauté préraphaélite en tailleur strict de femme d'affaires ? Mais c'était à elle de choisir ; je n'avais qu'à me taire.

— Tu as le temps de réfléchir, ai-je marmonné.

Maggie a jeté son sac à dos sur son épaule.

— On sait maintenant ce qui a provoqué l'incendie ?

— On attend encore les résultats du labo.

— Tu t'occupes de l'enquête, non ?

— Oui, au niveau local. Mais comme il y a des morts, le FBI et l'ATF sont intervenus.

— Ce type qui a interrogé Andy à l'hôpital ?

— Oui, exactement. Ton frère est là-haut ? ai-je demandé en me levant.

Maggie m'a souri.

— Tu vas voir sa chambre ! Un vrai magasin de cartes de vœux... Et maman ne veut pas qu'on fasse allusion à son projet d'écrire un livre. Elle espère qu'il a oublié.

— Il en parle encore ?

— De temps en temps, a dit Maggie en accrochant son i-Pod à son jean taille basse.

— Ta mère est là ?

— Elle est allée courir. A plus tard !

Après avoir mis ses oreillettes, Maggie a ouvert la porte.

Dans la chambre d'Andy, j'ai compris qu'elle ne plaisantait pas en parlant d'un magasin de cartes de vœux. Les cartes étaient exposées sur son bureau, sa commode, le rebord des fenêtres ; punaisées au mur de liège qui lui servait de panneau d'affichage ;

regroupées autour des programmes que lui préparait Laurel pour l'aider à s'organiser. *Ce que je dois faire avant d'aller au lit après une journée scolaire : 1. Me brosser les dents. 2. Me laver la figure. 3. Ranger mes devoirs faits à la maison dans mon sac à dos. 4. Préparer les vêtements que je porterai demain.* Et ainsi de suite. Laurel a une patience d'ange.

Assis devant son ordinateur, Andy a fait pivoter sa chaise pour être face à moi.

— Que de cartes !

— Des cartes pour me remercier...

Il s'est levé et m'en a tendu une représentant un teckel artificiellement allongé. A l'intérieur j'ai lu : *Je voudrais allonger mes remerciements.* Puis quelques lignes manuscrites : *Andy, tu ne me connais pas, mais j'habite Rocky Mount et j'ai entendu parler de tes exploits pendant l'incendie ; je tiens à te dire que je voudrais t'avoir près de moi le jour où j'aurai besoin d'aide !*

Andy m'a montré d'autres cartes que j'ai parcourues.

— Il y en a qui viennent de gens que je connais et d'autres de gens que je ne connais pas. Plusieurs filles m'ont envoyé leur photo. (Il m'a tendu une photo posée contre son ordinateur.) Regarde celle-ci.

Ce que j'ai fait ! C'était une belle blonde d'une vingtaine d'années au moins. Longs cheveux, légère frange lui frôlant les cils. Elle arborait un air sensuel et peu de vêtements, à part un haut qui ne cachait pas grand-chose. J'ai surpris une lueur dans le regard d'Andy. Ces derniers temps, il commençait à m'inquiéter : au lieu d'avoir des relations amicales avec les filles (comme avec sa copine Emily, au regard bigle), il se mettait à se bagarrer pour elles. Depuis quand ? Sa voix aussi commençait à muer : une soudaine baisse de ton qui me surprenait de temps à autre. Debout à côté de lui, il m'arrivait de sentir des effluves mâles. Quand je lui avais offert un stick déodorant, il m'avait dit que sa mère lui en avait déjà procuré un.

C'était justement une partie du problème. Si Laurel avait daigné me parler d'Andy, on n'aurait pas été deux à lui acheter du déodorant. Elle s'était inquiétée comme moi de son évolution, et des tentations qui le menaçaient maintenant qu'il voulait se comporter en homme. A l'âge d'Andy, j'avais déjà des relations sexuelles depuis deux ans et je picolais presque chaque jour. Je ne souffrais d'aucun handicap, mais ça ne m'empêchait pas de faire des bêtises. Comment Andy pourrait-il surmonter les émois de l'adolescence ?

— Si on allait faire voler ton cerf-volant à la plage ? lui ai-je suggéré.

— Super !

Andy ne refusait jamais mes suggestions.

Laurel est apparue sur le seuil, les joues rose vif. Elle portait un short de jogging et un tee-shirt avec l'inscription : *Sauvez les tortues de mer !* Elle s'est adossée au chambranle, les bras croisés, en agitant une feuille de papier blanc d'une main.

— Vous avez prévu quoi aujourd'hui, vous deux ?

— Du cerf-volant, a répondu Andy.

— Bonne idée. Si tu allais le chercher ? Il est dans le garage, sur l'établi.

— Je peux y aller en partant.

— Tout de suite, mon chéri ! Il faut vérifier qu'il est en bon état. Tu ne l'as pas fait voler depuis longtemps.

Andy s'est dirigé vers l'escalier. Laurel voulait donc me parler en tête à tête, un événement exceptionnel. J'ai essayé d'interpréter son demi-sourire.

— J'ai reçu ce matin un mail... Si tu savais, Marcus !

— Mets-moi sur la piste.

Le sujet du mail m'importait peu, j'étais éberlué qu'elle veuille partager une information avec moi. Elle a baissé la tête pour regarder le papier. Bien que l'ovale de sa mâchoire ait perdu de sa finesse, elle était toujours, à mes yeux, la jolie fille de dix-huit ans que Jamie avait amenée à la maison il y a si longtemps. Celle qui avait joué la *Lettre à Elise* sur mon piano électrique, qui avait pris au sérieux mon intention de jouer dans un orchestre, et ne m'avait jamais donné l'impression d'être un raté.

Elle m'a tendu le papier.

— C'est un mail d'une femme du *Today Show*. Elle me demande de m'envoler pour New York avec Andy, pour participer à une émission.

— Sans blague !

J'ai parcouru le bref message. Laurel était censée appeler le lundi suivant pour prendre les dispositions nécessaires. Etait-il souhaitable ou non de laisser Andy passer à la télévision ? J'ai demandé à Laurel si elle était d'accord.

— Je pense que oui, m'a-t-elle répondu. C'est l'occasion d'agir sur l'opinion publique. De faire prendre conscience aux gens qu'une femme enceinte ne doit pas boire, et que les enfants présentant le syndrome d'alcoolisation fœtale ne sont pas nécessairement violents, etc.

Quand Laurel aborde le sujet du SAF, il est difficile de l'arrêter.

— Ces interviews sont brèves. (Je craignais qu'elle n'aille au-devant d'une déception.) Ils se contenteront peut-être d'interroger Andy sur l'incendie, sans te donner l'occasion de...

— Je mettrai mon grain de sel, comme tu t'en doutes.

— Evidemment !

J'ai ébauché un grand geste en désignant les innombrables cartes reçues par Andy.

— Ça risque de donner lieu à d'autres choses de ce genre. Tu as vu celle-ci ? ai-je ajouté en prenant la photo de la pin-up blonde sur le bureau.

Laurel a écarquillé les yeux.

— Oh ! Je surveillerai de plus près son courrier.

— Son courrier électronique aussi.

Laurel, avec un regard dédaigneux .

— Marcus, je contrôle tout. Ses e-mails, sa manière de surfer sur Internet, sa page de MySpace. Tu me connais !

J'ai remis précipitamment la photo à sa place : Andy montait l'escalier. Un peu plus, le cerf-volant heurtait le chambranle de la porte quand il a fait irruption dans la pièce.

— Il est en parfait état !

— Bon, a dit Laurel. N'oubliez pas la crème solaire, elle est dans le tiroir, près du frigidaire. Tu t'en occupes, Marcus ?

— Oui. On y va, Andy ?

D'assez bonne humeur, j'ai dévalé l'escalier à sa suite. J'étais content que Laurel m'ait parlé du *Today Show* ; mais elle était si excitée qu'elle en aurait probablement touché un mot au plombier s'il avait été la seule personne à sa portée. C'était tout de même un progrès...

Pendant un an ou deux après la mort de Jamie, elle ne m'a pas laissé voir les enfants une seule fois. Mes parents étaient morts, mon frère aussi, et il ne me restait que Laurel, Maggie et Andy pour toute famille. Elle m'avait banni... J'ai traversé des périodes difficiles dans ma vie, mais cette année-là est la pire de toutes. Je pense que c'est Maggie qui a persuadé sa mère de m'ouvrir la porte. Ça s'est fait progressivement. Je ne pouvais voir les enfants que si Laurel se trouvait dans les parages, puis elle m'a donné le feu vert, à condition que je ne les emmène jamais sur l'eau.

Comment aurais-je pu la blâmer ? Elle avait de bonnes raisons de me refuser sa confiance.

Après tout, elle s'imaginait que j'avais tué son mari.

10

Laurel

1984-1987

Jamie ne pesait pas nécessairement de tout son poids sur moi quand nous faisions l'amour ; mais j'ai découvert que j'aimais me blottir sous son corps, dont la masse protectrice avait le pouvoir de me rassurer. Quand nous étions ensemble, faisions l'amour, montions sur sa moto ou parlions au téléphone, je me sentais aimée comme dans ma petite enfance. Aimée, et en sécurité.

Nous sommes sortis ensemble pendant toute ma première année à l'UNC. Au cours de l'été, quand je suis repartie chez moi, dans l'Ohio, nous sommes restés en contact par téléphone ou par courrier, en prévoyant qu'il me rendrait visite une semaine en juillet. J'ai parlé de lui à tante Pat et oncle Guy avec toutes les précautions possibles. Ils regrettaient qu'il ait quatre ans de plus que moi. Qu'auraient-ils dit s'ils avaient su qu'il y avait, en fait, cinq ans de différence entre nous ? Ses études de théologie pesaient en sa faveur ; ils en avaient déduit qu'il était presbytérien comme eux et comme j'étais censée l'être encore. Fascinée par l'opposition de Jamie à toute religion établie, je comprenais de mieux en mieux son lien personnel, profond et passionné, avec Dieu. Ils s'étonnaient aussi qu'il soit menuisier, alors qu'il aurait pu « rentabiliser » son diplôme. J'avais envie de leur dire qu'il était menuisier par plaisir et que sa famille était plus riche qu'ils ne le seraient jamais, mais ils auraient risqué de l'aimer en raison de sa fortune. Je voulais qu'ils l'aiment pour lui-même.

Le soir de l'arrivée de Jamie, mon oncle et ma tante l'attendaient avec moi sur la véranda de leur maison de Toledo. Dans leurs rocking-chairs blancs, ils sirotaient une limonade, tandis que je me trémoussais sur la balancelle. Mes nerfs aussi tendus que les chaînes de celle-ci, j'essayais de les voir à travers les yeux de Jamie : un beau couple, aux abords de la cinquantaine, qui semblait avoir passé la journée à jouer au golf dans un country-club. Pourtant, ils n'étaient golfeurs ni l'un ni l'autre, et un country-club était nettement au-dessus de leurs moyens.

Malgré le temps estival, oncle Guy portait un sweater bleu pâle sur une chemise à rayures bleues et blanches. Il semblait parfaitement détendu ; ses cheveux grisonnants, peignés en arrière, soulignaient la finesse de ses traits.

Tante Pat portait une jupe jaune descendant juste au-dessous des genoux, de solides chaussures brunes, et des collants. Son chemisier jaune à fleurs était bien coupé, et ses cheveux châtain clair, abondamment laqués, s'enroulaient sur eux-mêmes au niveau du menton. J'avais souvent essayé – sans jamais y parvenir – de retrouver le doux visage de ma mère dans ses traits sévères.

Le jour tombait quand j'ai entendu la moto de Jamie, à deux pâtés de maisons au moins de chez nous. Mon cœur battait à se rompre, d'inquiétude et de désir. Je ne l'avais pas vu depuis un mois et je languissais de l'enlacer.

— Quel est ce bruit horrible ? a demandé tante Pat.

— Quel bruit ?

J'espérais qu'elle avait entendu quelque chose qui n'était pas parvenu à mes oreilles, mais oncle Guy a suggéré qu'il s'agissait d'une moto.

— Par ici, ça m'étonnerait ! a objecté ma tante.

Il est allé jeter un coup d'œil dans la rue et je me suis levée en disant :

— C'est Jamie.

J'avais compris que la rencontre entre mes parents les plus proches et l'homme que j'aimais était vouée à l'échec avant même d'avoir eu lieu.

Il s'est engagé dans l'allée. Les vrombissements de sa moto ne m'avaient jamais semblé aussi tonitruants : ils résonnaient sur les façades de chaque côté de la rue. J'ai descendu les marches de la véranda et traversé la pelouse d'un pas lent et digne, alors que je mourais d'envie de courir me jeter dans ses bras.

Tandis qu'il retirait son casque, j'ai eu l'impression de le voir pour la première fois. Ses cheveux lui tombaient presque au milieu du dos, et il portait, sous son blouson, ce qu'il devait considérer comme ses plus beaux vêtements : un pantalon kaki et un simple tee-shirt noir. Il n'avait absolument pas sa place dans le quartier collet monté de Toledo.

Il m'a ouvert les bras et je m'y suis jetée, le temps de chuchoter :

— Mon Dieu, Jamie, ils vont être intenables. Je te demande pardon.

Ils ont été pires. Avec la plus grande grossièreté, ils ont ignoré toutes ses tentatives pour engager une conversation, et ils ne lui ont offert ni à boire ni à manger. Après une demi-heure d'un accueil glacial, j'ai proposé à Jamie de lui montrer la chambre d'amis, et nous sommes entrés dans la maison.

A l'étage supérieur, je l'ai introduit dans la pièce que j'avais dépoussiérée et passée à l'aspirateur le matin, puis j'ai refermé la porte derrière nous.

— Jamie, encore pardon ! Je m'attendais à des difficultés, mais je n'imaginais pas qu'ils seraient aussi... mesquins. En réalité, ils sont plus froids que mesquins, et...

— Chut !

Il a mis son doigt sur mes lèvres en murmurant :

— Ils t'aiment.

— Tu veux dire que...

— Ils te souhaitent tout le bonheur possible, et voilà que surgit ce grand type chevelu, un peu louche, qui ne doit pas sentir si bon en ce moment. D'autre part, c'est un manuel et il n'a pas de voiture ! Donc, ils ne voient qu'une chose : la petite fille qu'ils chérissent risque de s'engager sur une voie périlleuse.

Mon front contre son épaule, j'ai respiré l'odeur d'un homme qui venait de passer deux jours sur sa moto pour rejoindre la femme aimée. Je l'aimais tant, moi aussi, à cet instant. Et je l'enviais pour sa capacité à se projeter hors de lui-même, afin de se substituer à mon oncle et ma tante. Mais je n'étais pas convaincue qu'il voie juste.

— Je crois qu'ils sont obnubilés par le qu'en-dira-t-on, ai-je dit d'une petite voix.

— Il y a sans doute un peu de ça, mais leur angoisse est évidente. Ils ont peur !

— Laurel ?

Ma tante m'appelait du bas de l'escalier. Je me suis arrachée à Jamie, après l'avoir embrassé rapidement sur les lèvres.

— La salle de bains est au bout du couloir. Je reviens tout de suite.

Tante Pat m'attendait au pied des marches, le visage fermé et les traits tirés. Elle m'a priée de venir une minute sur la véranda. J'ai repris ma place sur la balancelle, elle a regagné son rocking-chair, et elle m'a annoncé qu'*il* ne pouvait rester chez nous.

C'était pire que tout ce que j'avais imaginé.

— Quoi ? ai-je protesté.

— On ne le connaît pas, il ne nous inspire aucune confiance, et on ne peut...

Je n'ai pas haussé le ton : Jamie risquait de m'entendre.

— Moi, je le connais ! Je serais incapable de l'aimer s'il ne méritait pas ma confiance.

Oncle Guy s'est penché dans son rocking-chair, les coudes sur les genoux.

— Bon Dieu, qu'est-ce que tu lui trouves ? Avec l'éducation que tu as reçue, tu peux prétendre à mieux que ça.

— *Ça* ? C'est le meilleur des hommes. Honnête. Très... spiritualiste, ai-je ajouté, en cherchant désespérément une qualité de Jamie qui pourrait les séduire.

— Que veux-tu dire ? s'est étonnée tante Pat.

— Il a l'intention de fonder un jour sa propre église.

Oncle Guy a marmonné entre ses dents, d'un air écœuré :

— Ah, je vois ! Une secte...

Ma tante, approbative :

— Je pense que ton oncle a raison. Il exerce un certain pouvoir sur toi, sinon tu ne fréquenterais pas une personne comme lui.

Effectivement, il exerçait un certain pouvoir sur moi, mais un pouvoir bénéfique.

— C'est un être de valeur ! ai-je déclaré. Comment lui dire qu'il ne peut pas rester ici, alors qu'il a fait tout le chemin depuis la Caroline du Nord pour me voir ?

Oncle Guy :

— Je lui offre une nuit à l'hôtel.

— Il peut se passer de ton aide, mon oncle ! Il a de l'argent à ne pas savoir qu'en faire. Tout ce qu'il cherche, c'est un peu de tolérance et de... chaleur humaine... J'aurais dû me douter qu'il n'en trouverait pas ici. (J'ai ouvert la porte-écran.) Il ira à l'hôtel, et moi aussi.

— Comment oses-tu ? a articulé ma tante, furieuse.

Je lui ai tourné le dos et suis entrée dans la maison, sidérée par mon audace.

Jamie a refusé de me laisser partir avec lui. Il a dit à mon oncle et ma tante que j'étais une fille exceptionnelle et qu'il les comprenait de vouloir me protéger à tout prix. Mon oncle a répliqué sans ménagement qu'il n'était qu'un « sociopathe » ; Jamie est parti sans un mot de plus. Et moi, j'ai passé la nuit assise sur les marches de la véranda, partagée entre la fureur et les larmes, en imaginant Jamie seul et triste dans sa chambre d'hôtel.

Mon oncle et ma tante ont cherché à me persuader de changer d'université à l'automne, mais mes parents avaient été fort prévoyants. Bien que décédés à la quarantaine, ils avaient laissé de l'argent pour mes études supérieures, ainsi qu'un acte juridique spécifiant que cette somme serait utilisée « pour les études de Laurel à l'université ou dans tout autre institut de *son* choix ».

Quand j'ai quitté Toledo, à l'automne, j'ai emporté toutes mes affaires : je comptais ne plus jamais revenir.

Jamie m'a demandé ma main pendant ma troisième année d'études et nous avons prévu de nous marier au mois de juin suivant. Mon oncle et ma tante, avec qui j'échangeais des lettres épisodiques, n'ont pas répondu à mon invitation. J'ai rompu définitivement avec eux. Ils ne me manquaient pas car je faisais déjà partie intégrante de la famille Lockwood.

Je connaissais Miss Emma et Daddy L mieux que je n'avais jamais connu oncle Guy et tante Pat. Daddy L était le plus bienveillant des hommes ; un individu paisible et doué d'un flair extraordinaire pour l'immobilier. Miss Emma ne pouvait se passer de ses trois ou quatre whisky-citron en fin d'après-midi, mais personne ne semblait y trouver à redire. Elle était le genre de buveuse qui devenait de plus en plus tendre à chaque gorgée. Tout en étant charmant, Marcus avait des tendances autodestructrices, et il savait comment pousser ses parents et son frère à bout. L'enfant difficile qu'il avait été s'efforçait de rester à la hauteur de sa réputation. Il avait atterri à l'hôpital après s'être démis l'épaule : une chute sur sa planche de surf, un jour où il avait trop bu. Le père d'une jeune fille ramenée chez elle avec... douze heures de retard lui flanqua une correction. Avant mon mariage avec Jamie, il fut deux fois arrêté en état d'ivresse. Daddy L avait versé une caution la première fois. La deuxième, Jamie s'en chargea discrètement pour que ses parents n'en sachent rien. Marcus était un défi constant à la volonté d'empathie de son frère.

J'aimais chacun des Lockwood avec ses faiblesses et ses imperfections. Mon bonheur et mon enthousiasme étaient tels, en ce temps-là, que je n'avais plus besoin de compter de mille à zéro pour m'endormir. Quand nous nous sommes mariés, une semaine après que j'eus reçu mon diplôme d'infirmière, Daddy L nous a offert cette villa circulaire, située sur la plage – que je préférais à toutes ses autres propriétés. J'ai trouvé un emploi chez un pédiatre, à Sneads Ferry, où je me suis prise de passion pour tous les bébés et bambins qui franchissaient le seuil. Chaque bébé que je tenais dans mes bras éveillait en moi le désir d'en avoir un. Mon instinct maternel se manifestait sur tous les plans – biologique, affectif, psychologique. Je voulais porter l'enfant de Jamie, le materner, le chérir et l'élever avec tout l'amour que mes parents m'avaient prodigué avant de mourir. Privée de ma propre famille depuis si longtemps, je voulais en fonder une avec Jamie.

Tandis que je travaillais au cabinet pédiatrique, Jamie a abandonné la menuiserie pour passer une licence de gestion immobilière et prendre en charge les biens de son père. Il s'est engagé dans la brigade de pompiers bénévoles de Surf City, sur le continent, et il s'est fait couper les cheveux – un changement radical de son apparence auquel j'ai fini par m'habituer. Il a aussi acheté une voiture, bien qu'il ne se soit jamais séparé de sa moto.

Dans les années 1980, on menait une vie idéale sur l'île. En revenant de mon travail, peu éloigné de chez nous, j'allais acheter du poisson ou des crevettes sur les docks de Sneads Ferry. A la maison, c'était le paradis. Par temps chaud, j'ouvrais toutes les fenêtres et le bruit des vagues emplissait les pièces, tandis que nous préparions le dîner ensemble, Jamie et moi. Cette époque est restée vivante dans mon cœur, même quand tout a changé. Jamais je ne pourrai oublier le rythme paisible de ces lointaines journées.

Sachant que Jamie souhaitait toujours fonder une église, je n'ai pas été étonnée le jour où il a demandé à son père l'autorisation de construire une petite chapelle près du bras de mer.

— Elle sera emportée dès la première tempête, lui a répondu celui-ci, mais il ne pouvait rien refuser à son fils préféré.

Nous nous étions liés avec quelques autres habitants permanents de l'île ou de Sneads Ferry, de l'autre côté du pont. Certains se laissèrent séduire par le projet de Jamie et proposèrent de l'aider à bâtir sa chapelle. Daddy L suggéra d'utiliser du béton, comme pour les tours de l'opération Bumblebee, qui semblaient résister à tous les caprices de dame Nature. Jamie opta pour une forme pentagonale, surmontée d'un clocher, pour qu'aucun doute ne plane quant à la destination de cet édifice. Il y avait des vitres panoramiques sur quatre côtés, et de lourds volets de bois que l'on pouvait utiliser quand le temps devenait menaçant. Au fil des ans, le vent a arraché quatre fois le clocher, mais aucune fenêtre n'a été brisée avant l'ouragan Fran, en 1996. La coque de béton de la chapelle a résisté comme un gigantesque château de sable surgissant du sol.

Il n'y avait, dans la chapelle, ni autel ni chaire. Selon son désir, Jamie n'était qu'un membre de la congrégation parmi d'autres. Marcus, qui habitait chez ses parents à Wilmington, tout en suivant les cours d'un collège technique, vint aider Jamie à réaliser des bancs de pin, bien qu'il n'ait jamais vraiment compris le projet de son frère. Les bancs formaient des pentagones concentriques à l'intérieur de l'édifice. Daddy L avait pyrogravé *Chapelle des Esprits Libres* sur un énorme morceau de bois flotté, que Jamie avait accroché à un poteau profondément fiché dans le sable, près de la porte d'entrée.

Contrairement à son intention de rester un simple membre, Jamie devint pourtant une sorte de pasteur. Il avait vu au dos d'un magazine une annonce proposant l'acquisition, pour trente dollars, d'un certificat de « prêtre ordonné de l'Eglise progressiste de l'Esprit ». Ce qu'il fit, sans prendre ce titre très au sérieux. Du moins, les gens qui appréciaient sa vision du monde pouvaient-ils l'appeler « révérend » s'ils le souhaitaient.

Nous avions décidé, Jamie et moi, d'attendre que la chapelle soit finie pour fonder une famille. Le dernier banc installé, j'ai donc arrêté la contraception. Le pédiatre pour qui je travaillais m'avait prévenue que je ne serais pas féconde avant un certain temps, car j'étais sous pilule depuis plusieurs années. En fait, j'ai dû tomber enceinte presque immédiatement, car au bout de quelques semaines j'ai senti un changement dans mon corps. Comme de juste, le test de grossesse que me procura l'obstétricien était positif.

J'ai réussi à garder mon secret jusqu'à cette nuit où on s'est livrés, Jamie et moi, à l'un de nos passe-temps favoris. Emmitouflés chacun dans une couverture (on était en octobre), on s'est allongés côte à côte sur la plage derrière la villa, pareils à deux cocons. Un bonnet de laine sur la tête, on contemplait béatement le ciel automnal, en essayant de distinguer les satellites des étoiles.

— J'en vois un, a dit Jamie en tendant un doigt vers le nord.

— Où ?

Dans la direction qu'il indiquait, j'ai reconnu une constellation : Pégase.

— Au sud-est de Pégase. Regarde bien !

Une lumière dérivait lentement vers le nord.

— Tu as raison.

En automne et en hiver, quand nous avions l'extrémité nord de l'île, fort sombre, pour nous tout seuls, le ciel était plus étoilé que jamais. Le bruissement des vagues sonnait comme une musique à nos oreilles. Soudain, le miracle de ma vie m'a bouleversée.

J'habitais un lieu d'une beauté unique au monde, dans une maison de forme circulaire, digne d'un conte de fées, avec un homme qui m'aimait comme je l'aimais. J'ai pensé au minuscule ensemble de cellules en moi, qui deviendrait notre bébé. Dans combien de temps le globe de mon ventre ferait-il écho à la voûte céleste au-dessus de nos têtes ? J'ai pensé à notre enfant... nos enfants, qui seraient un jour allongés sur cette plage et contempleraient les mêmes étoiles, les mêmes vagues. Incapable de maîtriser mes pensées, j'ai fondu en larmes.

— Qu'y a-t-il ? m'a demandé Jamie en levant la tête.

— Je suis heureuse.

— Moi aussi.

Il riait. Blottie contre lui, j'ai murmuré :

— Je suis enceinte.

Je le distinguais à peine dans l'obscurité, mais je l'ai entendu prendre une profonde inspiration.

— Oh, Laurie !

Il a ouvert sa couverture pour attirer mon cocon à l'intérieur du sien, et il a planté des baisers sur tout mon visage jusqu'à ce que j'éclate de rire.

— Comment te sens-tu, Laurie ?

— Dans un état fantastique !

Je disais vrai. Il a baissé les yeux vers moi en effleurant ma joue avec une tendresse sans égale, et il a chuchoté :

— Tout notre univers va changer.

Il ne savait pas à quel point il avait raison.

Le lendemain à dix heures, treize personnes, dont Jamie et moi, arrivaient à la chapelle des Esprits Libres pour son premier office. Parmi nous figuraient quatre de nos amis ayant participé à la construction, quatre connaissances, et enfin trois inconnus, curieux de savoir ce qui se passait entre les cinq murs de ce petit édifice. J'étais moi-même intriguée, car Jamie n'avait pas précisé ses intentions au sujet du service. J'aurais voulu lui confectionner une aube différente de toutes celles que j'avais vues jusque-là : d'un bleu lumineux, inspiré de la mer et du ciel.

Il avait repoussé ma suggestion en m'expliquant que rien ne devait le différencier des autres. J'avais compris.

La chapelle embaumait le bois neuf, une senteur délicieuse que j'associerai toujours aux débuts prometteurs de mon mariage et à la vie que je portais en moi. Je l'ai respirée profondément en prenant place sur un banc.

Quelques minutes après, Jamie, vêtu d'un jean et d'un blouson de cuir, s'est levé. Signe évident de son anxiété, il s'est raclé la gorge.

— Parlons maintenant des endroits où nous avons fait l'expérience de Dieu cette semaine !

Sa voix a résonné contre les murs, et personne n'a bronché quand il s'est rassis. Le double vitrage amortissait le bruit de la mer, et, au milieu du silence, j'ai entendu un homme vêtu d'un épais blouson de flanelle rouge et qui chiquait cracher dans sa tasse de plastique bleu. Nous avons gardé le silence pendant de longues minutes, m'a-t-il semblé.

La première fois que j'avais entendu Jamie parler de Dieu en tant qu'*expérience* (et non en tant qu'Etre), j'avais cru à une espèce de blasphème qui m'avait inquiétée ; mais j'avais fini par comprendre ce qu'il voulait dire. Quelque chose s'était éveillé en moi et avait chassé de mon esprit l'image d'un personnage majestueux, pour faire naître un sentiment profond difficilement exprimable.

Je me revoyais la nuit précédente, sur la plage avec mon mari. A ma grande surprise, autant qu'à la sienne, je me suis levée brusquement et mes paroles ont fusé.

— Hier soir, allongée sur la plage, j'observais les étoiles. Le ciel était magnifique, et un vrai bonheur m'a envahie. Non, ce n'est pas le mot juste... C'était plus fort...

Agrippée au dossier du banc devant moi, je me suis concentrée.

— Je me sentais bouleversée par la beauté du monde et j'éprouvais une joie qui n'était pas superficielle, mais profondément ancrée en moi. J'avais la certitude de vivre une expérience... qui me dépassait. Quelque chose de sacré... ai-je conclu avec le sentiment de ne pouvoir traduire par des mots ce qui m'était arrivé la veille.

Je me suis rassise calmement. Jamie a pris ma main et l'a serrée entre ses paumes. J'ai vu du coin de l'œil qu'il souriait, de ce petit sourire que j'aimais tant et qui signifiait *tout va bien dans notre monde.*

Au bout d'un moment, l'homme qui chiquait s'est levé à son tour.

— On doit dire quand on a senti la main de Dieu dans quelque chose ?

— C'est une question ouverte, a répondu Jamie après une légère hésitation. Chacun de vous peut l'interpréter comme il veut.

— Ben alors, j'peux dire que j'ai fait l'expérience de Dieu la première fois que j'ai aperçu vot' église ce matin. Sur le ferry, j'avais entendu comme quoi un jeune illuminé, qui s'prend pour un prêcheur, a construit une église avec du béton et des planches. En sortant de ma voiture, j'ai commencé à marcher sur le sable, et quand j'ai vu ça... (De sa tasse bleue il désignait les cinq murs et les vastes vitrages.) Oui, quand j'ai vu tout ça... j'ai vraiment senti c'que vous disiez, m'dame. Quelque chose de bon et de beau m'est tombé dessus, et ça me déplairait pas que ça recommence.

L'homme s'est rassis. En entendant Jamie déglutir comme s'il ravalait ses larmes, j'ai réalisé qu'il était ému.

Silence dans la petite chapelle. J'aurais aimé que quelqu'un d'autre prenne tout de suite la parole, mais Jamie semblait paisible. Une femme s'est enfin levée : une blonde aux cheveux très courts, et à peu près de mon âge – vingt-deux ans.

— Je m'appelle Sara Weston et je crois être la seule personne de toute la Caroline du Nord qui n'aille pas à l'église.

Quelques rires se sont élevés.

— Je me suis installée ici parce que mon mari est en service à Camp Lejeune.

Cela expliquait son accent : je n'aurais su dire exactement d'où elle venait, mais elle n'était originaire ni de Caroline du Nord ni d'un endroit quelconque au sud de la Mason-Dixon Line.

— On me demande toujours quelle église je fréquente, a repris Sara, et on me dévisage comme si j'étais un monstre à deux têtes quand je réponds « aucune ». Franchement, je n'aime ni la religion ni les rites, et... je ne sais même pas si je crois en Dieu.

— Très bien, a soufflé Jamie, si bas que j'ai peut-être été la seule à l'entendre.

Un soupir de Sara a trahi une légère anxiété.

— Pardon... Je vais m'efforcer d'être positive ! Quand on me demande quelle église je fréquente, j'avoue que je n'ai pas encore choisi, et les gens cherchent toujours à m'attirer dans *leur* église. Je leur dirai maintenant que je fréquente la chapelle des Esprits Libres.

Elle s'est rassise en rougissant et l'homme au blouson de flanelle a posé un instant sa tasse pour l'applaudir de tout son cœur.

Le dimanche suivant, dix-sept personnes étaient rassemblées dans la chapelle... mais il y en avait autant dehors, et, parmi elles, le révérend Bill du Drury Memorial. Il proclamait avec un porte-voix que les Esprits Libres n'étaient pas une véritable église ; Jamie Lockwood était un hérétique, dont la petite congrégation se composait d'athées et d'agnostiques.

— Partageons ensemble notre expérience personnelle de Dieu cette semaine, a dit Jamie, avec son calme habituel.

Les gens se sont levés et ont pris la parole comme si personne n'entendait ce qui se passait dehors. A la fin, Floyd, l'homme au blouson rouge et à la tasse de plastique bleue, a lancé :

— J'ai bien envie d'aller dire à ce type de la fermer !

— Il doit se sentir drôlement menacé, croyez-moi, pour oser venir troubler notre office. Soyons indulgents avec lui ! a conseillé Jamie sans se troubler.

Il est devenu la bête noire du révérend Bill. Il a essayé d'obtenir la fermeture des Esprits Libres en passant à l'attaque sur tous les fronts. Ce lieu n'était pas un emplacement destiné à une église, Jamie était un hérétique, sa chapelle faisait tache dans le paysage préservé, le long du bras de mer.

Je suis restée à l'écart de cette controverse, de peur que le révérend Bill puisse s'appuyer sur une base juridique sérieuse. Pour sa part, Jamie est parvenu, je ne sais comment, à échapper à toutes les attaques dirigées contre lui. Le nom de Lockwood suffisait-il à décourager les actes malveillants ? Le révérend Bill a tout de même marqué un point en excitant ses ouailles contre nous : Jamie Lockwood et ses partisans étaient, selon lui, des païens. Cet antagonisme a contrarié mon mari, qui détestait les conflits forçant les gens à prendre parti. Il avait un idéal de paix et de tolérance. Comme il me l'avait dit lui-même une fois, il croyait au père Noël...

J'étais enceinte de quatre mois quand Miss Emma et Daddy L ont mis Marcus à la porte. Il avait interrompu ses études sans attendre d'avoir raté ses examens, et il travaillait dans le bâtiment. La décision de ses parents a choqué Jamie.

— Je ne les comprends pas, m'a-t-il dit un matin au petit déjeuner. Marcus se sent mal aimé ; en le chassant de chez eux ils vont le démolir complètement.

J'ai trempé un biscuit dans mon lait.

— Prenons-le chez nous ! Il y a beaucoup de travail sur l'île et on a la place pour le recevoir. On essayera de l'aider à se remettre d'aplomb.

Jamie a écarquillé les yeux et sa cuillère est restée en suspens à quelques centimètres de sa bouche.

— Tu es vraiment extraordinaire, Laurel !

Je lui ai répondu en souriant qu'il déteignait sur moi.

— J'avais envisagé cette solution, a poursuivi Jamie en reposant sa cuillère, mais je n'osais pas t'en parler. Tu dois déjà t'accommoder d'un mari un peu cinglé, et la naissance du bébé approche... (Il s'est interrompu, pensif.) J'ai toujours été l'enfant chéri de mes parents, je les aime, mais ils n'ont jamais traité Marcus comme moi.

— Il n'a jamais pu t'égaler.

— Je me sentirai rassuré s'il habite chez nous et si on le tient à l'œil. On pourra peut-être le tirer d'affaire, a conclu Jamie en se penchant à travers la table pour m'embrasser.

— Peut-être, ai-je répondu.

Mais nous nous trompions.

11

Laurel

A l'aéroport de Wilmington, la file d'attente pour le contrôle de sécurité était plus longue que prévu, et j'ai craint de rater notre avion. Andy s'est effondré contre mon épaule, mais je ne pouvais pas lui en vouloir : nous étions debout depuis 4 heures du matin pour prendre le vol de 6 h 30 à destination de New York. Tout avait traîné en longueur, car c'était un vrai cauchemar de changer les habitudes d'Andy. Il m'avait fallu quinze minutes pour le tirer de son lit, et il s'y était réfugié dès que j'avais tourné le dos ; j'avais dû, pratiquement, lui brosser moi-même les dents. Le taxi nous avait attendus un moment dans l'allée.

Je m'étais calmée en me disant que nous n'allions à New York que pour deux nuits, et que nous n'avions pas de bagages à contrôler. Mais il était presque 6 heures quand nous sommes arrivés à la file d'attente.

Le lendemain matin, nous étions attendus de bonne heure au Rockefeller Plaza pour le *Today Show*. J'avais pris suffisamment la parole au sujet du SAF depuis des années pour savoir ce que j'avais à dire sans paraître pédante ou moralisatrice. Je devais aussi mentionner le fonds de soutien aux familles du Drury

Memorial. Dawn m'avait demandé de donner l'adresse e-mail de celui-ci, afin que les téléspectateurs puissent envoyer leur contribution. Je lui avais promis d'essayer.

Notre tour allait enfin arriver ; j'ai donné un coup de coude à Andy, toujours effondré contre moi, les yeux fermés.

— Mon chéri, si tu commençais à enlever tes chaussures ?

Il s'est penché pour dénouer les lacets de ses baskets.

— Maman, c'était quand la dernière fois que j'ai pris un avion ?

Je me suis débarrassée de mes chaussures d'un coup de pied, puis je les ai ramassées.

— Tu avais deux ou trois ans, et nous avions pris l'avion pour rendre visite à ta grand-mère qui passait l'hiver en Floride.

— Grand-mère Emma ?

— Oui.

— Je ne me souviens plus d'elle.

— Tu étais petit quand elle est morte.

Devant le tapis roulant, j'ai tendu une corbeille en plastique à Andy.

— Dépose tes chaussures et ton blouson là-dedans !

Il a obtempéré.

— Pourquoi on doit ôter nos chaussures ?

Une question délicate, à laquelle je devais répondre avec précaution. Si j'évoquais la possibilité d'une bombe ou la présence de terroristes, il ferait une fixation sur cette menace, et le vol risquait d'être un véritable enfer.

J'ai placé notre sac de voyage sur le tapis roulant.

— Ils s'assurent que nous n'emportons rien de dangereux dans l'avion.

— J'ai vu le panneau.

— Quel panneau ?

— Celui qui dit qu'il ne faut emporter ni armes à feu, ni liquides, ni tout le reste.

— Très bien.

Le tapis roulant a entraîné les corbeilles vers l'appareil à rayons X. Andy leur a adressé un signe d'adieu. J'ai souri à l'agent de sécurité renfrogné, debout près du détecteur de métaux, puis je lui ai tendu mon permis de conduire et ma carte d'embarquement.

— Garde ta carte d'embarquement dans ta main pour que l'agent de sécurité puisse la voir.

Après cet avertissement, je suis passée la première par le détecteur de métaux, soulagée de ne pas avoir déclenché l'alarme.

— C'est mon tour ? m'a demandé Andy.

— Dépêche-toi, mon chéri, on va être en retard.

Andy a tendu les bras de chaque côté, comme s'il cherchait à garder l'équilibre, et il s'est dirigé vers le portail avec concentration. J'ai craint que ses bras ne heurtent le détecteur, mais il les a baissés juste avant de passer.

L'alarme a cliqueté ; j'ai rejoint Andy en soupirant.

— C'est sa boucle de ceinture. J'aurais dû y penser.

L'agent de sécurité m'a enjoint de reculer et s'est adressé à Andy.

— Tu portes une ceinture ?

Andy a soulevé son pull pour exposer la boucle métallique de sa ceinture.

— Pourtant ce n'est pas un liquide, ou autre chose...

— Tu cherches à plaisanter avec moi, mon garçon ? a demandé l'agent. Enlève ta ceinture !

— Il ne plaisante pas, ai-je tenté d'expliquer. Il croit réellement que vous...

— Madame, laissez-moi faire mon travail.

Après avoir enroulé la ceinture dans un sachet en plastique, l'homme a ordonné à Andy de passer une deuxième fois.

Nouveau cliquetis. Je me suis sentie dépassée par les événements. Que pouvait-il donc porter sur lui ?

— Je n'y comprends rien, ai-je marmonné. Il n'a ni montre ni…

— Va par là-bas !

L'agent de sécurité a fait signe à Andy de se placer de l'autre côté du tapis roulant, où une femme corpulente en uniforme maniait comme une matraque un détecteur de métaux en forme de bâton.

— Les mains aux côtés ! a-t-elle ordonné.

Andy m'a regardée, en quête d'une approbation.

— Vas-y, Andy. On cherche simplement à comprendre pourquoi tu as déclenché l'alarme.

J'ai retiré notre sac de voyage du tapis roulant et récupéré nos chaussures et nos blousons, ainsi que mon portefeuille. Mes bras tremblaient.

— Nous sommes très en retard pour notre vol, ai-je dit à la femme qui promenait son détecteur portatif devant le torse d'Andy.

Mon fils m'a questionnée :

— Déjà un micro ? On va passer à la télé et parler devant des micros ?

— Exactement. En fait, ai-je ajouté dans l'espoir d'amadouer un peu la femme, nous allons à New York pour passer à…

J'ai entendu de la friture quand le détecteur s'est trouvé au-dessus de la chaussette gauche d'Andy.

— Enlève ta chaussette, a ordonné la femme.

— Sa chaussette ?

Eberluée, j'ai dit à Andy d'obéir. Quand il a retiré sa chaussette, un petit objet argenté a rebondi sur le sol.

— Qu'est-ce que c'est, Andy ?

— Mon briquet.

— Ton briquet ?

De ses doigts gantés, la femme a ramassé avec précaution l'objet, en m'ordonnant de reculer.

J'ai obtempéré.

— Andy, ai-je chuchoté, pourquoi as-tu un briquet ?

Andy a haussé les épaules, cramoisi. Il craignait d'avoir des ennuis avec moi.

— Mets tes chaussures, et je vais vous prier de me suivre, tous les deux, a articulé la femme.

— Vous suivre ? Où ça ?

J'ai laissé tomber l'une des chaussures de mes bras surchargés, puis deux autres en me baissant pour la ramasser. Tant bien que mal, je me suis évertuée à rassembler tout ce qui était à terre.

— Asseyez-vous ici pour remettre vos chaussures !

Sans protester, je me suis assise, en faisant signe à Andy de m'imiter. Nous avons enfilé nos chaussures, sous le regard impitoyable de notre Cerbère.

— Où voulez-vous nous emmener ? ai-je demandé aussitôt relevée.

Nos blousons sur un bras, je poussais le chariot de ma main libre.

— Au service de sécurité, pour vous interroger. (La femme a pivoté sur elle-même.) Suivez-moi.

Andy lui a emboîté le pas.

— Attendez ! ai-je protesté. Notre avion décolle dans quinze minutes. Pourriez-vous confisquer simplement le briquet et nous laisser passer ?

— Non, madame.

Elle s'est lancée dans une longue litanie au sujet de la législation fédérale, tout en nous entraînant dans un corridor d'où j'ai craint de ne jamais ressortir.

Dans un petit bureau, un policier en uniforme a levé la tête à notre entrée. Son crâne chauve luisait à la lumière du plafonnier.

— Ce garçon a tenté de franchir le contrôle de sécurité avec un briquet caché dans sa chaussette, a dit la femme.

Le policier avait un regard gentil, sous de hauts sourcils très fournis. J'ai essayé de l'amadouer.

— Je suis sa mère, monsieur, et je suis navrée de ce qui vient de se produire, mais nous allons rater notre avion si...

Il nous a désigné les deux chaises, devant son bureau.

— On va à New York pour passer au *Today Show*, monsieur ! a proclamé Andy en s'asseyant.

— Serait-il possible de faire attendre l'avion un instant ? ai-je suggéré, toujours debout.

Le policier m'a regardée d'un air sombre.

— Si vous ne prenez pas cette affaire au sérieux, madame, comment voulez-vous que votre fils respecte la loi ?

Où était passée la gentillesse de son regard ? Je me suis laissée tomber sur la chaise à côté d'Andy, en me demandant à quelle heure était l'avion suivant à destination de New York.

Les bras croisés, l'homme en uniforme s'est penché vers mon fils.

— Quel âge as-tu, mon garçon ?

— Quinze ans.

— Quinze ans ?

— Je suis petit pour mon âge.

— Pourquoi avais-tu un briquet dans ta chaussette ?

— A cause du panneau.

— Quel panneau ?

— Celui qui interdit de *porter* des armes à feu et des couteaux à bord. Il disait aussi de ne pas porter de briquet.

— Oh non ! ai-je murmuré. Il a tout pris au pied de la lettre.

— Madame, je vous prie de ne pas intervenir, m'a dit le policier.

Puis il s'est adressé à Andy :

— Si tu as lu sur le panneau qu'il ne fallait pas porter de briquet à bord, pourquoi en avais-tu un dans ta chaussette ?

Andy, au bord des larmes :

— Je l'ai mis dans ma chaussette pour ne pas le porter !

Une main sur son genou, j'ai dit :

— Je souhaiterais vous expliquer...

Le policer m'a foudroyée du regard, et, carré dans son siège, il a martelé son bureau avec son stylo.

— Mon garçon, tous ces règlements ont été établis pour te protéger. Il est inadmissible de ne pas les prendre au sérieux.

— Je vous en prie, il a un handicap !

Le policier m'a ignorée.

— Pourquoi as-tu emporté un briquet avec toi ?

Andy me fixait intensément.

— Au cas où j'aurais envie d'une cigarette.

— Tu ne sais pas qu'il est interdit de fumer en avion ?

— Je n'aurais pas fumé en avion !

— Où sont tes cigarettes ?

— Je n'en ai pas.

— Mais tu attaches une telle importance à ton briquet que tu le portes sur toi.

Andy n'en pouvait plus. Il avait l'air éploré, et une larme a coulé le long de sa joue.

— Monsieur, Andy présente un syndrome d'alcoolisation fœtale. (J'ai parlé précipitamment, décidée à ne plus laisser cet homme m'interrompre.) Il ne comprend pas toutes ces subtilités ! S'il voit un panneau interdisant de « porter » quelque chose, il prend cette expression au pied de la lettre. Pour lui, porter une chose, c'est la tenir entre ses mains. Je ne savais pas qu'il avait un briquet, je ne savais même pas qu'il avait déjà fumé...

J'ai jeté à Andy un regard qui signifiait : On en reparlera plus tard.

— En tout cas, ai-je conclu, je vous assure qu'il n'avait absolument pas conscience de mal faire. Nous allons à New York pour passer au *Today Show* demain matin. Andy a sauvé des vies au cours d'un incendie à Surf City.

Le policier a haussé ses sourcils.

— Tu es *ce* garçon ?

— Oui, monsieur, a chuchoté Andy d'une voix à peine audible. Des gens m'ont suivi quand je suis sorti par la fenêtre.

Les lèvres pincées, le policier a soulevé le capot du briquet posé devant lui, et fait rouler la molette du pouce. Une longue flamme effilée est apparue.

— Bon, a-t-il dit en refermant le capot. Inutile de préciser que nous confisquons cet objet. Nous allons maintenant remplir quelques papiers, et...

Il a regardé l'écran de son ordinateur, puis tapé sur quelques touches de son clavier.

— Le prochain avion pour La Guardia décolle à 10 h 10.

— Trois heures d'attente ! (Je gémissais presque.) Il n'y a rien avant ?

— Non, madame, et vous avez de la chance : il reste encore des places.

Il était près de sept heures et demie quand nous avons regagné la partie centrale de l'aéroport.

— Achetons-nous quelque chose à manger pour tuer le temps, ai-je proposé.

Munis chacun d'un muffin et d'une bouteille d'eau, nous avons trouvé des sièges à la porte d'embarquement. Nous avons étalé nos affaires autour de nous, car nous étions seuls devant cette porte, et je me suis adressée à mon fils.

— Il faut que nous parlions, Andy. Tu m'avais promis de ne jamais fumer.

Andy observait le bout de sa basket, en mastiquant une bouchée de muffin aux myrtilles.

— Andy ?

— Ça m'arrive de fumer, mais je n'avale jamais la fumée. Je la garde dans ma bouche.

— Pourquoi fumes-tu ?

— Parce que c'est cool.

— Lesquels de tes amis fument ?

— Je suis forcé de te le dire ?

J'ai réfléchi un instant. A quoi bon insister ?

— Non, tu n'es pas forcé, ai-je soupiré. Mais je tiens à savoir comment tu t'es procuré ce briquet.

Ce n'était pas un simple Zippo !

— Je l'ai échangé.

— Contre quoi ?

— Maman, j'ai pas envie d'en parler.

— Il le faut, Andy.

— Je l'ai échangé contre mon canif.

— Quel canif ?

— Celui que j'ai toujours eu.

— Je sais que tu veux être sociable et cool, mais les adolescents font parfois de grosses bêtises...

J'étais contrariée par ce briquet, et, plus encore, à l'idée que j'ignorais certaines choses au sujet de mon fils. S'il m'avait menti en prétendant ne pas fumer, quelles autres cachotteries me faisait-il ?

— Tu m'as promis aussi de ne pas toucher à la drogue. Qu'est-ce qui me prouve que tu tiens ta promesse ?

— Jamais je ne toucherai à la drogue !

Sa véhémence m'a convaincue. Du moins, j'ai eu la certitude qu'il ne mentait pas à cet instant.

Vautré sur son siège, il a grommelé :

— Je suis fatigué.

— Moi aussi.

Nous avions fait notre plein de discussions sérieuses pour la matinée. J'ai sorti de mon sac le roman que j'avais emporté.

— Une petite sieste, Andy ?

Redevenu mon angélique petit garçon, il a abandonné sa tête contre mon épaule. J'ai posé mon livre sur mes genoux et fermé les yeux.

Comment allions-nous nous en sortir pendant ses années d'adolescence ? J'appréhendais l'année à venir, sans Maggie à la maison. Son regard sur Andy doublait habituellement le mien, et elle ne serait plus là avec ses principes – son goût de l'excellence – qui l'influençaient beaucoup. Elle serait aussi surprise que moi quand elle apprendrait l'épisode du briquet.

Nous sommes montés à bord du petit avion, les yeux bouffis.

J'ai désigné à Andy les deux places qui nous étaient réservées.

— Tu préfères t'asseoir près du hublot ?

— Oui.

— Boucle ta ceinture, lui ai-je rappelé.

J'ai bouclé la mienne et resserré la sienne.

L'hôtesse, une Asiatique au sourire lumineux, s'est mise à la tâche.

— Qui est cette dame ? a claironné Andy.

— C'est l'hôtesse. Elle nous donne des explications sur l'avion. Il faut l'écouter.

L'hôtesse a montré comment déboucler la ceinture ; docilement, Andy a débouclé la sienne.

Je lui ai expliqué qu'il devait la reboucler jusqu'à la fin du vol. Quand l'hôtesse a fait une démonstration du masque à oxygène, il s'est concentré au maximum, le buste penché en avant et les lèvres pincées. Ensuite, il s'est tourné vers moi.

— Elle a dit que les adultes qui voyagent avec des enfants doivent mettre leur masque les premiers. Pourquoi ?

— Parce qu'un adulte ne peut pas s'occuper correctement d'un enfant s'il n'a pas fait le nécessaire pour lui-même avant.

Bizarrement, ma réponse l'a fait rire.

— Qu'y a-t-il de si drôle, Andy ?

— Je suis sûr que tu m'aiderais à mettre mon masque avant de mettre le tien, m'a-t-il répondu du tac au tac. Tu t'occupes toujours de moi en premier !

12

Maggie

Quelques maisons étaient encore éclairées quand j'ai roulé jusqu'à Sea Tender. C'était la première semaine d'avril et les gens commençaient à prendre des vacances ; d'ici quelques mois, l'île serait méconnaissable. L'impression de connaître tout le monde se changerait en une promiscuité avec des inconnus arrivant chaque semaine pour s'installer dans leur location ou leur mobile home, et repartant pour céder la place à de nouveaux visages. J'avais horreur de cette période. Les maisons proches de Sea Tender seraient envahies par des voisins fouineurs et indiscrets.

Je n'avais pas eu besoin de mentir à ma mère au sujet de l'endroit où j'allais ce soir-là, puisqu'elle était à New York avec Andy. J'ai horreur du mensonge, mais il me semblait que je ne pouvais plus m'en passer. Apparemment, mon petit frère mentait lui aussi depuis quelque temps. Ma mère m'avait appelée de New York pour me parler du briquet. Je m'étais doutée qu'Andy fumait, car je sentais parfois sur lui une odeur suspecte, mais quand je lui avais posé la question, il s'était exclamé que « bien sûr, il ne fumait pas ! ». Je l'avais cru.

Les bêtises d'Andy m'inquiétaient. Jusque-là, elles n'étaient pas bien importantes ; elles risquaient de s'aggraver à mesure qu'il grandirait.

Mais ce n'est pas le moment de bavarder !

Une fois garée, j'ai éteint ma lampe torche pour marcher le long de la rue. J'ai tourné ensuite sur la petite promenade en planches, entre deux des maisons en front de mer, vers l'endroit où se trouvait notre vieille villa. J'ai placé le parpaing sous les marches pour atteindre la porte d'entrée. Une fois à l'intérieur, je ne me suis pas dirigée vers la terrasse de derrière comme quand je me préparais à entrer en contact avec papa. Ce soir-là, j'étais venue pour une raison différente – une raison *réaliste* qui m'obligeait à mentir, coûte que coûte.

L'ancienne chambre de mes parents était la plus exiguë des deux, mais la seule à donner sur l'océan, et aussi l'unique pièce sans fenêtre cassée ou murée. Au loin, j'apercevais une ou deux lumières sur l'eau ; je les ai observées suffisamment longtemps pour voir que l'un des bateaux se dirigeait vers le nord et l'autre vers le sud. Ensuite, j'ai allumé les six bougies parfumées au jasmin, posées sur la petite table dans un coin de la pièce. Le lit à deux places – un vieux matelas effondré sur un sommier à ressorts et un cadre rouillé – était l'un des meubles abandonnés par ma mère, quand nous avions déserté Sea Tender. Après avoir rabattu les couvertures, j'ai enlevé les textiles désodorisants que je laissais sur les oreillers : je ne savais jamais combien de temps je passerais sans venir, et je détestais l'odeur de renfermé du linge.

Je finissais juste de tapoter les oreillers quand j'ai entendu des pas sur la terrasse du devant, puis la vieille porte a grincé.

— Il y a quelqu'un ? a demandé posément Ben.

J'ai traversé le séjour comme une flèche pour le rejoindre. Il m'a attirée dans ses bras et j'ai enfoui mon visage contre son torse.

Je pleurais à gros bouillons, incapable de me ressaisir. Un effondrement total, comme si j'avais attendu d'être avec lui pour craquer. Je devais toujours être la plus forte dans ma famille ; avec Ben, je pouvais me contenter d'être moi-même. Il m'a gardée enlacée jusqu'à ce que mes sanglots s'arrêtent : il devinait toujours de quoi j'avais besoin.

— Une vraie torture, ai-je enfin murmuré.

Depuis l'incendie, nous n'avions pas été ensemble – de cette manière – une seule fois. On entraînait les Pirates en feignant de nous connaître à peine pour ne pas éveiller les soupçons. Nos conversations téléphoniques, les messages et les quelques e-mails que nous échangions étaient loin de remplacer ces rencontres en tête à tête.

Il a pris un peu de recul et sa main a effleuré ma joue. A la lumière vacillante de la bougie, j'ai aperçu le brun chocolat de ses yeux et l'impressionnante cicatrice qui barrait maintenant son front. Je l'ai touchée du doigt.

— Ça va ?

Il a sursauté, et j'ai retiré mon doigt, désolée de lui avoir fait mal. Ensuite, il a frôlé lui-même sa cicatrice.

— Juste un peu sensible… On m'a enlevé les points de suture ce matin. Je garderai toujours un souvenir de cette nuit-là.

— Au moins, tu es sain et sauf…

— Tout le monde n'a pas eu cette chance.

— J'ai eu si peur, Ben !

Il m'a embrassée, avant de me soulever brusquement dans les airs, comme un jeune marié des temps anciens, franchissant le seuil de sa maison avec son épouse. Il m'a emmenée dans la chambre ; l'odeur de jasmin était si forte qu'elle m'a grisée. Il m'a déposée sur le lit et m'a déshabillée. Des larmes encombraient encore ma gorge, mais il n'était plus question de pleurer : Ben avait besoin d'une femme ce soir, et pas d'une petite fille.

Je n'ai jamais été une de ces naïves qui croient au coup de foudre, mais j'ai senti que quelque chose m'arrivait à la minute même où j'ai vu Ben pour la première fois. C'était mon dix-septième anniversaire, il y a près d'un an, et j'attendais, au centre de loisirs, l'arrivée du nouvel entraîneur des moyens, car Susan Crane, qui s'occupait d'eux jusque-là, partait à Richmond. Elle avait trente-cinq ans, mais, bizarrement, je me doutais que son successeur aurait à peu près mon âge.

Debout au comptoir d'accueil, Ben remplissait des formulaires en riant avec David Arowitz. J'ai cru qu'il s'inscrivait au centre et je l'ai observé de la tête aux pieds. Il portait un maillot de bain à rayures bleues et vertes, une chemise bleue à manches courtes et des sandales. J'ai remarqué qu'il était très grand : il devait probablement porter des vêtements de taille « hors-normes ». Ses cheveux courts étaient sombres et frisés. Il avait un nez droit, des fossettes – du moins du côté que je pouvais apercevoir – et de longs cils. Tous ces détails m'ont frappée en une seconde, je le jure, et mon cœur s'est serré si fort que j'ai eu l'impression de sentir des picotements me parcourir les bras.

Au premier regard, j'ai deviné sa personnalité. Il était gentil, aimait les animaux, préférait le volley-ball au golf, croyait en Dieu sans être pieux, adorait les films d'épouvante, osait exprimer ses sentiments, fumait de la marijuana mais pas de cigarettes. Le temps que les picotements descendent de mon cœur jusqu'au bout de mes doigts, j'avais réalisé tout cela.

Je savais aussi qu'il était beaucoup trop âgé pour moi, mais je m'en moquais. J'étais amoureuse.

Tout à coup, David m'a montrée du doigt ; Ben lui a dit quelque chose avant de se diriger vers moi. Il était le nouvel entraîneur : c'était la seule chose qui m'avait échappé.

Il m'a tendu la main, et j'ai constaté qu'il avait une fossette d'un seul côté de la bouche.

— Maggie ? Je suis Ben Trippett.

J'ai senti la chaleur de sa paume, comme s'il avait une température supérieure de plusieurs degrés à celle des autres humains. (Par la suite, j'ai découvert qu'il avait *toujours* les mains chaudes.) Je ne sais pas si c'était à cause de cette chaleur, mais j'en ai été toute déboussolée.

Je ne pensais qu'à lui après cette première rencontre, et j'ai enfin compris pourquoi mes copines devenaient obsédées quand elles avaient le béguin. J'attendais avec une impatience folle notre entraînement bihebdomadaire. On s'arrêtait parfois au McDo pour discuter de nos nageurs : les bons, et ceux qui devaient faire un effort. Je prenais un soda, lui un milk-shake, et on fixait les objectifs de nos équipes. Je n'arrêtais pas de penser : *Je t'aime, je t'aime, je t'aime.*

Il vivait avec Dawn Reynolds, mais j'essayais de ne pas y songer. Je la connaissais peu, car elle habitait sur l'île depuis seulement un an. Je n'avais pas l'intention de briser leur couple, mais mes sentiments l'emportaient sur toute autre considération. Je m'inventais des prétextes pour le rencontrer. Il travaillait chez Lowes, à Hampstead, et je trouvais de temps en temps une excuse pour y aller après la classe. J'ai acheté de la peinture pour ma chambre – que je n'ai jamais utilisée – et une vilaine lampe que je devrais rendre.

On s'est mis à parler d'autres choses quand on allait au McDo. De cinéma. Comme je l'avais deviné, on aimait tous les deux les films d'épouvante. De son divorce (très compliqué), et de Serena, sa fille de sept ans, qui vivait avec son ex-femme à Charlotte. Elle lui manquait terriblement ; j'appréciais qu'il soit un bon père.

Un soir, il a voulu me parler de Dawn.

— A mon arrivée ici, j'ai loué un mobile home à Surf City, m'a-t-il dit. J'ai rencontré Dawn à Jabeen's Java, un jour qu'elle allait mettre une annonce sur le panneau d'affichage, pour trouver un ou une colocataire. Elle avait divorcé presque en même temps que moi, et, à moins de partager les frais avec quelqu'un, elle risquait de perdre sa maison sur la plage. Je n'ai même pas eu besoin de réfléchir !

— Donc... vous ne faites que cohabiter, Dawn et toi ?

Quand il a acquiescé d'un signe de tête, j'ai eu l'impression d'être assise sur un nuage, au lieu du siège en plastique.

— Mais ce n'est tout de même pas si simple... a-t-il précisé. Nous venions de divorcer tous les deux... (Il a braqué sur moi son regard chocolat.) As-tu déjà vécu une rupture ?

De toute ma vie, je n'étais sortie que trois fois avec un garçon.

— Non, pas vraiment.

— Alors, tu auras peut-être du mal à comprendre, mais après une séparation – surtout si on a fait son possible pour rester avec sa partenaire et si on tient encore à elle – on se sent très vulnérable, très seul... Dawn et moi, on était dans cet état quand je me suis installé chez elle.

Ben a avalé une gorgée de milk-shake, puis une autre, en fuyant mon regard.

— Elle est jolie femme, a-t-il conclu, et j'ai été attiré physiquement.

— Tu risques de m'en dire trop, non ?

— Probablement...

Je me suis redressée droite comme un i, prête à entendre le pire.

— Tant pis, vas-y !

Ses joues avaient rosi et j'étais flattée qu'il me fasse des confidences.

— Comme tu t'en doutes, j'ai craqué. Nous avons couché ensemble la première semaine. Dès la semaine suivante, j'avais compris mon erreur ! Elle est gentille, mais nous ne sommes pas faits l'un pour l'autre. Je lui ai proposé une simple amitié entre nous ; elle était navrée, parce qu'elle pensait – et pense encore – que nous pourrions nous entendre. En plus, si j'avais déménagé, elle aurait dû se passer de ma contribution financière. Voilà pourquoi j'habite toujours là-bas.

Il a soufflé sur une bulle du couvercle de son milk-shake.

— Je t'ai raconté toute cette histoire parce que j'ai des sentiments très vifs pour toi, Maggie.

J'avais la gorge si sèche que j'ai été sidérée de m'entendre répondre :

— Moi aussi.

— Je sais. Il existe de profondes affinités entre nous. Sur le calendrier, tu as dix-sept ans ; en réalité tu n'es plus une gamine. Tu n'as rien d'une adolescente immature. Je ne souhaite pas vraiment lutter contre mes sentiments à ton égard, mais... tu n'as que dix-sept ans.

— Tu l'as déjà dit !

— Je te rappelle que j'ai dix ans de plus que toi. Je ne voudrais pas tirer avantage de cette situation...

— Ben ! (Je détestais la table, placée entre nous.) Je t'aime. Je t'aime depuis des mois. Tu as raison : je ne suis pas une adolescente immature. Je ne sors quasiment jamais avec des garçons de mon âge parce qu'ils sont trop... nuls. J'éprouve pour toi des sentiments tout à fait différents. Je t'aime comme mon frère et...

Il a éclaté de rire.

— *Quoi* ?

— Je veux dire que c'est un sentiment vraiment sincère et... (C'était trop difficile de me faire comprendre ; il allait finir par me prendre pour une gamine.) Un sentiment pur... je ne vois pas comment le décrire autrement.

— Eh bien, ta description ne me déplaît pas...

Sa fossette était si charmante quand il souriait ! Il s'est carré dans son siège en soupirant, et il a murmuré :

— Il y a des semaines que je voulais avoir cette conversation, Maggie. Je ne craignais pas ta réponse. Je me doutais que tu partageais mes sentiments, mais tous ces changements me dépassent.... Tu entres juste en terminale. On devrait peut-être essayer d'avoir des relations... platoniques, jusqu'à la fin de tes études secondaires.

Des milliers de fois, je nous avais imaginés dans le même lit : je poserais un bras sur son torse et il m'enlacerait d'un geste protecteur. Je ne tenais pas spécialement à avoir des relations sexuelles avec lui ; j'aspirais à *plus*. Un lien si fort qu'il durerait jusqu'à mon dernier souffle.

— Je ne veux pas attendre ! ai-je protesté. En Caroline du Nord, on peut se marier à seize ans. J'ai dix-sept ans et cinq mois et je te donne mon consentement.

— Il faudra se cacher. Ta mère... et ton oncle... Ils me tueraient.

Il disait vrai. Maman était certainement vierge quand elle s'est mariée, et oncle Marcus me répétait souvent que les garçons « ne pensent qu'à *ça* ». Peut-être les garçons de mon âge, mais Ben était tout à fait différent.

— Et je ne vois pas où nous pourrions nous retrouver, a ajouté Ben.

J'ai souri en murmurant :

— Moi, je connais un endroit !

Plus tard, quand j'ai réalisé que je pouvais tout lui dire – ou presque –, je lui ai expliqué qu'au début je n'avais pas l'impression de le désirer sur le plan sexuel. Il m'a répondu en riant que « j'avais certainement changé ». Sans doute, mais mes meilleurs moments avec lui étaient toujours ceux que je passais dans ses bras, dans la chambre de Sea Tender. Je lui avais confié mes pensées et mes émotions les plus intimes, et même deux de mes plus grands secrets.

Le premier était que j'avais échoué à une importante compétition de natation, l'année de mes quatorze ans, parce que ma concurrente me faisait pitié. Cette grande perche était si gauche et mal coordonnée que ses coéquipières boudaient quand c'était son tour de nager. Je n'avais pas eu le cœur à la battre et, pour la troisième longueur, j'avais fait semblant d'avoir une crampe.

Ben a trouvé ma conduite émouvante, mais absurde.

Mon deuxième secret était que je sentais la présence de papa sur la terrasse de Sea Tender. J'ai réalisé alors que je me trompais sur un point : Ben était plus religieux que je ne le supposais... Au début, il s'est contenté de me taquiner en espérant que papa n'apparaissait pas quand nous étions au lit ensemble. Mais il a fini par me prendre au sérieux et il m'a mise en garde contre le diable qui me jouait des tours. J'ai été déçue qu'il croie au diable. J'aurais voulu qu'il soit mon double, avec des pensées et des croyances identiques aux miennes ! J'aurais voulu qu'il soit à la fois mon confident, mon meilleur ami, et mon amant. Mais personne ne peut être tout cela à la fois ! Par la suite, j'ai fait un peu plus attention à ce que je lui disais.

Je n'avais même plus l'intention de lui confier mon troisième secret.

On a fait l'amour, et Ben est allé chercher la marijuana dans la cuisine. Je l'attendais, nue, sous les draps, en respirant l'odeur du jasmin et du désodorisant textile. Quand il est revenu, je me suis blottie contre lui pendant qu'il allumait un joint. Il en a tiré une bouffée et me l'a passé.

— Comme je me sens bien avec toi, après cette sale semaine !

J'ai répondu :

— Moi aussi.

— Ce n'est pas exactement des cauchemars... mais, dès que je suis au lit, j'imagine Serena dans un *lock-in*, quand elle aura quelques années de plus. Elle est si craintive ! Elle a peur des orages, des inconnus, des chiens... Tu vois ce que je veux dire ? Si elle avait été dans l'église, elle aurait été paniquée. Elle risquait même de figurer parmi les victimes...

— N'y pense pas, Ben. (Je refusais de m'engager sur cette voie et j'ai glissé le joint entre mes lèvres.) Souviens-toi de cette petite fille que tu as sauvée. D'après oncle Marcus, elle serait morte sans ton intervention.

— Je ne l'oublie pas. Elle est toujours à New Hanover et je lui ai rendu visite plusieurs fois. On m'a assuré qu'elle s'en tirerait. Quand je pense que j'ai failli l'abandonner parce que j'allais manquer d'air et que... Maggie, si tu savais !

J'étais parfaitement au courant de sa claustrophobie et du sentiment de panique qui l'envahissait dès qu'il mettait le masque. J'étais choquée par les grossièretés que d'autres pompiers osaient lui lancer, les yeux dans les yeux, comme s'il était insensible. J'avais même entendu l'un d'eux dire à mon oncle Marcus : « Je me demande pourquoi tu lui donnes un bip. Il n'est bon à rien ! » Ça m'exaspérait, et Ben envisageait parfois de retourner à Charlotte : il ne supportait plus les piques. Je flippais à l'idée d'être séparée de lui.

Je l'ai questionné :

— Ça a dû être horrible... Comment as-tu supporté le masque ?

— J'ai ouvert la valve de sécurité juste une seconde. Une petite bouffée d'air a émis un son rassurant, qui m'a rappelé que j'avais cette possibilité en cas de besoin.

— Mais quand le signal que tu allais manquer d'air s'est déclenché, tu as dû paniquer.

— Oh oui ! Mais je voyais aussi cette fillette sur la caméra. Il fallait que je l'atteigne.

— Je suis vraiment fière de toi. Tes collègues te fichent la paix maintenant ?

— On dirait qu'ils ont fini par m'accepter. J'ai même reçu des excuses de la part des plus vindicatifs. Voilà le bon côté des choses ; mais c'est trop cher payé.

Les photos du service funéraire ont surgi dans mon esprit, malgré le mur que j'avais édifié dans ma tête pour me protéger. Pendant la cérémonie, j'avais failli partir en courant, tellement j'avais mal au ventre quand le révérend Bill avait parlé de chacune des victimes. Finalement je n'avais pas bougé, pour ne pas attirer l'attention.

— Tu vois, Ben, pourquoi je crois à une vie après la mort... et pourquoi je suis sûre que papa vient me rendre visite ici ? ai-je murmuré. Je crois très fort que ces trois personnes – Jordy, Henderson, et M. Eggles – ont trouvé un monde meilleur.

Ben a expulsé la fumée de ses poumons.

— J'en suis convaincu moi aussi, mais je ne pense pas que nous pouvons communiquer avec les morts.

S'il avait eu la même expérience que moi avec mon père, il aurait pu me comprendre.

Notre joint touchait à sa fin ; Ben l'a écrasé dans une coquille posée à côté de notre lit. Je me suis souvenue de ma frayeur, la nuit où je l'avais vu aux urgences. Quand Dawn m'avait carrément bousculée pour s'approcher de lui, j'avais eu la sensation d'être invisible. Les gens s'imaginaient toujours qu'ils ne faisaient qu'un, Ben et elle. S'il ne leur donnait pas raison, il ne cherchait pas non plus à les détromper. D'après lui, elle était notre alibi, ce qui me contrariait – surtout quand elle le dévorait des yeux, comme elle l'avait fait samedi au concours de natation. Son amour pour lui éclatait sur son visage. Elle me faisait pitié, comme cette gamine de quatorze ans, si gauche, que j'avais laissée gagner il y a longtemps. Mais ce n'était pas une raison pour renoncer à Ben !

— Dawn t'aime tellement, ai-je dit tout à coup. Aux urgences, elle a paru si soulagée de voir que tu n'étais pas gravement blessé. J'étais dans le même état quand j'ai retrouvé Andy… J'ai l'impression de lui faire du mal en te fréquentant.

— Tu sais bien que je ne lui ai pas menti !

— Mais elle s'imagine que tu n'as aucun autre « attachement ». Ça lui donne de l'espoir.

— Que veux-tu que je fasse, Maggie ? Je ne peux tout de même pas lui parler de nous.

Pour la première fois depuis que je le connaissais, j'avais l'impression de l'irriter.

— Bien sûr, ai-je admis. (Effectivement, que pouvait-il faire ?) Je voulais juste te dire que je regrette pour elle, c'est tout.

Une brise soudaine, venue du salon, a éteint deux des bougies. Je me suis levée pour les rallumer, et alors que je regagnais le lit, leur halo a dû atteindre ma hanche.

— Qu'as-tu sur la hanche ? m'a demandé Ben, en appui sur ses coudes.

— Un tatouage.

— Sans blague ! Depuis quand ?

— Depuis longtemps, mais tu ne l'avais pas encore remarqué.

J'avais ce tatouage depuis plus d'un an ; il était placé assez bas pour que ma mère ne voie rien.

— D'ici, je n'arrive pas à lire.

— Il n'y a qu'un mot…

Je me suis rapprochée pour lui permettre de déchiffrer *Empathie*. Il a passé ses doigts sur ces quelques lettres qui marquaient ma peau.

— Pourquoi ?

— Pour me rappeler que je dois compatir avec autrui.

Ben m'a attirée en riant sur le lit, et il a posé ses mains chaudes sur mes hanches.

— Tu ne risques pas d'oublier, mon ange ! Il n'y a pas de plus grande spécialiste que toi en la matière.

13

Andy

On nous a installés sur un petit canapé. Il y avait de grandes caméras sur pied, et des tas d'hommes et de femmes partout. Une dame, assise sur un siège, nous observait. J'ai regardé la caméra en souriant, comme quand on est pris en photo.

La dame assise a dit :

— Andy, quand on commencera à parler, ne regarde pas la caméra. Fais comme si nous avions une conversation normale. OK ?

J'ai répondu « OK ». Elle était jolie, avec des cheveux brillants comme ceux de maman, mais plus foncés, et des yeux un peu chinois. Sa voix me faisait vaguement penser à celle de Maggie.

Maman souriait. Elle a serré ma main comme elle fait toujours ; la sienne était glacée.

Un homme a attaché un minuscule micro à ma chemise, en me disant de ne pas m'en occuper. Une dame avec des écouteurs a levé trois doigts, puis deux, puis un.

Ensuite, la première dame nous a parlé et je l'ai regardée bien en face, comme elle m'avait dit. Pas question de faire des bêtises ! Je me répétais : « Surtout ne rien regarder à part la dame ! »

Il y avait des étincelles dans ses yeux quand elle m'a demandé de parler de l'incendie.

Je lui ai répondu :

— J'étais au *lock-in* avec mon amie Emily, et, brusquement, il y a eu des flammes partout. Des garçons ont pris feu, et je leur ai dit : « Stop ! A terre ! Roulez ! »

— Vraiment ? (Elle paraissait étonnée.) Où as-tu appris cela ?

Je ne me rappelais plus très bien et j'ai failli regarder maman pour qu'elle m'aide à répondre, mais je me suis rappelé que je devais regarder seulement la dame.

— A l'école, je crois.

Maman a dit : « C'est ça. » Mon genou rebondissait comme ça m'arrive quelquefois. J'ai cru qu'elle allait poser sa main dessus pour l'arrêter, mais elle n'a pas bougé.

— Et ensuite, Andy ? a dit la dame. Les gens essayaient de se sauver et c'était impossible ?

— Oui, à cause du feu !

— Je suppose que les portes principales étaient bloquées par les flammes.

— Et les portes de derrière aussi.

— Ça devait être très effrayant.

— Emily était morte de peur. Elle avait mis son tee-shirt à l'envers.

Maman a donné des précisions à la dame qui s'était tournée vers elle d'un air étonné.

— Son amie Emily est une enfant... à problèmes. Elle ne supporte pas de sentir la couture des vêtements sur sa peau.

— Ah, je vois. Mais alors, comment as-tu fait, Andy, pour échapper au feu ?

— Je suis allé aux toilettes des garçons et, de l'autre côté de la fenêtre, il y avait cette boîte en métal... pour l'air conditionné. D'abord, je suis grimpé dessus et j'ai aidé Emily à sortir. Je suis revenu ensuite et j'ai demandé à tout le monde de me suivre.

— Formidable ! (Quand la dame a un peu tourné la tête, les étincelles de ses yeux ont bougé en même temps.) Tu as sauvé plusieurs personnes.

— Oui, je suis un...

Je me suis rappelé que je ne dois pas dire que je suis un héros.

— Il a été héroïque, a déclaré maman, mais je lui ai expliqué qu'il ne doit pas se vanter.

Par hasard, j'ai regardé maman une seconde : elle avait aussi des étincelles dans les yeux. Bizarre, non ?

— Comment te sens-tu, Andy, après ce que tu as fait ? m'a demandé la dame.

— Bien. Mais il y a eu des morts. Je pense que tout le monde ne m'a pas entendu appeler. Vous avez des yeux vraiment jolis. Comme s'il y avait des étincelles dedans...

— C'est à cause des lumières, a dit la dame en riant avec maman. Mais merci pour ce compliment, Andy.

Elle s'est retournée vers maman.

— Laurel, pourriez-vous nous parler un peu d'Andy et du syndrome d'alcoolisation fœtale ?

— Moi, je peux !

Maman a carrément mis sa main sur mon genou, ce qui voulait dire *tais-toi*.

La dame :

— Laissons ta maman parler, Andy.

J'ai dit « OK », et pourtant j'avais entendu si souvent maman parler du SAF que j'aurais pu le faire à sa place. Elle expliquait qu'elle avait eu un problème d'alcoolisme quand elle était enceinte de moi, et que ça m'avait rendu différent des autres enfants. Elle avait fait une cure de désintoxication et n'avait plus jamais bu depuis. On m'avait placé dans une famille d'accueil et elle m'avait repris quand j'avais un an. Alors, elle avait fait le maximum pour que j'aie les meilleurs soins et la meilleure éducation possible. Je connaissais toute cette histoire par cœur !

— Je fais partie d'une équipe de natation et je gagne toujours.

Maman et la dame ont ri encore une fois. Maman a dit que j'étais excellent en compétition à cause de mon réflexe de sursaut, et que j'avais un QI moyen. Ça veut dire que je suis intelligent et que je pourrais faire beaucoup mieux si je me donnais un peu plus de mal.

— Je suis aussi intelligent que les autres, mais mon cerveau fonctionne différemment !

Maman a alors parlé du briquet. Elle a raconté qu'on avait failli rater l'avion, ce que je n'arrive toujours pas à comprendre. Quand on a un briquet dans sa chaussette on ne le porte pas, non ?

— Un fonds de secours été créé pour les frais médicaux des enfants qui ont souffert de l'incendie, a annoncé la dame face à la caméra. Si vous souhaitez les aider, le site Internet est visible sur votre écran. De nombreux enfants, blessés au cours du *lock-in*, appartiennent à des familles ayant des revenus modestes.

— Ça veut dire qu'ils sont pauvres !

J'étais fier d'avoir compris.

— Vous avez un autre enfant, a repris la dame. Cet enfant souffre-t-il aussi du SAF ?

— Elle veut parler de Maggie ?

Je m'adressais à maman, sans quitter la dame des yeux.

— Oui, Maggie est ma fille aînée. Je ne buvais pas quand je l'attendais. Donc, elle n'a pas de problème.

— Maggie est la meilleure des sœurs.

— Ah oui ? a dit la dame.

— Elle me mettrait le masque à oxygène en premier, elle aussi !

14

Laurel

1989

— Regarde ses cheveux ! a dit Miss Emma quand Jamie a déposé le bébé dans ses bras. Exactement comme toi à ta naissance. Une belle tignasse noire et bouclée.

Jamie s'est assis à côté de sa mère sur le canapé. Il avait toujours un sourire aux lèvres depuis que nous étions rentrés à la maison, trois jours avant.

— C'est merveilleux ! Quand elle soulève ses paupières, j'ai l'impression qu'elle me regarde droit dans les yeux.

Miss Emma a effleuré d'un doigt le front presque translucide du bébé.

— A-t-elle les yeux marron comme Laurel et toi ?

— Ils tirent plutôt sur le gris, mais le pédiatre pense qu'ils vont devenir marron.

— Tu dois être au septième ciel, ma chérie, a dit Miss Emma en se tournant vers moi.

Installée dans le rocking-chair, j'étais trop lasse pour parler. J'arborais depuis trois jours le sourire figé que j'avais plaqué sur mon visage peu après la naissance. Quelque chose chez moi ne tournait pas rond, mais j'avais réussi jusque-là à dissimuler mon malaise. J'ai regardé Jamie et Miss Emma, assis avec le bébé sur le canapé, et j'ai eu l'impression qu'ils m'apparaissaient en rêve. J'avais le sentiment étrange qu'une grande distance nous séparait. Si j'essayais de marcher du rocking-chair au canapé, il me faudrait des jours et des jours pour les rejoindre.

Ma grossesse avait été beaucoup plus facile que je n'aurais cru. Je m'étais sentie très bien, malgré quelques nausées au début et des chevilles un peu enflées à la fin. J'avais accouché deux semaines avant terme et le travail avait été dur, mais j'avais supporté dix heures de douleurs sans péridurale. Je m'inquiétais pour Jamie presque autant que pour moi : avec son « don », il paraissait ressentir chacune de mes contractions. Le bébé pesait trois kilos huit cent cinquante grammes, et je lui étais reconnaissante de ne pas avoir attendu plus longtemps pour faire son entrée dans le monde.

Je sais à quel moment j'ai cessé d'éprouver le moindre sentiment pour le bébé que j'avais porté avec tant d'amour. Dans la salle de travail, j'ai entendu ma fille émettre son premier cri, je me suis alors penchée pour la toucher entre mes jambes écartées. Une infirmière l'a posée sur ma poitrine, et Jamie m'a embrassée sur le front quand j'ai soulevé la tête pour la regarder. A cet instant, j'ai eu l'impression de plonger mon regard dans un profond terrier de lapin en spirale. Ma tête s'est mise à tourner de plus en plus vite ; et ensuite, le trou noir.

J'ai repris conscience en salle de réveil, Jamie à côté de moi. Il m'a annoncé que j'avais eu une hémorragie, mais que tout allait s'arranger. Maggie était parfaite et je pourrais avoir d'autres enfants.

Plongée dans la confusion, je l'ai à peine entendu. Qui était *Maggie* ? Une douleur terrible dans le bas-ventre me donnait l'impression que le travail n'était pas encore terminé. Je n'y comprenais plus rien, et il a fallu plusieurs minutes pour que Jamie m'aide à y voir clair.

Je n'ai pu tenir le bébé dans mes bras que trente-six heures après sa naissance et je n'ai absolument rien ressenti à cet instant. Aucun instinct maternel en présence du petit être que j'avais porté neuf mois dans mes entrailles. Aucune envie d'explorer son corps. Rien.

— Qu'elle est belle !

Jamie, rayonnant, était debout à mon chevet. J'avais alors plaqué ce sourire sur mon visage. Depuis mon retour à la maison, tout le monde me croyait sortie de mon terrier de lapin ; j'étais bien placée pour savoir que j'étais encore coincée entre ce sombre abîme et le monde réel.

— Pas de problème pour l'allaiter ? a demandé Miss Emma.

Jamie a cherché mon regard : j'allais donc être obligée d'articuler quelques mots.

— J'ai... des difficultés... Elle ne tète pas bien.

Moi qui avais toujours souhaité allaiter mon enfant ! Au cabinet du pédiatre chez qui je travaillais, je regardais avec envie les mères glisser leur nourrisson sous leur chemise pour ce rite secret et sacré. Hélas, mes mamelons étaient trop plats, et le bébé avait du mal à téter. Les infirmières avaient cherché à m'aider, et une conseillère de la Leche League s'était présentée dans ma chambre, quelques heures avant ma sortie de l'hôpital. J'arrivais parfois à lui donner le sein, mais, en général, le bébé gémissait de frustration. La conseillère m'avait juré qu'il absorbait une nourriture suffisante. Je me sentais inquiète, malgré tout.

— Tu n'as qu'à passer au lait en poudre, m'a conseillé Miss Emma comme si cela allait de soi. J'ai nourri mes deux fils au biberon, et ils ne s'en portent pas plus mal.

Elle n'avait pas entièrement raison : Jamie s'en était bien tiré, mais Marcus était resté dans un état de dépendance prolongée. Mes yeux se sont pourtant emplis de larmes en recevant la bénédiction de ma belle-mère ; elle était la première à me suggérer que ce n'était pas un drame si je cessais d'allaiter.

— C'est important, maman, a objecté Jamie.

De ma place, j'ai vu le visage du bébé se contracter. Un signe annonciateur de hurlements. Un poids, gros comme un boulet, s'est mis à peser sur mon estomac.

— Oh, oh, ma jolie, ça ne va pas ? a murmuré Miss Emma en plaçant le bébé sur son épaule et en lui frottant le dos.

Les hurlements ont fusé.

— Cette petite veut sa maman !

Elle a tendu le bébé à Jamie – qui était déjà plus à l'aise que moi pour la porter – et il s'est approché de mon rocking-chair.

— Je vais essayer de l'allaiter, ai-je annoncé.

Après m'être levée au prix d'un effort surhumain, j'ai regagné ma chambre à coucher : j'avais besoin d'intimité, non par pudibonderie, mais parce que je ne voulais pas que mon échec ait lieu en présence de témoins.

Assise sur le lit, le dos soutenu par des oreillers, j'ai engagé une vraie bataille pour mettre le bébé à mon sein. La petite pleurait, moi aussi. Finalement, elle s'est mise à téter – sans la ferveur que j'avais vue chez d'autres nouveau-nés, et sans la béatitude qu'ils éprouvaient dans les bras de leur mère. Elle avait l'air résignée, comme s'il s'agissait d'un pis-aller. Elle aurait mille fois préféré être ailleurs...

De ma chambre, j'ai entendu Marcus rentrer.

— Salut, maman.

Je l'imaginais traversant le séjour et se penchant pour déposer un baiser sur la joue de Miss Emma.

— Tu es là depuis longtemps ? Tu as déjà vu ma petite nièce ?

Je l'ai entendue répondre :

— Pitié, Marcus, tu sens l'alcool et la fumée !

Le reste de la conversation m'a échappé, mais j'entendais des voix étouffées, y compris celle d'une jeune fille. Encore une « copine » de Marcus ! Il semblait en changer chaque jour.

Les yeux fermés, j'ai entendu résonner ma propre voix dans ma tête. *Ton bébé ne t'aime pas.*

Je sais. Je sais.

Tu ne peux même pas lui donner assez de lait.

Je sais.

Le bébé a détourné la tête de mon sein en fronçant le nez avec un dégoût manifeste. J'étais si fatiguée que j'avais des vertiges.

J'ai appelé Jamie. Des rires me parvenaient du salon. J'ai dû forcer la voix. Un moment après, il passait la tête dans l'embrasure de la porte.

— Tout va bien, ici ?

— Tu peux lui faire faire son rot ? J'ai besoin d'une sieste.

— Bien sûr, Laurie.

Jamie a emmené sa fille et je me suis blottie sous les couvertures, épuisée. Pendant une heure, peut-être, j'aurais la liberté de ne pas penser à elle, mais je me sentais coupable.

Marcus s'était installé chez nous alors que j'en étais au sixième mois de ma grossesse, et sa présence était une bénédiction mitigée. Entre l'agence immobilière, les sapeurs-pompiers et la chapelle, Jamie avait des horaires chargés et imprévisibles ; j'appréciais la compagnie de son frère, même si je devais la partager avec sa copine du jour et quelques packs de bière. Jamie lui avait trouvé un emploi dans le bâtiment ; comme il ne travaillait pas le soir, il lui arrivait souvent de préparer le dîner avant que je ne rentre du cabinet pédiatrique. Il m'avait aidée à transformer la troisième pièce en chambre d'enfant : c'est lui qui avait peint les murs en vert et jaune, monté le berceau et la commode que j'avais achetés. Il avait cessé depuis longtemps de jouer sur son piano électrique, mais il faisait marcher la stéréo si fort que je pouvais l'entendre à trois cents mètres quand je me promenais sur la plage, matin et soir selon mon habitude. Il la baissait à ma demande ; d'ailleurs il faisait tout ce que je lui demandais.

Il n'y avait pas de problème entre Marcus et moi, mais il y en avait entre son frère et lui. Ils étaient comme chien et chat, et j'ai fini par réaliser qu'il en avait toujours été ainsi. Jamie, qui essayait de se mettre à la place des gens, réagissait au quart de tour avec Marcus. La musique était trop forte, il hurlait : « Marcus, baisse cette saleté ! » Si Marcus rentrait en pleine nuit en se cognant contre les meubles et en claquant les portes, il bondissait hors du lit, et je devais me cacher la tête sous l'oreiller pour ne pas les entendre se quereller.

J'ai compris que je n'avais aucun moyen d'interférer dans cette relation tumultueuse entre frères. Elle durait depuis si longtemps que ma voix n'était à leurs oreilles qu'un simple bourdonnement gênant quand je tentais de calmer le jeu. Leurs parents avaient orchestré cette rivalité depuis des années en réservant un traitement de faveur à leur aîné. Certes, Marcus n'était pas un ange, et il faisait la sourde oreille quand je cherchais à discuter avec lui de son attitude. Il buvait beaucoup trop : bien qu'il ait seulement vingt ans, des packs de six bières apparaissaient dans le réfrigérateur et disparaissaient si vite que j'en perdais le compte.

Un matin exceptionnel de mars où il faisait si chaud que nous marchions pieds nus sur la plage, j'avais questionné Jamie. Les mains sur mon ventre, j'enserrais le bébé dont j'attendais l'arrivée avec impatience.

— Tu connais ton frère ! Tu savais avant qu'il s'installe chez nous qu'il boit, qu'il drague, qu'il est bagarreur.

— Et aussi paresseux et irresponsable !

— Non, il n'est pas paresseux.

Il m'avait aidée de son mieux à installer la chambre du bébé, mais on pouvait le qualifier d'irresponsable : il lui arrivait souvent de ne pas aller au travail, et le chef d'équipe appelait Jamie pour se plaindre. Ayant procuré cet emploi à son frère, il se sentait naturellement responsable de ses absences.

— Pourquoi as-tu souhaité qu'il vienne vivre à la maison ? ai-je insisté. Tu espérais le changer ?

Les yeux tournés vers la mer, Jamie a passé une main dans ses cheveux.

— J'espérais *me* changer moi.

— Comment ça ?

— Plus jeune, j'ai toujours eu des problèmes avec lui. Maintenant que je me sens bien dans ma peau, je croyais être plus tolérant à son égard... mais je te jure, Laurie, qu'il a l'art de me faire sortir de mes gonds.

— Je sais.

Malgré l'aide qu'il m'apportait, Marcus mettait Jamie à rude épreuve, comme un adolescent rebelle qui teste la patience de ses parents.

— J'ai peut-être eu tort de l'inviter ici, a marmonné Jamie.

— On lui a dit qu'on le prenait à l'essai pendant six mois. Auras-tu la patience de le supporter si longtemps ?

— Si on ne s'est pas entretués avant !

Après la naissance de Maggie, Jamie avait demandé un congé de trois mois à l'agence immobilière et aux sapeurs-pompiers. *Maggie*... Il m'a fallu si longtemps pour l'appeler par son prénom. A la visite médicale de la deuxième semaine, le pédiatre pour qui j'avais travaillé m'a confirmé qu'elle avait des coliques (je le savais déjà). Il m'a prélevé un échantillon de sang ; j'étais anémique, ce qui expliquait, selon lui, mon épuisement et ma pâleur.

— J'ai l'impression que vous avez un léger *baby blues*, Miss Laurel, a-t-il ajouté. (Il m'appelait « Miss Laurel », comme à l'époque où je travaillais pour lui.) Mais ne vous inquiétez pas, votre équilibre hormonal ne tardera pas à se rétablir.

Je lui ai parlé de mon combat pour allaiter. Toutes les deux heures, nous nous affrontions, Maggie et moi, en une bataille qui nous laissait pantelantes toutes les deux, et en larmes au moins l'une d'entre nous. Après avoir hésité un moment à me dire de renoncer, il a fini par me donner son feu vert.

— Les deux premières semaines sont les plus importantes, m'a-t-il expliqué. Et si l'allaitement a un impact négatif sur votre relation avec votre fille, je suggère que vous commenciez à la sevrer dès maintenant.

Quel soulagement ! Tout allait s'arranger... Délivrée de l'angoisse d'allaiter, je commencerais à aimer mon enfant.

Je me faisais des illusions. Maggie a pris son biberon plus facilement que mon sein, mais elle s'agitait toujours autant dans mes bras, quelle que soit la manière dont je la tenais. J'arrivais à la calmer en lui glissant le bout du doigt dans la bouche, mais dès qu'elle réalisait qu'aucune nourriture n'en provenait, ses larmes redoublaient.

Avec Jamie, elle était complètement différente. Elle dormait sur son épaule ou dans ses bras. J'enviais mon mari, tout en étant soulagée de voir l'enfant retrouver son calme.

La nuit précédant la reprise de son travail, j'ai supplié Jamie de s'accorder une semaine supplémentaire. Allongés sur notre lit, nous parlions à voix basse pour ne pas réveiller Maggie, qui dormait pourtant dans une chambre éloignée de la nôtre.

— Pas question, Laurie ! m'a-t-il soufflé. La pleine saison va commencer et j'ai pris un congé déjà bien long.

— Je t'en supplie, ne me laisse pas seule avec elle !

J'étais désespérée ; il a répliqué :

— Il ne s'agit pas d'un chien enragé, mais de *ta* fille !

— Tu te débrouilles beaucoup mieux que moi avec elle.

— Je sais que tu t'es sentie affaiblie....

En appui sur un coude, il a dégagé les cheveux qui tombaient sur mon visage.

— Marche un peu avec elle. Il me semble que tu ne la prends pas assez dans tes bras ; elle en aurait besoin.

— Elle pleure quand je la tiens.

— Parce qu'elle sent ton stress. Il suffirait que tu sois un peu plus détendue.

— Je m'y prenais si bien avec les nourrissons ! (J'avais lu toute la littérature publiée à ce sujet, et, soudain, j'avais tout oublié.) Le docteur Pearson comptait toujours sur moi quand une mère lui amenait un nouveau-né.

Jamie a souri.

— Tu vas retrouver ton aisance. Tu as eu des débuts difficiles à cause de l'hémorragie, ne sois pas si exigeante avec toi-même !

Jamie a donc repris son travail et je n'allais pas mieux. Mon état a même empiré. J'avais commis une énorme erreur en ayant un bébé, et il me semblait que j'étais la seule à le savoir. Parfois, j'observais Maggie – en train de hurler ou de dormir – et je devais faire un effort pour me souvenir qu'elle était ma fille. Aurait-elle été un fromage ou une poêle à frire, cela n'aurait pas été différent. J'ai commencé à avoir les mêmes sentiments envers Jamie : il m'arrivait de le regarder en me demandant comment j'avais pu choisir de vivre dans cette île sous-peuplée, avec un homme qui m'était indifférent.

La tranquillité de l'île, que j'avais tant appréciée, me donnait maintenant une impression d'isolement. J'ai réalisé que j'avais très peu d'amies à proximité et qu'il n'y avait aucune jeune mère parmi elles. Il me restait quelques amies de lycée, mais elles vivaient en ville. La seule qui avait un bébé vint me féliciter pour la naissance de Maggie ; ses démonstrations enthousiastes devant son petit garçon me confirmèrent dans l'idée que j'étais anormale.

Je présentais constamment des excuses à Maggie. « Tu mériterais une meilleure maman », lui disais-je, ou bien « Je m'en veux d'être si nulle ! ». Marcus me proposait encore de cuisiner quelques soirs par semaine ; à condition qu'il n'ait pas bu, je préférais lui confier Maggie et préparer le dîner moi-même. Même Marcus se débrouillait mieux que moi avec Maggie.

A son retour du travail, Jamie se précipitait pour voir Maggie (pas moi), et c'était très bien ainsi. Je pouvais me réfugier dans mon lit, la couverture sur la tête, et m'offrir une sieste.

Un jour, pendant ma première semaine de tête-à-tête avec ma fille, je l'ai installée dans son siège bébé, sur le plan de travail de la cuisine, pendant que je réchauffais son biberon dans une casserole d'eau chaude. Elle hurlait, les joues écarlates. Je gardais un œil sur la casserole, quand j'ai eu une vision de moi, plongeant un couteau dans son corps, à travers son petit body rose et blanc.

J'ai hurlé à mon tour, en m'éloignant de la cuisinière, et je me suis plaquée contre la porte de l'office. Le bloc à couteaux était sur le plan de travail ; je l'ai empoigné et j'ai filé dans la chambre de Marcus, où je l'ai caché sous le lit. Si les couteaux n'étaient plus à ma portée, j'aurais le temps de retrouver la raison avant de faire du mal à Maggie.

De retour dans la cuisine, je tremblais en la prenant dans mes bras. Je me suis assise dans le rocking-chair et je lui ai donné son biberon. Une fois la tétine en bouche, elle s'est calmée.

J'ai pensé aux mères qui maltraitent leurs enfants. Aux parents qui les secouent si fort qu'ils provoquent des troubles cérébraux. Etais-je capable d'agir ainsi ? J'étais épouvantée.

J'ai bercé Maggie en lui murmurant que je l'aimais, mais j'avais l'impression d'être une mauvaise actrice, dont les mots sonnaient faux.

Le lendemain matin, alors que Jamie s'habillait, j'ai murmuré que j'avais sommeil. On s'était relayés toute la nuit pour promener dans nos bras notre fille qui souffrait de coliques.

— Je l'emmène au bureau !

Sa réponse m'a surprise, mais je n'ai même pas cherché à savoir comment il ferait pour s'occuper d'elle. J'ai roulé sur moi-même et replongé dans le sommeil. Mon soulagement à l'idée de passer une journée toute seule dépassait de beaucoup mon sentiment de culpabilité. Jamie a pris l'habitude d'emmener chaque jour Maggie avec lui, pendant que je dormais. Je me demandais plus ou moins ce qu'en pensaient ses collègues, mais sans m'en soucier vraiment. Jamie trouverait bien un moyen de leur expliquer la chose.

Je me sentais abrutie la plupart du temps, comme si quelqu'un avait versé des narcotiques dans l'eau que je buvais. A moitié hébétée, je rêvais de prendre la fuite. J'irais en un endroit où personne ne me connaîtrait et je recommencerais à zéro. Un après-midi, une douleur à la poitrine me fit espérer une crise cardiaque. Je n'aurais plus à entendre Maggie crier, à laver son linge, ou à m'inquiéter du repas du soir. Jamie et Maggie seraient bien mieux sans moi, j'en avais la certitude.

— Tu te souviens de Sara Weston ? m'a demandé Jamie un dimanche après-midi.

Il m'a fallu une minute pour me souvenir de ce nom.

— La femme qui est venue à la chapelle plusieurs fois, au début ?

Je n'y avais pas mis les pieds depuis la naissance de Maggie, et l'édifice pentagonal, sur la plage, me semblait à des kilomètres.

— Oui, elle est réapparue aujourd'hui avec son mari, Steve, qui est militaire à Camp Lejeune. Elle ne venait plus parce qu'il ne s'intéresse pas à notre activité, mais elle a réussi à le convaincre.

— Ça lui a plu ?

— Je crois que ce n'est pas sa tasse de thé, mais il a bien joué le jeu. Ce qui compte, c'est que Sara m'a demandé de tes nouvelles. Quand je lui ai appris que tu avais besoin de quelqu'un pour t'aider avec Maggie, elle s'est portée volontaire.

— Oh non, Jamie. Je ne veux pas d'une étrangère dans la maison !

— Ça ne m'étonne pas de toi, mais elle pourra garder Maggie quand je serai pris dans la journée.

— Nous la connaissons à peine.

J'ai repensé aux couteaux que j'avais dû rapporter dans la cuisine, avant que Jamie et Marcus s'étonnent de leur disparition. Sara Weston ne pouvait être aussi dangereuse que moi.

— Si elle te convient, je n'y vois pas d'inconvénient, ai-je fini par dire.

J'étais encore couchée, le mardi suivant, quand Jamie a frappé à la porte.

— Laurel ? Sara Weston est ici. Viens lui dire bonjour !

J'ai fermé les yeux pour rassembler mon énergie.

— J'arrive dans une minute.

— Oui ?

Jamie n'avait pas entendu mon filet de voix. J'ai répété, un ton au-dessus :

— Dans une minute !

Aussitôt sortie du lit, j'ai enfilé les vêtements que je portais la veille. Quand je suis arrivée dans le séjour, je n'ai eu aucun mal à reconnaître Sara. Elle portait un short et un polo couleur pêche, et j'ai constaté qu'elle possédait un physique d'athlète.

Elle était assise sur le canapé, Maggie dans ses bras.

— Vous avez un superbe bébé, m'a-t-elle dit en souriant.

— Merci.

J'ai plaqué mon sourire en m'affalant dans le rocking-chair. Jamie a déposé un verre de thé parfumé sur la table basse, devant elle.

— Et j'adore votre maison... Elle est unique en son genre.

— Encore merci !

— Je souhaitais vous rencontrer depuis que je m'occupe de Maggie, au cas où vous auriez des instructions particulières à me donner.

— Simplement... (J'ai haussé les épaules.) Il ne faut surtout pas la tuer.

Jamie et elle m'ont dévisagée d'un air abasourdi et je me suis mise à rire.

— Vous avez compris ce que je voulais dire !

Ils allaient me prendre pour une folle. Mais tant pis ! Je tenais par-dessus tout à regagner mon lit.

— OK, a-t-elle conclu en jetant un coup d'œil à Jamie. Ça ne me posera pas de problème.

J'ai passé mon contrôle médical, six semaines après la naissance, chez mon obstétricien de Hampstead. Quand je me suis rassise, après l'examen, j'ai soupiré :

— Je me sens encore si fatiguée...

— La complainte des jeunes mamans !

Le médecin a gratté son crâne dégarni en souriant.

— Vous êtes encore un peu anémique. Prenez-vous du fer ?

Signe affirmatif de ma part.

— Comment dormez-vous ?

— Pas bien. Je m'occupe du bébé la nuit, parce que mon mari l'emmène avec lui pendant la journée.

— Mais vous dormez le jour ?

Nouveau signe affirmatif.

— Et votre appétit ?

— Pas fameux.

— En plus de l'anémie, je pense que vous avez une petite dépression.

Dépression, je détestais ce mot passe-partout. J'avais conscience de ne pas tourner rond, mais c'était un terme trop simpliste.

— Si je pouvais récupérer un peu de sommeil, je crois que je me sentirais mieux.

Il a sorti son bloc de prescriptions de sa poche.

— Je vais vous mettre quelque temps sous Prozac. Vous en avez entendu parler ?

L'antidépresseur miracle à la mode !

— Je ne me sens pas assez mal pour prendre un antidépresseur.

— En tout cas, a dit le médecin après une pause, n'hésitez pas à vous en procurer si vous en ressentez le besoin. Je peux aussi vous adresser à un psychothérapeute. Parler à quelqu'un de votre état serait très bénéfique.

— Non, merci, je ne crois pas.

Comment dire à un inconnu que j'avais déjà songé à tuer mon enfant ou à m'enfuir ? Il m'enverrait à l'asile de fous et il jetterait la clef aux champs après m'avoir mise à l'écart.

Le médecin a tendu la main vers le bouton de porte et s'est retourné vers moi.

— Et puis vous pouvez reprendre des relations sexuelles avec votre mari.

J'ai masqué mon antipathie à son égard par un sourire.

L'après-midi, j'ai annoncé à Jamie, au téléphone, que le médecin me trouvait encore anémique.

— Il pense que nous pouvons recommencer à faire l'amour ?

— D'ici deux semaines... (J'ai frémi en m'entendant mentir.) Il a dit que je pouvais prendre un antidépresseur si je le souhaitais, mais que ce n'est pas indispensable.

— Tu n'as pas besoin de médicaments !

J'ai senti sa réprobation et j'ai murmuré :

— Oui, je sais.

— Ce qu'il te faut, Laurel, c'est une meilleure relation avec Dieu. Tu as perdu le contact... Où as-tu rencontré Dieu cette semaine ?

S'il avait été près de moi, et non à son bureau, je n'aurais pas hésité à lui décocher un coup de poing. D'un ton acerbe, j'ai lancé :

— Nulle part, Jamie ! Je n'ai pas rencontré Dieu depuis six longues et pénibles semaines.

— Eh bien, m'a-t-il dit, imperturbable, je crois que nous avons cerné le problème.

Sara est passée quelques semaines plus tard. Vautrée sur le canapé, je regardais une rediffusion de *I Dream of Jeannie*, quand elle a frappé à la porte-moustiquaire.

Je l'ai priée d'entrer.

Quand elle a franchi le seuil, j'ai remarqué qu'elle tenait une casserole pleine.

— Un bœuf en daube. Je le mets au frigidaire, m'a-t-elle annoncé en entrant dans la cuisine.

— Où est le bébé ?

— Je l'ai laissé avec Jamie. Il remplit des papiers à la chapelle. Je voulais vous parler.

Oh non, pas ça !

Elle a traîné une chaise jusqu'au canapé. Je regardais la télévision au lieu de m'intéresser à elle. C'était l'épisode où Tony et Jeannie se marient. A vrai dire, ça ne m'intéressait pas plus que ça.

— Comment vous sentez-vous ? m'a demandé Sara.

— Ça va.

Elle s'est penchée vers moi.

— Dites-moi vraiment comment vous vous sentez !

J'ai soupiré, en espérant qu'elle allait partir.

— Je me sens lasse.

— Qu'en pense votre médecin ?

— De quoi ?

— De votre lassitude.

Son indiscrétion me déplaisait.

— Je suis anémique, ai-je répondu sans avoir la certitude de l'être encore.

— Jamie m'a dit que votre médecin vous a prescrit du Prozac.

— C'est une chose qui ne regarde que moi.

— Il m'en a parlé parce qu'il s'inquiète à votre sujet. Jamie a un point de vue assez rétrograde au sujet des antidépresseurs. Je tenais à vous signaler qu'une de mes amies, du Michigan, en prend. Ça l'a beaucoup aidée.

— Je ne suis pas déprimée, Sara, mais fatiguée. Vous le seriez si vous passiez la nuit debout, avec un bébé qui braille sur les bras.

— Laurel, vous êtes infirmière. Moi qui n'ai même pas terminé mes études secondaires, je peux vous assurer qu'il s'agit d'une dépression. Vous avez tout le temps sommeil, et Jamie m'a dit que plus rien ne vous stimule, même pas Maggie.

Sara a baissé la voix comme si elle craignait que quelqu'un l'entende.

— Ce n'est pas normal de ne pas vous intéresser davantage à votre enfant.

J'ai levé les yeux vers elle.

— Allez-vous-en, s'il vous plaît !

Carrée dans son siège, elle n'a manifesté nulle intention de bouger.

— Désolée, je ne voulais pas vous blesser. Je crois simplement que vous avez besoin d'aide. Ce n'est pas normal d'obliger Jamie à...

Sara a fait claquer sa langue et soupiré :

— On dirait un *père célibataire*. Formidable avec sa fille, mais elle ne saura jamais qui vous êtes, qui est sa mère...

La porte-moustiquaire s'est ouverte en grinçant et j'ai vu Marcus entrer, car c'était l'heure du déjeuner. De l'endroit où j'étais assise, je pouvais sentir son haleine alcoolisée.

Sara s'est finalement levée et lui a tendu la main.

— Sara Weston. Vous êtes Marcus, je suppose.

— Et vous la baby-sitter ?

— Oui, je passais juste pour...

— Pour me faire savoir que je suis une tarée et une mère indigne.

— Laurel ! a protesté Sara. Telle n'était pas mon intention !

— Je l'ai priée de dégager, mais elle refuse de bouger, ai-je lancé à Marcus, étonnée par ma propre grossièreté.

Il lui a conseillé de partir. Sans insister davantage, elle a levé les mains dans un geste d'apaisement et elle s'est dirigée vers la porte.

— Je vous laisse, a-t-elle dit.

Mais avant de franchir le seuil, elle s'est retournée une dernière fois :

— Faites réchauffer la daube au four, à feu doux, pendant une demi-heure !

Cette nuit-là, Maggie commençait un rhume. Son nez coulait et elle devait avoir mal à la gorge, car elle a hurlé sans discontinuer de neuf heures du soir à deux heures du matin. Nous étions épuisés, Jamie et moi. Quand la sonnerie du téléphone a retenti, je dormais si profondément que j'ai cru entendre le détecteur de fumée. Après avoir bondi hors du lit, j'ai foncé vers la chambre d'enfant – un petit signe (inhabituel) de mon intérêt pour mon bébé.

Au moment où je revenais dans notre chambre, Jamie décrochait le combiné, sur la table de nuit. Il m'a suffi d'entendre la fin de la conversation pour savoir que c'était Marcus.

— Bon sang, tu ne peux pas m'attendre là jusqu'à demain matin ! a crié Jamie avant de raccrocher.

— Marcus ? ai-je demandé en m'asseyant au bord du lit.

— Il y en a marre ! (Jamie s'est levé et a pris un tee-shirt ans un tiroir de la commode.) On l'a encore arrêté en état d'ivresse. Il est à la prison de Jacksonville et il me demande de venir le libérer sous caution.

— Tu y vas maintenant ?

— Oui, je ne peux pas le laisser là-bas. Mais c'est terminé, Laurel ; je ne veux plus de lui chez nous.

Jamie avait raison de le renvoyer. Je savais depuis le début que c'était inévitable.

— J'ai bien réfléchi, a repris Jamie en chaussant ses sandales. Marcus fait partie du problème.

— Quel problème ?

— Ton problème ! Ta fatigue et tout ce qui ne va pas... Tu t'occupes de lui comme de Maggie et moi. Tu nettoies après son passage, et tu ne peux jamais prévoir ce qui va lui passer par la tête, quelle femme il va ramener à la maison, etc. Il réveille le bébé avec sa musique, il boit trop. Tu ne l'as pas vu sobre depuis quand ?

J'ai cherché à me souvenir, puis j'ai réalisé que Jamie n'attendait pas de réponse.

— Il nous empêche de devenir une famille, toi, moi et Maggie, a-t-il ajouté. Mais j'en ai assez ! Cette nuit prend fin l'ultime tentative pour sauver Marcus malgré lui.

Marcus a quitté Sea Tender le lendemain matin. Il a emballé sa chaîne stéréo, ses CD, ses vêtements et sa bière, pour aller s'installer dans l'une des nombreuses propriétés paternelles – Talos, une maison voisine de la nôtre.

15

Marcus

Pour la première fois depuis l'incendie, j'ai sorti mon kayak sur le bras de mer au lever du soleil. L'eau n'avait pas une ride, l'air sentait les marais et le sel. J'ai réussi à chasser l'incendie de mon esprit pendant quarante minutes, tout en pagayant énergiquement. Quand je suis sur l'eau, il m'arrive de ressentir un peu ce que Jamie appelait « rencontrer Dieu ». A l'époque je trouvais qu'il nous prenait la tête avec ça ; j'aimerais pouvoir lui dire maintenant que j'avais tort.

J'habitais l'une des tours de l'ancienne Opération Bumblebee que j'avais transformée en maison, et je suis rentré à temps pour voir l'interview d'Andy et de Laurel au *Today show*. J'ai enregistré l'émission à tout hasard, bien que j'aie préféré la voir en direct.

Le genou d'Andy tressautait sans arrêt, mais il répondait comme un pro aux questions d'Anne Curry. Evidemment, Laurel a mis son grain de sel. Maggie m'avait déjà averti par e-mail de l'affaire du briquet ; je me suis senti gêné malgré tout quand Laurel a raconté ce qui s'était passé. La mère et le fils étaient magnifiques ! Laurel avait les cheveux lâchés et souriait souvent, ce qui m'a permis de réaliser qu'elle sourit peu en ma présence. Andy a un physique agréable, mais il paraît si jeune... On lui donnerait plutôt douze ans que quinze.

De retour à la caserne des pompiers, j'ai repris pied dans la réalité. J'ai rempli mon mug de café et je longeais le couloir en direction de mon bureau quand je suis littéralement entré en collision avec William Jesperson. D'habitude, le vieux révérend Bill et moi faisons notre possible pour nous éviter, mais le contact de mon épaule avec son torse a rendu la chose impossible.

— Oh, pardon !

Par chance, je n'avais pas renversé mon café sur lui. Il aurait peut-être été capable de traîner en justice un Lockwood ayant commis une telle maladresse.

Il a scruté le couloir, vers le bureau de Pete.

— Ton chef est là ?

— Il vient de sortir. C'est au sujet de l'incendie ? Dans ce cas, c'est à moi qu'il faut vous adresser.

— Voyons, Lockwood, a-t-il grommelé. Tu sais bien que je ne vais pas discuter avec toi. Dis à Pete de m'appeler !

A cet instant précis, Pete a passé la porte, muni d'un café et d'un sac de gâteaux. Il s'est arrêté en nous regardant tour à tour, le révérend Bill et moi.

— Puis-je vous aider, révérend ?

— Avez-vous déjà trouvé des indices ?

— Nous vous informerons, comme de juste, dès que nous saurons quelque chose.

— Allons, vous en savez plus que vous ne dites, les gars ! Et j'ai bien le droit de savoir où vous en êtes, non ?

— L'enquête est en cours, révérend, ai-je remarqué. Rien d'important encore.

Le révérend Bill a fait un signe de tête dans ma direction, en s'adressant à Pete :

— Vous avez vu son neveu à la télé ce matin ?

— Je l'ai manqué.

Pete a avalé une gorgée de café. Je devinais que Bill était impatient de dire tout ce qui lui passait par la tête.

— Eh bien, c'était instructif, a-t-il précisé. Saviez-vous, par exemple, qu'Andy Lockwood a été renvoyé de son avion pour New York parce qu'il cachait un briquet dans sa chaussette ?

Pete m'a jeté un regard inquisiteur.

— On ne l'a pas renvoyé, Pete ! Tu connais Andy, n'est-ce pas ? Il a lu sur un panneau qu'il est interdit de *porter* un briquet à bord, alors il a fourré le sien dans sa chaussette.

— Et on lui a interdit de monter à bord de l'avion ! s'est exclamé le révérend Bill.

— Il a dû s'expliquer devant des responsables de la sécurité, ce qui lui a fait manquer l'avion, ainsi qu'à Laurel. Ils ont pris le suivant.

J'ai vu la mâchoire de Pete s'affaisser tandis qu'il nous écoutait.

— Ce garçon porte un briquet sur lui, a martelé le révérend Bill. Vous ne trouvez pas un peu étrange qu'il passe pour le héros du *lock-in* ?

— Andy fait ses expériences comme tous les gamins de quinze ans. Vous n'avez pas fumé quelques cigarettes à son âge ?

— Franchement, non. Je trouvais ça dégoûtant, et je n'ai pas changé d'avis.

Né dans le pays du tabac, il n'avait jamais allumé une cigarette ? Foutaises.

— Ecoutez, ai-je dit, nous n'avons exclu personne pour l'instant.

Le révérend Bill m'a foudroyé du regard.

— C'est à Pete que je m'adresse !

— Je vous remercie de nous avoir signalé ce point, a marmonné mon chef. Comme vous l'a dit Marcus, nous n'avons exclu personne.

Sur ces mots, il a escorté le révérend jusqu'à la porte, en tenant son sac de gâteaux d'une poigne de fer.

— Si vous voyez autre chose à nous signaler, surtout n'hésitez pas.

Le révérend est resté sur ses positions.

— Ça ne m'étonne pas que vous preniez cette histoire à la légère. Ce n'est pas votre église qui a brûlé de fond en comble !

— Il y a eu trois morts ! me suis-je exclamé, outré. Nous n'avons pas pris l'incendie à la légère quand nous luttions contre les flammes, et je peux vous assurer que ce n'est toujours pas le cas !

J'ai pivoté sur mes talons et regagné mon bureau en fulminant.

Le révérend Bill était, à mon avis, un suspect non négligeable. Il se lamentait depuis des années sur le délabrement de son église, et sa paroisse n'avait pas encore réuni les fonds nécessaires pour en construire une nouvelle. Pourquoi ne pas incendier l'édifice (et toucher les indemnités de l'assurance) de manière à réaliser son rêve, tout en imputant la faute à un gosse innocent ? Andy était la cible idéale ; mais cette hypothèse ne tenait pas la route. Le révérend Bill n'était tout de même pas assez ignoble pour mettre le feu à une église pleine d'enfants. Ou pas assez stupide ? Les avocats étaient déjà à l'affût d'une négligence de sa part. En outre, l'inspecteur de l'ATF avait pu constater que le « saint homme » se trouvait au domicile de l'un de ses paroissiens quand l'incendie avait éclaté. Un alibi de poids, apparemment.

L'enquête médico-légale n'avait pas donné grand-chose. Nous avions envoyé au laboratoire des fragments de ce qui subsistait de la charpente. Le feu avait été déclenché grâce à un mélange d'essence et de gazole, ce qui évoquait pour nous l'incendie d'une église de Wilmington, six mois plus tôt, avec les mêmes substances. Mais cette ancienne église réservée aux Noirs devant être transformée en musée, on avait conclu qu'il s'agissait d'un crime raciste. D'autre part, c'était un édifice abandonné, et il n'y avait pas eu de victimes. Une différence évidente avec *notre* incendie.

D'après la configuration de la zone sinistrée, il semblait que le mélange de combustibles avait été répandu tout autour de l'église, comme je l'avais supposé en explorant la périphérie. Le seul endroit indemne se trouvait entre l'appareil à air conditionné sur lequel était grimpé Andy et l'édifice lui-même.

Pete, qui venait d'entrer dans mon bureau, s'est assis face à moi, a sorti un muffin aux myrtilles de son sachet, et en a croqué une bouchée. Arrivé d'Atlanta un an auparavant il ne savait pas grand-chose de l'histoire de l'île.

— Ce type a la haine contre toi. Pourquoi ?

— Il détestait mon frère.

Je me suis abstenu d'ajouter que le révérend Bill, comme une poignée d'anciens, m'avait soupçonné d'être un assassin.

— Ton frère qui avait cette chapelle des Esprits Libres ?

— Hum ! Le vieux Bill n'appréciait pas la concurrence.

— A ton avis, sa méfiance se justifie ?

J'ai dévisagé Pete par-dessus mon mug.

— Sa méfiance au sujet d'Andy ?

Il a acquiescé d'un signe de tête.

— Ton neveu fume ?

— Pas que je sache. Il a peut-être un briquet pour paraître cool, pour s'intégrer... Mais je peux t'assurer qu'Andy n'a jamais cherché à faire du mal volontairement.

Pete s'est essuyé les doigts sur sa serviette en papier.

— Pourtant il a eu une altercation avec ce gamin, Keith Weston. Il l'a même brutalisé un peu...

— Pete, Andy n'est pas une bonne piste ! ai-je déclaré en riant.

Parmi les adolescents présents au *lock-in*, il en restait deux que nous n'avions pas pu interviewer : Keith Weston, toujours plongé dans un coma artificiel, et Emily Carmichael. Emily, en proie à un violent stress post-traumatique n'était pas en état de nous voir, et encore moins de nous parler. Mais Robin Carmichael nous a appelés dans l'après-midi pour nous annoncer que sa fille allait suffisamment bien pour répondre à nos questions. Nous avions déjà eu un entretien avec Robin, qui était accompagnatrice au *lock-in*.

— Pourriez-vous nous l'amener demain après la classe ?

Je tenais le téléphone entre mon menton et mon épaule, tout en décapsulant ma bouteille de Coca-Cola.

— Ma fille ne va pas en classe, car elle a une terrible angoisse de la séparation, m'a expliqué Robin. Elle ne me lâche plus une seconde, mais vous pouvez venir chez nous si ça vous convient.

J'ai mis ma tenue de ville avant d'aller chercher Flip Cates, l'inspecteur de police de Surf City, chargé de l'enquête. Ce serait plus facile pour Emily si je n'étais pas en uniforme ; Flip avait eu apparemment la même idée. Quand nous sommes entrés dans le salon des

Carmichael, à Sneads Ferry, avec ses lambris sombres et son miroir terni au-dessus du canapé, nous avions un air de monsieur Tout-le-monde.

— Emily, tu te souviens de Marcus, l'oncle d'Andy ? a demandé Robin. Et voici l'inspecteur Cates.

— Salut, Emily !

On a pris place, Flip et moi, sur le canapé. Emily s'est assise dans un vieux fauteuil élimé, les mains croisées sur ses genoux, et m'a regardé de son bon œil. Elle portait un tee-shirt rose (à l'envers) et un corsaire blanc ; ni chaussures ni chaussettes.

Chaque fois que je la voyais, j'éprouvais de la peine pour ses parents. Elle était jolie, à sa manière, malgré ses yeux bizarres et son palais fendu « réparé ». Pourrait-on opérer son œil déficient et lui donner ainsi la possibilité d'avoir une vie normale d'adolescente ? Hélas, l'argent manquait dans cette maison, et Emily était tout sauf normale.

J'ai demandé à Robin de nous laisser seuls avec elle.

— Non ! a gémi Emily.

Au moins, j'avais tenté ma chance. Robin s'est excusée d'un haussement d'épaules en s'asseyant sur un pouf, à côté de sa fille.

— Emily, a dit Flip, raconte-nous tout ce qui s'est passé après ton arrivé au *lock-in*.

Emily a regardé sa mère.

— On nous a fait partir.

— Bien, a marmonné Flip. As-tu remarqué quelque chose en arrivant à l'église ?

— On a marché pour y aller.

— Oui, depuis la Maison des jeunes. (Flip avait posé son bloc-notes sur sa cuisse, mais la page était restée blanche jusque-là.) As-tu vu quelqu'un rôder autour de l'église ?

— Il y avait des enfants qui venaient de partout.

— As-tu vu quelqu'un verser ou vaporiser quelque chose à l'extérieur de l'église ?

Hochement de tête d'Emily.

— A l'intérieur de l'église, qu'as-tu fait ?

— Qu'est-ce que vous voulez dire ?

— Vous avez organisé des jeux ? Avec qui étais-tu ?

— Avec Andy.

Emily m'a regardé comme si elle se souvenait de notre parenté. Je lui ai demandé :

— Tu étais tout le temps avec Andy ?

— Oui.

— Quand tu as quitté la Maison des jeunes, c'est avec Andy que tu es allée à l'église ? a insisté Flip.

— Oui...

Robin est intervenue.

— Non, ma chérie.

— Oh ! En réalité, a articulé Emily en détachant chaque syllabe, j'ai marché avec ma maman.

— C'est exact, a acquiescé Robin, tournée vers Flip et moi.

Je savais que Robin avait signalé aux policiers, la nuit de l'incendie, qu'elle avait senti une odeur d'essence en se dirigeant vers l'église. Mais elle avait ajouté que c'était peut-être à cause d'une voiture ou d'un bateau, en train de faire le plein dans les parages. « C'était juste dans l'air », avait-elle dit.

Emily :

— Andy aimait bien la fille du *lock-in*. Elle dansait avec un garçon, Keith. Vous connaissez Keith ?

Flip et moi avons hoché la tête. Nous connaissions tous les détails de la bagarre entre Andy et Keith : la plupart des gens que nous avions interrogés s'en souvenaient.

— Andy s'est bagarré avec lui, a ajouté Emily. Je déteste les bagarres.

Flip, les yeux sur son bloc-notes :

— Emily, aurais-tu remarqué quelqu'un à l'extérieur de l'église, pendant l'heure avant l'incendie ?

— Impossible, puisque j'étais tout le temps à l'intérieur !

Flip a passé une main sur son crâne rasé.

— Exact ! Pendant *le lock-in*, as-tu vu quelqu'un sortir de l'église ?

— A part Andy, vous voulez dire ?

Nous avons hésité, Flip et moi.

— Andy est sorti de l'église pendant le *lock-in* ? a demandé Flip au bout d'un instant.

— Je lui ai dit qu'il n'avait pas le droit, mais quelquefois Andy ne comprend pas.

A mon tour, j'ai prié Emily de préciser :

— Tu parles du moment où Andy est sorti pendant l'incendie ? Le moment où il est sorti par la fenêtre des toilettes ?

Emily a interrogé sa mère du regard.

— C'est ce que tu voulais dire, ma chérie ? lui a demandé celle-ci.

— Il est parti quand les gens se sont mis à danser et je l'ai cherché partout.

— Sans doute quand il est allé pour la première fois aux toilettes et qu'il a remarqué l'appareil à air conditionné, dehors.

Emily m'a contredit immédiatement.

— Non ! C'est à un autre moment, parce que je suis allée aux toilettes des filles quand il est allé à celles des garçons. Il est reparti *ensuite*, et j'ai essayé de trouver maman pour la prévenir, mais il est revenu, et je lui ai juste dit de ne pas recommencer.

Etait-il possible que je ne connaisse pas Andy aussi bien que je le croyais ? Une hypothèse absurde. Andy était incapable de préparer un mélange d'essence et de gazole, de le transporter à l'église et de le répandre aux alentours. Un enfant qui n'avait pas su interpréter un panneau interdisant les briquets dans l'avion n'avait pas pu planifier et organiser un incendie criminel.

Flip :

— Tu lui as demandé où il était allé ?

— Non, je me suis seulement fâchée contre lui.

— Emily, Andy a disparu avant ou après la bagarre avec Keith ?

— J'ai oublié, m'a-t-elle répondu. Tu te rappelles, maman ?

— Je ne savais même pas qu'Andy était sorti de l'église... en supposant qu'il soit sorti, a ajouté Robin.

Elle a hoché la tête avec l'air de dire qu'il ne fallait pas prendre les affirmations de sa fille *pour argent comptant.*

Une fois dans ma camionnette, après cet entretien, j'ai demandé à Flip d'arrêter immédiatement de se monter le bourrichon.

— Ça ne m'a pas plu du tout d'apprendre qu'Andy avait disparu pendant le *lock-in*, a-t-il marmonné.

J'ai mis le contact.

— Pense à ta source de renseignement ! A part Emily, personne n'a mentionné la disparition d'Andy.

— Peut-être que personne ne faisait attention à lui. Du moins, jusqu'à la bagarre.

— Ecoute, Flip, ai-je martelé, Andy est incapable de planifier quoi que ce soit. (Je revoyais les programmes minutés que Laurel avait fixés sur le tableau d'affichage de sa chambre.) Il vit uniquement dans l'instant présent.

— Il a trouvé moyen d'échapper à l'incendie, alors que personne d'autre n'en était capable, m'a fait remarquer Flip. Ça demande un minimum de planification, non ?

16

Laurel

En entrant dans le hall de l'hôtel de Sara à Chapel Hill, j'ai vu avec plaisir que c'était une pièce joliment décorée, avec de grands vases de fleurs un peu partout. Je m'étais demandé comment elle pourrait séjourner si longtemps à l'hôtel, dans un secteur aussi coûteux ; mais j'ai supposé que l'hôpital de Keith avait passé un accord avec cet établissement, ce qui lui permettait d'obtenir des conditions avantageuses. Du moins, c'est ce que j'ai espéré.

J'avais décidé la veille que je *devais* voir Sara en face à face. L'incendie s'était déclaré il y avait près de deux semaines, et je ne l'avais pas revue depuis. J'avais besoin de savoir comment elle allait, mais aussi de faire taire mon inquiétude récente au sujet de son animosité. Etait-elle contrariée par la différence de nos situations financières ? Quand je l'avais appelée pour lui annoncer ma visite, je l'avais d'abord trouvée indifférente, puis je m'étais sentie rassurée : elle souhaitait vraiment me voir, m'avait-elle dit. Elle en avait profité pour me demander de passer chez elle chercher des vêtements et d'autres choses qui lui manquaient. Une occasion inespérée de l'aider, même modestement ! Elle me manquait tant.

On devait se retrouver au café de l'hôtel. Je me tenais à l'entrée, en essayant de jeter un coup d'œil à l'intérieur, au cas où elle m'aurait devancée.

— Salut, toi !

Je me suis retournée et j'ai dû cacher mon trouble. Sara, qui n'aurait pas été jusqu'à la boîte aux lettres sans se maquiller, n'avait pas une once de fard sur son visage livide, qui m'a semblé décharné. Elle avait perdu beaucoup de poids en deux semaines. Des racines sombres formaient une ligne dans ses cheveux, qui auraient eu besoin d'une coupe, et sans doute aussi d'un shampooing.

Surprise de fondre en larmes, je l'ai serrée dans mes bras.

— Sara, tu m'as tellement manqué ! Si tu savais comme je me suis inquiétée pour toi...

— Toi aussi, tu m'as manqué. Tu es adorable de faire presque trois heures de route pour un simple déjeuner.

J'ai desserré mon étreinte à contrecœur, et elle m'a souri.

— Tout va bien, Laurie, m'a-t-elle dit en essuyant une larme sur ma joue. Je tiens le coup !

L'hôtesse nous a menées à une table au fond, comme si elle avait senti que nous avions besoin d'intimité.

Sara a regardé autour d'elle en s'asseyant.

— Ça me fait du bien de prendre l'air. Il fait une chaleur étouffante dans sa chambre. Je suis contente que tu sois venue.

— J'aurais dû venir avant. Comment va Keith ?

Elle a soupiré avec lassitude.

— Un peu mieux, d'après les médecins. Ce n'est pas évident pour moi, parce qu'on le maintient encore dans le coma ; mais ses signes vitaux et tout le reste s'améliorent. Ils ont maintenant la quasi-certitude qu'il va s'en tirer.

J'ai posé ma main sur son poignet.

— Quel soulagement !

— Le côté droit de son visage est parfait. La partie gauche est gravement brûlée. Il aura une cicatrice, mais pour l'instant, l'essentiel pour moi est qu'il survive.

— Bien sûr, ma chérie.

La serveuse nous a apporté deux verres d'eau et les menus, puis s'est éloignée.

— J'aimerais lui parler, a murmuré Sara. Il me manque, Laurie.

— Tu *dois* lui parler ! Il t'entend peut-être.

— En fait, je n'arrête pas de lui répéter que je l'aime, qu'il me manque... et que je lui demande pardon de ne pas être une meilleure mère.

— Sara, tu es une mère géniale !

— Dans ce cas, pourquoi a-t-il tant de problèmes ?

— Pas tant que ça, voyons.

Comment la rassurer ? Je savais qu'on peut être la meilleure des mères et avoir des enfants à problèmes.

— Tu élèves seule tes enfants toi aussi, Laurel, a repris Sara. Et pourtant Maggie, qui a juste un an de plus que Keith, a au moins cinq années de plus en maturité !

— C'est une fille, et nous savons, toi et moi, qu'elle tient ça de Jamie.

Sara s'est penchée sur le menu.

— Tu y as contribué toi aussi. Elle avait huit ans quand Jamie est mort.

— En tout cas, tu ne dois pas douter de toi !

— Je sais...

— Es-tu en contact avec Steve ?

Sara m'a adressé un signe de tête négatif.

— Tu ne juges pas nécessaire de le mettre au courant ? lui ai-je demandé.

— Non. Tu sais quel genre de père il est…

Je savais. Steve et Sara avaient divorcé quand Keith avait à peine un an, et Steve ne s'était plus jamais manifesté. Il arrivait qu'une tragédie de ce genre rappelle les pères les plus indifférents à la réalité, mais la décision appartenait à Sara. Qu'aurais-je fait moi-même dans sa situation ?

La serveuse est réapparue. Sara a commandé une soupe, et moi une salade avec un blanc de poulet grillé, qui ne figurait pas sur le menu et dont elle a dû prendre note sur son petit bloc. Sara a souri : je mangeais le plus sainement possible, courais quotidiennement, tenais à jour mes mammographies et mes vaccins contre la grippe. Elle comprenait pourquoi… J'étais orpheline, mes enfants avaient déjà perdu l'un de leurs parents, et je ne les laisserais pas perdre le second, dans la mesure du possible.

— Je n'ai aucun appétit, m'a annoncé Sara quand la serveuse s'est éloignée.

— Tu as perdu du poids.

Elle a ébauché un sourire.

— C'est le bon côté de la chose, non ?

Depuis quelque temps, je me répétais la question que j'allais lui poser.

— Tout va bien entre nous, Sara ?

— Bien sûr ! Que veux-tu dire ?

— On avait l'habitude de se voir presque tous les jours et ça a changé depuis l'incendie. Je sens une distance s'installer entre nous…

— Je me concentre totalement sur Keith en ce moment. Je suis navrée si je t'ai…

— Non, c'est moi. Je deviens parano… Tu n'es peut-être même pas au courant, mais il paraît que, pendant le *lock-in*, Keith a traité Andy de « gosse de riche » plusieurs fois. Je craignais que tu ne sois contrariée parce que nous vivons, mes enfants et moi, beaucoup plus confortablement que...

Sara m'a souri.

— Laurel, ça n'a jamais posé de problème entre nous ! Je ne peux pas croire que tu t'inquiètes à ce sujet.

Aussitôt après le déjeuner, Sara est repartie à l'hôpital, et j'ai attendu son départ pour me présenter à la réception de l'hôtel. J'espérais qu'elle avait été franche en m'affirmant qu'elle ne m'en gardait pas rancune, car j'avais l'intention de payer sa note.

— J'aimerais régler les frais de Sara Weston, ai-je annoncé au jeune réceptionniste en lui tendant ma carte bancaire. Chambre quatre cent trente-deux.

Il a tapé sur les touches de son clavier, les yeux tournés vers l'écran, face à lui.

— C'est déjà fait, madame.

— Elle vous a probablement donné son numéro de carte bancaire, mais je voudrais payer à sa place.

— Quelqu'un vous a devancée, madame, m'a annoncé le jeune homme.

17

Laurel

1990

J'ai vécu dans le brouillard pendant l'année qui a suivi la naissance de Maggie. Nous avons fêté son premier anniversaire à Sea Tender. J'avais oublié la date exacte de sa naissance, pas Jamie, mais c'est moi qui ai organisé les festivités. Etaient invités Sara et Steve, Marcus (qui habitait maintenant la maison voisine, mais était aussi souvent chez nous que s'il ne nous avait jamais quittés), et Miss Emma. Ainsi que quelques amis de l'agence immobilière de Jamie, accompagnés de leurs épouses ; tous semblaient très bien connaître Maggie, car il l'emmenait encore avec lui presque partout. Daddy L était mort pendant l'hiver d'une pneumonie foudroyante, et Miss Emma présentait les automatismes d'une femme en deuil. Son sourire était figé, comme le mien, mais elle avait le droit, contrairement à moi, d'afficher son chagrin. Dans mon dos, elle me traitait de « feignante », et je pense qu'elle m'accusait de profiter de la nature généreuse de son fils, ce qu'elle m'avait suppliée de ne jamais faire.

Je jouais mon rôle de mère comme un robot, une machine sans âme, grinçante, au ralenti, et menaçant de tomber en panne à chaque instant. Maggie marchait déjà et j'avais trouvé l'énergie de sécuriser tous les placards et les tiroirs de la maison, de peur d'un accident mortel dès que je tournerais le dos. Je ne me sentais pas capable de la protéger. Mon envie occasionnelle de la supprimer s'était muée en une crainte de causer, je ne sais comment, sa mort. Quand je restais seule à la maison avec elle – ce qui se produisait uniquement si Jamie ne pouvait pas la prendre avec lui et si Sara n'était pas libre –, je m'arrachais à mon lit pour m'occuper de mon mieux de la petite étrangère aux yeux sombres qui était ma fille. Je la suivais comme une ombre dans la maison et allais lui jeter un coup d'œil à tout bout de champ pendant qu'elle faisait la sieste. Mais j'éprouvais un tel besoin de me réfugier dans le sommeil que je ne pouvais pas m'occuper d'elle bien longtemps. La lassitude qui m'avait accablée après sa naissance n'avait jamais cédé, bien que je ne sois plus anémique. Je me suis mise à cacher mes symptômes à mon médecin : au point où j'en étais, je ne souhaitais même plus aller mieux. Mon avenir m'importait peu, mais il m'arrivait parfois d'imaginer que je partais, laissant ainsi Jamie trouver une femme normale, qui serait une meilleure mère pour Maggie.

Sara l'avait finalement persuadé qu'il me fallait une aide « spécialisée », et ils passèrent plusieurs mois à faire mon siège pour que je cède. Jamie finit par prendre rendez-vous pour moi chez un psychiatre de Jacksonville. Il m'y conduisit lui-même pour s'assurer que j'irais. Cet homme me dévisagea, j'en fis autant, sans même pleurer, car j'étais au-delà des larmes. Il conseilla à Jamie de m'obliger à passer quelques jours dans une unité psychiatrique ; Jamie n'eut pas le cœur de le faire.

Maggie ne m'aimait pas. Mes craintes des premiers jours à ce sujet s'étaient réalisées. Et qui aurait pu l'en blâmer ? Elle pleurait quand Jamie la déposait dans mes bras, et elle se mettait parfois à hurler comme si mes mains avaient la froideur de l'acier, au lieu d'être de chair et de sang.

« *Apa !* » criait-elle, bras tendus vers lui.

A son premier anniversaire, elle connaissait déjà cinq mots compréhensibles pour ses proches. *Apa*, *cette* pour sucette, *missa* pour Miss Sara, *nane* pour banane, *lo* pour eau. Mais aucun mot pour moi !

Sara devint presque une amie, bien que j'aie cherché par tous les moyens à la repousser quand Maggie était bébé. Elle nous apportait des repas, faisait parfois nos courses, et me donnait des conseils sur la manière de m'y prendre avec Maggie dont la personnalité s'affirmait. Bien qu'elle n'ait pas d'enfants, elle savait beaucoup mieux que moi materner ma fille.

Un matin que Jamie avait été appelé par les pompiers et où j'étais seule avec Maggie, j'eus un soudain élan d'énergie et décidai de l'emmener à la plage. On était en septembre, il faisait une douce chaleur.

Braillements de Maggie pendant que je lui enfilais son maillot de bain rose.

« On va aller faire un château de sable à la plage et on va bien s'amuser ! » Je lui répétais cette phrase et mes mains tremblaient tandis que je glissais les bretelles sur ses épaules. Une telle anxiété pour habiller un bébé de seize mois ! J'avais honte...

Maggie hurlait toujours quand je l'ai aspergée de crème solaire, mais elle s'est calmée quand nous sommes descendues sur la terrasse. J'ai pris son seau et sa pelle et elle m'a tenu la main dans l'escalier menant à la plage. Assise sur le sable humide, au bord de l'eau, je lui ai construit un petit château de sable pour la distraire, mais elle préférait courir au milieu des vaguelettes qui l'éclaboussaient.

J'étais en train de décorer mon œuvre avec des coquillages quand elle a poussé un cri strident. J'ai levé les yeux : elle était accroupie, figée comme une statue, et gémissait *apa !*

J'ai couru vers elle et saisi sa main dont jaillissait du sang. Qu'avait-elle fait ? Une planchette, recouverte d'eau, était fichée dans le sable. En la prenant de ma main libre, j'ai vu le clou rouillé qui émergeait de sa surface rugueuse.

— *Apa !* a répété Maggie.

Son sang ruisselait de sa main sur la mienne. Je l'ai soulevée dans mes bras et je suis remontée à la villa en courant. Elle n'arrêtait pas de gémir... Après avoir ouvert la porte, j'ai foncé vers l'évier de la cuisine et j'ai entendu un bruit de pas sur la terrasse. Marcus était derrière la fenêtre : son patron l'avait congédié quelques jours avant, car il était tombé d'un toit, en état d'ébriété. A cet instant, j'ai béni le ciel qu'il soit à la maison. J'avais besoin d'aide.

— Que se passe-t-il ? m'a-t-il demandé en poussant la porte.

J'ai fait couler l'eau du robinet.

— Elle s'est blessée avec un clou rouillé.

— Une chance que sa maman soit infirmière !

J'avais presque oublié que je l'étais. Il me semblait qu'une autre femme avait fait des études d'infirmière et assisté un pédiatre. Une femme heureuse et efficace.

Maggie se débattait pour s'échapper de mes bras ; il y avait des éclaboussures de sang partout.

— Tiens-la, Marcus !

Il a passé un bras autour du petit corps de Maggie, et saisi au vol sa main (celle qui n'était pas blessée) pour qu'elle cesse de me repousser.

— Ce n'est rien, Mags, a-t-il chuchoté d'un ton rassurant.

J'ai maintenu le bras de Maggie sous le robinet et l'eau a coulé sur sa blessure. Une blessure profonde et irrégulière, en travers de sa paume. Il lui fallait des points de suture, une injection antitétanique.

Les gémissements de Maggie s'étaient transformés en cris de plus en plus déchirants. J'avais envie d'empoigner sa main de toutes mes forces et de l'arracher à son poignet. J'imaginais le craquement sinistre que cela aurait produit. Après l'avoir lâchée, j'ai reculé d'un bond, loin de l'évier.

— Je ne peux pas, Marcus !

J'étais en larmes et j'ai senti l'haleine alcoolisée de mon beau-frère, tout près de mon oreille.

— Mais si ! Tu as un torchon propre ?

D'un tiroir, près de la cuisinière, j'ai sorti un torchon de cuisine, et, sans cesser de pleurer, j'ai rincé la main de Maggie et pressé le linge contre sa paume.

— Elle a besoin de points de suture, non ? m'a demandé Marcus.

— Je ne peux pas, ai-je répété d'une voix à peine audible.

Je ne savais même plus ce que je disais et je me haïssais.

— Ça va aller, a dit Marcus machinalement.

J'ai hoché la tête en reniflant. Le torchon devenait rouge sang.

— Emmenons-la aux urgences, a repris Marcus. Je conduis. Tiens-la et exerce une pression sur sa main.

Il a installé Maggie dans mes bras et je l'ai suivi dehors, jusqu'à l'allée. Ensemble, nous avons réussi à la boucler dans son siège de voiture, et j'ai essayé de comprimer sa main, tandis qu'elle hurlait en appelant son père.

Aux urgences, j'aurais préféré confier Maggie à l'équipe de soins, mais on m'a priée de la tenir pendant qu'on nettoyait et recousait sa plaie : la présence de sa mère était censée la rassurer. Pendant que le médecin s'activait, je regardais ses belles boucles sombres et les larmes qui brillaient sur ses cils noirs de jais. Pourquoi me sentais-je indifférente ? Comment pouvais-je rester insensible alors que je tenais dans mes bras mon propre enfant blessé et terrifié ? Je n'avais qu'une envie : me glisser sous mes couvertures ! J'appellerais Sara et elle viendrait garder Maggie pour me permettre de dormir. J'avais tout planifié et mon esprit voguait à des milliers de kilomètres ; les cris de mon bébé ne me touchaient pas plus que s'ils avaient émané d'une machine.

— Ça y est, maman, m'a dit en souriant la jeune doctoresse en finissant de panser la main de Maggie. Elle aura seulement une seconde ligne de vie sur sa paume ! Tout le monde n'a pas cette chance.

Ce soir-là, Jamie s'est assis au bord du lit ; j'étais enfouie sous les couvertures.

— Qu'aurais-tu fait, Laurie, si Marcus n'avait pas été là ?

Bonne question ! En réfléchissant, j'ai revu l'image qui m'était venue à l'esprit : moi en train d'arracher la main de Maggie. J'ai secoué la tête pour chasser cette pensée.

— Pourquoi secoues-tu la tête ? a insisté Jamie.

— Je ne sais pas.

— Tu aurais pu m'appeler.

— Jamie... ai-je dit en lui serrant le bras. Je voudrais partir.

— Qu'est-ce que tu racontes ? Comment ça, partir ?

— Maggie et toi, vous seriez beaucoup mieux sans moi !

J'avais déjà prononcé ces mots-là au cours des seize derniers mois, mais c'était la première fois qu'il s'abstenait de me contredire. Tout ce que nous avions en commun avait disparu. Nous ne faisions plus que rarement l'amour, il ne cherchait plus à me comprendre, ni à me manifester son empathie (pas plus qu'à Marcus !).

Jamie a regardé ma main sur son bras et l'a recouverte de la sienne.

— Tu veux dire que tu envisages une séparation ?

Ce simple mot était un réconfort pour moi.

— Oui, mais je ne sais pas exactement où aller...

— Tu resterais ici.

J'ai compris qu'il réfléchissait depuis un certain temps à cette éventualité et qu'il avait déjà un plan.

— Sara et Steve disposent d'une pièce supplémentaire dans laquelle je peux m'installer. Je leur payerai un petit loyer.

— Surtout, ne me laisse pas Maggie !

— Je l'emmènerai, ça va de soi. Je ne sais pas ce qui t'arrive, Laurie, mais, dans ton état, tu ne peux pas être une bonne mère. Si j'habite chez les Weston, Sara sera sur place pour s'occuper de Maggie quand la caserne des pompiers m'appelle, quand je ne peux pas l'emmener à mon travail, ou quand j'ai un empêchement quelconque.

Il n'y avait pas de meilleure solution. J'étais reconnaissante à Jamie d'avoir tout planifié sans mon aide. J'étais une mère lamentable. Une épouse lamentable.

— Merci, ai-je chuchoté, je pense que c'est une bonne idée.

J'ai roulé sur le côté, face au mur, et j'ai fermé les yeux.

18

Maggie

Quand j'ai conduit Andy en classe, lundi matin, j'ai fait semblant d'entrer avec lui, mais dès qu'il a été hors de vue, j'ai regagné ma voiture et roulé jusqu'à Surf City. Je n'avais pas fermé l'œil de la nuit.

Plus de deux semaines s'étaient écoulées depuis l'incendie, mais j'avais toujours ces grandes photos de la cérémonie commémorative, affichées en arrière-plan de mes paupières dès que je fermais les yeux. A deux heures du matin, je m'étais levée pour aller à Sea Tender. Assise sur la terrasse, j'avais pleuré parce que je ne pouvais pas avoir l'esprit assez serein pour communiquer avec papa. Je ne l'avais pas senti proche de moi depuis si longtemps ! Chaque fois que j'essayais de me calmer, les grandes photos resurgissaient. Cette Jordy aux yeux bleus ; Henderson, ce garçon à l'air affolé ; M. Eggles qui avait probablement évité à Andy d'être pulvérisé par Keith... J'aurais voulu les saisir à bras-le-corps et leur insuffler la vie. Je répétais sans cesse « *Papa, je t'en supplie ; papa, je t'en supplie* », comme s'il avait pu nous venir miraculeusement en aide. Mais rien. Finalement, j'ai tout de même pris une décision, assise dans le noir. Je sécherais l'école aujourd'hui et j'irais voir ce comptable, M. Gebhart, pour lui demander si je pouvais l'aider à organiser la collecte. Je ne pouvais pas me contenter de donner de l'argent : c'était une solution de facilité.

Le cabinet de M. Gebhart, situé dans la partie continentale de Surf City, n'était pas encore ouvert. J'attendais sur le parking en écoutant de la musique sur mon iPod et en essayant de lire *La Terre chinoise* de Pearl Buck. J'avais pris un tel retard ! Ne pas être en tête de classe était une chose ; essuyer un échec en fin de scolarité une autre – dont il n'était pas question. Je devais à tout prix obtenir mon diplôme car, une fois en fac, je pourrais fréquenter Ben sans me cacher. Ma mère et oncle Marcus feraient des histoires, mais ils n'auraient pas le choix. Au bout d'un an, nous pourrions peut-être nous marier, Ben et moi. J'espérais qu'il ne souhaiterait pas attendre que j'aie terminé mes études. Nous n'avions jamais mis le sujet sur le tapis, mais je me sentais incapable de patienter si longtemps. Je pouvais me passer d'un grand mariage, contrairement à Amber, qui avait déjà tout planifié, des fleurs et de la musique jusqu'à la couleur des robes de ses demoiselles d'honneur. Je voulais seulement être traitée en adulte, et ça ne m'aurait pas gênée le moins du monde de faire une fugue pour aller me marier avec Ben.

Je m'étais endormie quand j'ai entendu le cliquetis de talons aiguilles à côté de ma voiture. Réveillée en sursaut, j'ai vu une femme ouvrir avec une clef la porte du cabinet de M. Gebhart.

J'ai enlevé mes écouteurs et bu quelques gorgées de ma bouteille d'eau avant de la suivre.

— Mon petit, je peux vous aider ? m'a-t-elle demandé en se préparant un café.

— Je m'appelle Maggie Lockwood et je...

— Vous êtes une parente d'Andy ?

— Oui, madame, sa sœur.

Elle a versé le café moulu dans le filtre.

— Je suppose que vous êtes drôlement fière de lui.

— Oui, madame.

— C'est incroyable, ce qu'a fait ce garçon ! Il est passé au *Today Show*, n'est-ce pas ?

J'ai souri. Une personne ayant un cœur de pierre n'aurait pu assister à cette interview sans tomber amoureuse de mon frère. Il était irrésistible avec ses grands yeux bruns et son genou bondissant ; sa vision naïve du monde avait tout pour séduire, à condition de ne pas être son professeur.

J'ai expliqué que je voulais proposer mon aide à M. Gebhart pour la collecte de fonds. La femme a mis tranquillement en marche la cafetière électrique et s'est assise à son bureau.

— Mon petit, M. Gebhart ne s'occupe que de la gestion financière. C'est à Dawn Reynolds que vous devez vous adresser. La connaissez-vous ?

J'ai marmonné d'un air maussade :

— Oui, madame, mais j'espérais que M.Gebhart pourrait me conseiller, maintenant que je suis là.

— Il n'arrivera pas avant une demi-heure, et je vous assure qu'il n'est pas au courant de tout cela. Adressez-vous à Dawn, mon petit. Vous la trouverez à Jabeen's Java ; elle vous donnera du travail à ne plus savoir qu'en faire.

Pendant une vingtaine de minutes, je suis restée assise dans ma voiture, de l'autre côté de Jabeen's, à cogiter. Six gosses se trouvaient encore à l'hôpital : quatre à New Hanover et deux au centre des brûlés, à l'UNC de Chapel Hill. Les enfants de l'école primaire leur avaient confectionné des cartes, et nous avions proposé, Amber et moi, de les apporter à l'hôpital le lendemain peut-être. J'appréhendais cette visite, mais je devais y aller. Et ce n'était pas suffisant !

De ma voiture, j'ai vu une sorte d'éclair blanc (comme une chemise d'homme) se diriger vers Jabeen's : oncle Marcus. J'ai retenu mon souffle jusqu'à ce qu'il ouvre la porte, et le courage m'est venu d'un coup ! Au moins, je n'aurais à pas affronter Dawn en tête à tête.

Je suis sortie de ma voiture et j'ai traversé la rue.

— Salut, oncle Marcus.

Au comptoir, Dawn versait du café dans un gobelet en carton.

— Mags ! (Marcus m'a souri en m'enlaçant d'un seul bras, à sa manière.) Que fais-tu ici ?

— J'ai séché l'école pour parler de bénévolat à Dawn.

Celle-ci a levé la tête en m'entendant prononcer son nom.

— Tu sais... (Je me suis forcée à la regarder droit dans les yeux.) Pour le fonds destiné aux familles du Drury Memorial...

Dawn a plaqué un couvercle sur le gobelet, qu'elle a tendu à oncle Marcus.

— Dieu t'entende, Maggie ! Il y a du travail pour toutes les personnes de bonne volonté.

C'était la première fois que je voyais Dawn de si près. Elle m'a paru jolie, avec ses cheveux cuivrés et ses taches de rousseur, mais elle avait des pattes-d'oie aux yeux et un âge... indéfinissable. En tout cas, beaucoup plus de dix-sept ans ! L'idée qu'elle avait des relations sexuelles avec Ben m'a donné la nausée.

— J'espérais que ton lycée s'organiserait pour nous donner un coup de main, a ajouté Dawn, mais je n'ai reçu aucune proposition jusqu'à maintenant.

— Maggie va obtenir son diplôme de fin d'études avec mention, a annoncé mon oncle. Elle pourrait peut-être organiser quelque chose à Douglas.

J'ai essayé de le faire taire :

— Je n'aurai pas de mention, oncle Marcus !

Il a haussé les sourcils.

— Non ?

— Je n'ai pas encore prévenu maman, donc...

— Mes lèvres resteront scellées !

Une femme, à côté de moi, a réclamé un *latte*, et Dawn a enregistré la commande.

— Pas grave, mon chou, m'a soufflé Dawn en rendant la monnaie à sa cliente. Tu l'auras ton diplôme, non ? C'est l'essentiel. (Elle a commencé la préparation du *latte*.) Mais si tu pouvais mettre sur pied quelque chose au lycée...

Cette idée m'a plu : je me rendrais utile sans avoir à travailler directement avec Dawn. Douglas High excellait dans les lavages de voitures et les petits déjeuners-crêpes, mais j'allais chercher une idée plus originale.

— Pourquoi pas ? ai-je répondu. J'en parlerai à des copines et à quelques profs, et on verra ce qu'on peut faire.

— Tu es un ange, m'a dit Dawn. Appelle-moi dans quelques jours pour que je sache où tu en es.

Oncle Marcus a posé une main sur mon épaule.

— Tu t'assieds deux minutes avec moi ?

— Bien sûr.

Je savais que l'histoire de mes résultats scolaires l'avait intrigué et que ça reviendrait sur le tapis, tôt ou tard.

On se dirigeait vers la table près de la baie vitrée, quand le révérend Bill est entré, et on a dû dévier un peu vers la gauche pour passer. Il n'a rien dit, nous non plus. C'était vraiment bizarre.

Oncle Marcus a levé les yeux au ciel en s'asseyant et j'ai chuchoté :

— Sara a dit à maman qu'il vient chaque jour commander une gigantesque boisson hypercalorique !

— C'est peut-être tout ce qu'il ingurgite dans la journée…

Il s'est tourné vers moi, après avoir regardé son bip.

— Tu n'es pas trop déçue par tes résultats scolaires, Mags ?

J'allais répondre, mais le révérend Bill, maigre comme un coucou, est venu se poster devant notre table sans dire un mot. Oncle Marcus lui a indiqué d'un signe de tête le troisième siège.

— Vous voulez vous joindre à nous, révérend ?

Cet homme déteste ma famille ; j'étais éberluée quand il a pris place.

— J'allais, de ce pas, parler à Pete ! Mais je pense que tu dois entendre ce que j'ai à lui dire.

Marcus avait l'air sur le point de bâiller.

— Ah oui. Et de quoi s'agit-il ?

Le révérend Bill a soulevé son gobelet et fait tourbillonner sa boisson plusieurs fois.

— Voilà. Je suis allé hier à l'hôpital de l'UNC, hier. Comme tu le sais, l'une de mes paroissiennes, Gracie Parry, est au département des brûlés, avec Keith Weston.

— Oui. Comment vont-ils ?

— Gracie sera transférée demain à New Hanover, et elle va se rétablir complètement. Mais elle aura des cicatrices sur sa… sur son torse.

J'ai pris des nouvelles de Keith avec beaucoup d'angoisse. J'adorais Sara, et je souhaitais tout le bien possible à son fils, même s'il était parfois intenable.

— Keith va mieux, grâce au ciel.

— J'en suis heureux, a dit oncle Marcus.

Le révérend Bill a bu sa boisson à petites gorgées prudentes.

— Il va mieux, mais... que de souffrances ! Ce pauvre garçon est victime de graves brûlures.

— Toujours dans le coma ? a demandé mon oncle, en fronçant les sourcils.

Les lèvres du révérend Bill ont été secouées un instant par un petit spasme nerveux.

— On l'a sorti hier matin du coma artificiel. Il peut enfin parler.

— Parler avec vous a dû lui être un réconfort.

Oncle Marcus paraissait sincère. Le révérend Bill l'a scruté, sous ses sourcils gris et broussailleux.

— A mon avis, c'est à la police qu'il devrait s'adresser.

J'ai eu l'impression qu'il narguait Marcus, comme s'il savait quelque chose que *lui* ne savait pas.

— Il faudra l'interroger, a dit mon oncle. Il vous a donné des informations au sujet de l'incendie ?

— Oui, et j'allais justement en parler à Pete.

— Crachez le morceau, révérend ! a quasiment aboyé oncle Marcus.

— Il m'a parlé de sa bagarre avec ton neveu. Ton frère, a ajouté le révérend Bill en se tournant vers moi. (Je n'étais pas sûre, jusque-là, qu'il m'ait reconnue.) Il paraît que, peu de temps avant la bagarre, il a regardé par la fenêtre, et il a vu Andy sortir de l'église.

J'ai protesté :

— Impossible, c'était un *lock-in* !

— Laissez-moi terminer, miss Lockwood.

Ce type était vraiment odieux...

— On vous écoute, a dit oncle Marcus.

— Keith est un enfant bien malade, sur un lit d'hôpital. Je ne vois pas pourquoi il mentirait.

— Qu'a-t-il dit ensuite ? s'est impatienté mon oncle.

— Sur le moment, ça ne l'a pas intrigué, puisque ton neveu a des comportements bizarres. Mais quand l'incendie a éclaté, il s'est demandé si Andy y était pour quelque chose. L'incendie a pris à l'extérieur...

— Qu'est-ce que c'est que cette histoire de fenêtre ? On ne peut pas voir à travers les vitraux d'une église.

— Je n'ai pas fait passer d'interrogatoire à Keith. J'étais là uniquement pour le réconforter, mais comme il m'a donné spontanément cette information, je crois utile de la transmettre aux inspecteurs. Je laisserai un message à Pete et Flip Cates, au cas où tu n'aurais pas l'intention de les mettre au courant.

— Je vous en prie, révérend ! Non seulement je transmettrai cette information, mais je ferai en sorte que nous parlions nous aussi à Keith dès aujourd'hui.

— J'estime que tu n'as pas à t'en mêler. Tu n'es pas sans parti pris, si ?

— Ça ne devrait pas poser de problème.

Le révérend Bill a reculé sa chaise et s'est levé. A peine était-il sorti qu'oncle Marcus l'a imité.

— Le temps presse, petite. (Il m'a embrassée sur la joue.) Ne t'inquiète pas au sujet de ces racontars. Je suis sûr que ce n'est pas sérieux.

Je l'ai regardé partir en pensant à Keith. Il avait eu le visage et les bras brûlés. J'imaginais sa souffrance... Enfant, j'avais touché le rebord d'une poêle chaude et je m'étais légèrement brûlée. Ma mère avait cueilli une feuille d'un petit aloès qu'elle gardait au bord de la fenêtre et elle l'avait frottée contre ma main, mais j'avais tout de même pleuré. Comment peut-on supporter une telle douleur sur une grande surface du corps ? J'ai eu les larmes aux yeux en pensant à ce qu'il endurait. Comme je ne voulais pas pleurer en public – surtout en présence de Dawn – je me suis levée pour partir. Même dehors, l'image de Keith a continué à m'obséder.

Pourquoi aurait-il menti en affirmant qu'Andy était sorti ?

Et pourquoi Andy serait-il sorti ? Je n'y croyais pas, car mon frère savait le principe d'un *lock-in*. Je craignais pourtant que Keith ne lui attire des ennuis en racontant des mensonges à son sujet… mais le pire serait qu'il dise la vérité.

19

Marcus

Dieu qu'il faisait chaud dans la chambre d'hôpital de Keith !

J'avais roulé trois heures durant, vitres baissées, depuis Chapel Hill ; histoire de faire provision d'air, car je savais ce qui m'attendait. L'odeur d'eau de Javel et de chair meurtrie m'a terrassé quand je suis entré dans le centre des brûlés. Mais j'avais oublié la chaleur : au moins trente-deux degrés dans la chambre.

Keith dormait. Ses mains et ses bras, emmaillotés dans d'énormes pansements, reposaient sur le drap. Du pansement de sa main gauche surgissaient cinq épingles de sûreté. Une gaze épaisse recouvrait le côté gauche de son visage, mais le droit paraissait presque indemne – comme s'il était simplement resté exposé trop longtemps au soleil. Un tuyau courait sous les couvertures, probablement relié à une perfusion au niveau du torse.

J'ai tiré une chaise près de son lit, puis j'ai respiré avec ma bouche. Et je suis resté assis, sans un mot, tant que je n'ai pas été certain de pouvoir parler d'une voix normale.

— Keith, ai-je soufflé en me penchant.

Rien. J'allais recommencer, quand il a émis une sorte de chuintement. Sa paupière droite s'est soulevée lentement et il a tourné la tête vers moi, avec un tressaillement.

— *Vous !*

Moi, quoi ? Qu'ai-je perçu alors ? Du dégoût ? De la déception ? N'étais-je pas en train de projeter sur ce garçon mes propres sentiments ? Combien de fois m'étais-je demandé : *Et si nous étions arrivés une minute plus tôt ? Si nous avions eu un pompier de plus ?* Mais y aurait-il eu une différence ?

— Comment te sens-tu ?

— Merdique. Ça s'voit pas ?

— Désolé... Je sais que tu souffres, mais je suis heureux que tu sois réveillé et capable de parler.

Il a fermé les yeux.

— Le révérend Bill m'a dit que tu te rappelles certaines choses au sujet de la nuit de l'incendie. Si tu en as la force, j'aimerais que tu me racontes tout ça.

Il a remué un peu dans son lit et grommelé :

— Je suis pas sûr que ça vous ferait plaisir !

— Pourquoi ?

— A cause de votre neveu. C'est lui qui a provoqué l'incendie.

— Quelle preuve en as-tu ?

— Il a marché... autour de l'église... juste avant que ça commence.

— Keith ? (J'ai rapproché ma chaise jusqu'au point où mes genoux ont touché le lit.) Essaie de rester éveillé encore quelques minutes, d'accord ?

Pas de réponse. J'ai insisté :

— Si je comprends bien, tu étais en train de te bagarrer avec mon neveu juste avant le début de l'incendie – ce qui placerait Andy à l'intérieur de l'église, dans les moments qui précèdent l'événement.

Il a battu des paupières.

— Ça *plaçerait* Andy ? Les enquêteurs parlent ce langage ?

— Tu es en colère, et tu en as bien le droit après ce qui t'est arrivé.

— Pourquoi *moi* ? Bordel, pourquoi *moi* ? a marmonné Keith, les yeux noyés de larmes.

J'ai pris un mouchoir en papier dans une boîte sur la table de nuit et je lui ai épongé la joue.

— Ça doit te paraître horriblement injuste.

Que savait-il du sort des autres gamins ? Je n'étais pas censé lui dire qu'il avait eu le privilège de survivre à l'incendie.

Il a grommelé :

— J'ai vu Andy dehors, juste avant la bagarre, qui a commencé parce qu'il avait abordé Layla.

Il a reniflé et esquissé un geste pour s'essuyer le nez, en rassemblant ses idées.

— Merde, j'peux rien faire tout seul.

J'ai voulu le moucher, mais il a détourné la tête.

— Non, laissez-moi tranquille !

J'ai déposé le mouchoir sur ma cuisse.

— Où étais-tu quand tu l'as vu dehors ?

— A l'intérieur.

— Dans quelle partie de l'église ?

— Près de la fenêtre.

— Quelle fenêtre, Keith ?

Il a hésité.

— Dans cette espèce de bureau, au fond. (Il a tressailli, les épaules voûtées.) J'ai regardé par la fenêtre et je l'ai vu.

Je me suis souvenu de la pièce dont il parlait. Une petite pièce où, par exemple, les mariées allaient se pomponner. Elle avait, si ma mémoire était exacte, une ou deux fenêtres avec un vitrage normal.

De la morve coulait maintenant en direction de ses lèvres ; quand je lui ai essuyé le nez, il ne m'a pas repoussé.

— Que faisais-tu là, Keith ?

— Quelle importance ? a-t-il maugréé, comme s'il s'attendait à cette question. Je traînais, c'est tout.

Sans insister davantage, j'ai continué à le questionner.

— Tu étais seul ?

— Oui.

— Il devait faire nuit, je suppose.

— C'était peut-être la lune... En tout cas, il y avait assez de lumière pour que je reconnaisse Andy.

— Que faisait-il ?

Keith a passé sa langue sur ses lèvres, qui m'ont paru sèches et craquelées.

— Veux-tu une gorgée d'eau ?

Il a hoché la tête et fermé l'œil. Ce n'était pas le moment qu'il se rendorme !

— Keith ?

— Il marchait le long de l'église, et il regardait... comme à la jonction du sol et du mur.

— Tu as pu voir ça ?

Il a ouvert un œil pour me décocher un regard.

— C'est la vérité vraie !

— Il tenait quelque chose dans ses mains ?

— Aucun souvenir.

— Il pourrait s'agir d'un garçon qui ressemblait à Andy ?

En voulant rire, Keith s'est mis à tousser. Je lui ai tendu la tasse en plastique et il a aspiré une gorgée d'eau avec la paille.

— Il y a un seul et unique Andy Lockwood. (Il a refermé son œil.) Et c'est bien suffisant !

Je l'ai laissé se rendormir. Pourquoi l'écouter plus longtemps ? D'ailleurs, je n'aurais pas dû être là.

Une fois dans le hall de l'hôpital, j'ai appelé Flip Cates.

— Flip, ici Marcus. Je me retire de l'enquête.

— Ravi de l'apprendre ; j'étais justement sur le point de te le demander moi-même.

— Tu as parlé au révérend Bill ?

— Oui.

— Je ne crois pas à la responsabilité d'Andy, mais tant que son nom est cité, il vaut mieux que je...

— Ce n'est pas tout.

— Quoi ?

— Une femme a appelé la permanence téléphonique hier soir. Elle est passée en voiture près de l'église, la nuit de l'incendie, pour aller à Topsail Beach, et elle a vu un garçon marcher le long de l'édifice.

— A quelle heure ? A-t-elle donné une description ?

— Elle est restée vague au sujet de l'heure : entre huit et neuf heures du soir. Il faisait sombre, mais elle pense que c'était un ado ou un préado, aux cheveux noirs ou bruns.

— Elle vous a donné son nom ? Et pourquoi appelle-t-elle seulement maintenant ?

— Nous avons son nom. Elle louait une villa le week-end de l'incendie et elle est repartie dimanche matin à Winston-Salem. Elle n'avait pas réalisé le lien entre ce qu'elle a vu et l'incendie, jusqu'au moment où elle a entendu le numéro de la permanence téléphonique aux nouvelles locales.

Je me suis frotté la nuque avec la sensation qu'un nœud se resserrait tout autour.

— Nous allons demander à Laurel de nous laisser fouiller la chambre d'Andy, a conclu Flip.

S'il avait été question d'un autre gosse, je n'aurais pas été surpris ; mais, s'agissant d'Andy, une telle mesure me semblait excessive.

— Bien, ai-je articulé au bout d'une minute. Pense à me tenir au courant !

20

Andy

J'étais une *célébrité* à l'école, aujourd'hui. (C'est le mot qu'a employé Mlle Betts.) On a montré dans chaque classe le *Today Show* et tout le monde m'a vu. Mon ami Darcy m'a trouvé génial. Un garçon que je ne connais pas bien a dit : « Si ça continue on verra ta sale tronche sur la couverture de *People.* » C'est le seul qui m'ait dit une méchanceté, et ça m'était égal. Mais est-ce que ça se pourrait que je sois sur la couverture de *People* ?

Mlle Betts m'a demandé de raconter devant toute la classe comment c'était de passer à la télé. *Ne te vante pas !* Je me répétais tout le temps dans ma tête : *Surtout, ne te vante pas !*

Après l'école, j'attendais sur le banc, à l'arrêt du bus, quand mon ami Max est arrivé. On est dans la même classe, pourtant il mesure plusieurs centimètres de plus que moi.

— Salut, Andy, il m'a lancé, j'ai entendu parler de ton briquet. C'est nul.

— Ouais. Si tu prends l'avion, pas de briquet dans ta chaussette !

— Je m'en souviendrai. T'as des clous de cercueil ?

— Bien sûr !

J'ai posé mon sac à dos sur le banc et j'ai ouvert la fermeture éclair secrète pour trouver mes cigarettes. C'est drôle que Max les appelle des « clous de cercueil ». Quand on fume la première, on tousse beaucoup, mais... pourquoi des clous ?

J'ai trouvé mon paquet et je lui ai donné une cigarette. J'en ai pris une pour moi aussi ; il les a allumées avec un chouette briquet vert.

— T'es à la chasse d'un nouveau briquet ?

« A la chasse » m'a paru bizarre, mais j'ai compris ce qu'il voulait dire et j'ai répondu :

— Tu veux faire un échange ?

Max et moi, on s'échange beaucoup de choses. C'est par lui que j'ai eu mon ancien briquet. Et, une autre fois, un stylo avec de l'eau et une fille en maillot de bain. Quand on retournait le stylo pour lui enlever son maillot, elle était nue. Un jour après, Max a voulu récupérer son stylo. Il me l'a échangé contre un paquet entier de cigarettes !

— Tu peux avoir ce briquet pour cinq dollars, il m'a dit.

— J'ai pas cinq dollars. Je te l'échange contre le reste de mon paquet de clous de cercueil.

— Y en a plus que quatre, mon salaud. T'as pas autre chose dans ton sac ?

J'ai sorti mes trois livres, mon inhalateur, mon iPod, deux chewing-gums, une voiture Matchbox.

— Pourquoi t'as une Matchbox de débile ?

— Je sais pas.

Pour de vrai, je savais pas. Ces voitures sont pour les petits enfants.

Au fond de mon sac, j'ai aperçu quelque chose.

— Regarde, Max.

Je lui ai montré une photo qu'une fille, qui s'appelle Angie, m'avait envoyée. Il la trouverait sûrement pas débile.

— *Mamma mia !*

Max s'est passé la langue sur les lèvres. On aurait dit qu'il voulait manger la photo d'Angie.

— C'est ma préférée. J'en ai quatre.

— C'est qui ?

— Mon amie, Angie.

— Ton amie, Angie, a des nichons fabuleux !

Sur la photo, Angie était à califourchon sur une moto, avec un short et une chemise qui laissait voir une grande partie de ses nichons. Les nichons sont les seins. Un jour, j'ai dit : « Emily n'a presque pas de nichons », et maman m'a crié de ne jamais appeler les seins des « nichons ». Mais avec Max, je n'ai pas à me gêner.

— Je t'échange mon briquet contre cette photo, il m'a dit.

J'ai longtemps réfléchi, parce que la photo d'Angie allait beaucoup me manquer. Mais elle était un peu froissée, à force d'être dans mon sac à dos. Le briquet lui était tout neuf !

On a fait l'échange et j'ai dû cacher ce chouette briquet vert dans la poche secrète de mon sac à dos, avec une fermeture éclair – là où sont mes clous de cercueil. Je n'aime pas cacher des choses à maman, mais quelquefois je n'ai pas le choix.

Le bus est arrivé. Je suis monté, pas Max ; il en prend un autre. Je lui ai fait un signe de la main, mais il était déjà en train de regarder la photo d'Angie et il ne m'a pas vu. Tout à coup, j'ai regretté cette photo d'Angie, mais j'en trouverai sans doute une autre, dans mon courrier, en rentrant à la maison. Ensuite, maman ou Angie pourrait m'emmener au magasin.

Je voulais savoir si on me voyait sur la couverture de *People*.

21

Laurel

De la véranda de notre maison, j'apercevais les lumières sur le continent, de l'autre côté du bras de mer. C'était la première nuit assez chaude pour que je puisse sortir sans pull ; j'ai respiré avec plaisir l'odeur saline de l'air, en m'asseyant sur la vieille balancelle, les pieds sur la balustrade. Maggie était allée étudier chez Amber Donnelly, et j'avais réussi à calmer Andy, qui s'était endormi. J'avais enfin une minute à moi.

Au cours de cette première journée depuis le *Today Show*, j'avais dû le reprendre en main. Il ne devait surtout pas se vanter de son héroïsme et de sa soudaine célébrité ! Je commençais à me demander si son apparition à la télévision était vraiment une bonne chose pour lui. Le courrier du matin l'avait inondé de plusieurs dizaines de nouvelles cartes postales et lettres de tout le continent américain, et je savais qu'il était également submergé de mails. Pour un garçon habitué à être traité avec sympathie, curiosité, ou méfiance, un tel excès d'attention était un peu trop grisant.

J'ai entendu une portière claquer : le son résonnait à travers l'eau. Après m'être levée, j'ai regardé au coin de la maison et j'ai aperçu l'arrière d'une camionnette dans mon allée. Marcus ?

On a sonné à la porte au moment où je rentrais. J'ai ouvert. Il se tenait sur la véranda.

— Tout va bien, Marcus ?

Je n'avais pas l'habitude de le voir apparaître à l'improviste et j'ai tout de suite pensé à Maggie, le seul membre de ma petite famille à ne pas être à la maison.

— Oui, globalement. (Une ombre d'inquiétude a voilé son sourire.) Je voulais juste te parler d'une ou deux choses. Je peux entrer ?

— Que signifie « oui, globalement » ? ai-je demandé en me dirigeant vers le séjour.

— Allons plutôt sur la véranda ; la nuit est splendide !

Je suis repartie en direction de la véranda.

— Veux-tu un thé glacé ?

— Je n'ai besoin de rien.

J'ai repris place sur la balancelle, sans retrouver ma sérénité. Quand étais-je restée seule avec Marcus pour la dernière fois ? Il venait fréquemment voir Maggie et Andy, car j'avais décidé depuis longtemps que, en dépit du passé, je ne ferais pas obstacle à sa relation avec mes enfants. Je savais qu'il les aimait, et les principes que je lui imposais étaient simples : toujours m'informer de l'endroit où il les emmenait et de l'heure de leur retour ; ne jamais prendre un bateau, quel qu'il soit, avec eux. Il leur rendait donc visite, pas à moi.

Mes bras se sont croisés mécaniquement sur ma poitrine, d'un geste embarrassé, tandis qu'il s'asseyait sur le vieux rocking-chair en osier.

— Je voulais t'annoncer que je ne participe plus à l'enquête.

— A cause de la présence d'Andy ? ai-je demandé, surprise qu'il soit venu uniquement pour m'annoncer cette nouvelle.

— Non... Une rumeur circule en ce moment, et j'espère que ça en restera là, mais...

Je le sentais gêné, et ce n'était pas seulement le fait d'être en tête à tête avec moi.

— Mais quoi ?

— Nous avons eu des témoignages selon lesquels Andy serait sorti de l'église peu de temps avant l'incendie.

— Et alors ? ai-je demandé, sans comprendre son arrière-pensée.

— Tout cela est confidentiel, tu sais. Je ne devrais pas t'en parler, mais je ne veux pas que tu sois prise de court.

— Par quoi ?

— Aujourd'hui, je suis allé à Chapel Hill et j'ai parlé à Keith Weston...

Cela sonnait comme une bonne nouvelle à mes oreilles.

— On l'a sorti du coma ?

— Oui, et le révérend Bill lui a rendu visite. Keith lui a raconté qu'il a vu Andy *dehors*, peu de temps avant que le feu se déclare. Je suis donc allé lui rendre visite à mon tour ; il m'a affirmé la même chose.

— Qu'aurait-il fait dehors ?

— Aucune idée. Mais il y a aussi le témoignage d'une femme qui a appelé la permanence téléphonique : elle aurait vu, ce soir-là, un garçon de petite taille, à l'extérieur de l'église. D'autre part, Emily Carmichael prétend qu'Andy a disparu un moment avant l'incendie. Et puis il y a ce briquet qu'il a caché dans sa chaussette....

— Marcus, tu n'imagines pas sérieusement qu'Andy a un rapport quelconque avec l'incendie !

— Non, mais personne d'autre n'a été vu dehors. Il faut donc le mettre hors de cause.

— Eh bien, ai-je insisté, plus contrariée qu'inquiète, supposons qu'il s'agissait d'Andy. Où aurait-il pris l'essence, ou je ne sais quel combustible ? Et comment aurait-il transporté celui-ci jusqu'à l'église ?

— Ça paraît invraisemblable, et je suis navré qu'on le mêle à cette histoire, mais je tenais à être le premier à t'en avertir. Nous devons, ou plutôt ils doivent envisager toutes les hypothèses.

Gagnée par la panique, je me suis agrippée au coussin de mon siège.

— Je suis outrée que tu marches dans cette combine, Marcus, et que tu aies pu croire, ne serait-ce qu'une seconde, une chose pareille ! Qu'attends-tu pour prier les responsables de l'enquête de laisser Andy en paix ?

Comme Marcus ne répondait pas, j'ai ajouté :

— Keith est un fauteur de troubles. Il fume et il a fait des choses dont tu n'as pas idée.

— Si, je sais.

— L'absentéisme scolaire, la marijuana ? Tu es au courant ?

— Il arrive que Sara me parle !

Mon sursaut de jalousie m'a surprise. Sara était ma meilleure amie... Pourquoi ignorais-je qu'elle se confiait à Marcus ? Et pourquoi ignorais-je aussi que Marcus prenait la peine de lui parler de Keith ?

— Et si Keith avait déclenché l'incendie ? ai-je suggéré. Une bonne raison de rejeter sa faute sur quelqu'un d'autre... Un innocent, qui n'aurait pas les moyens de se défendre !

— On va l'interroger, mais, franchement, pourquoi se serait-il laissé piéger par un incendie qu'il a lui-même provoqué ?

— Et pourquoi Andy se serait-il laissé piéger lui ?
— Il a réussi à s'échapper, non ?
— Oui, de justesse !
— A moins qu'il n'ait voulu passer pour un héros. Il était le seul, semble-t-il, à connaître une issue possible.
— Marcus !
Il a levé les mains, comme pour parer un coup.
— Je me fais l'avocat du diable, Laurel. Je cherche à me mettre dans la peau des enquêteurs.
— Dont tu fais encore partie.
— Salut, oncle Marcus.
La voix d'Andy m'a rappelée à l'ordre et mon expression furieuse s'est aussitôt adoucie. Il était debout, en pyjama, sur le seuil entre le salon et la véranda. Ses yeux papillotaient de sommeil.
Marcus s'est levé et a serré Andy dans ses bras. J'ai pensé : *Judas* !
— Tu te disputes avec maman ?
— Nous avons une discussion animée. Ça ne t'arrive jamais à toi ?
Au moins, Marcus avait gardé sa voix. La mienne semblait coincée quelque part au fond de ma gorge.
— Si. Ça m'arrive, a dit Andy en souriant.
— Va te recoucher, chéri, ai-je articulé avec peine.
Marcus a posé une main sur l'épaule d'Andy.
— Je l'emmène. Allons, viens, Andy.
J'ai songé à le retenir, de peur que Marcus ne prononce des paroles inquiétantes pour mon fils, mais je suis restée figée dans ma balancelle. De toute façon, mon beau-frère n'avait pas plus envie que moi de perturber Andy.
J'ai entendu leurs pas dans l'escalier, à l'intérieur de la maison.
Quand l'inspecteur avait interrogé Andy à l'hôpital, mon intervention en tant que pseudo-traductrice avait

été nécessaire. Si on s'adressait encore à lui, je devais absolument être présente, car il risquait d'être questionné par des individus non pas plus intelligents que lui, mais beaucoup plus capables de raisonner et d'extrapoler. Des gens avec des préjugés ! Une chose à éviter à tout prix.

Quand Marcus a été de retour, j'ai été surprise qu'il vienne s'asseoir à côté de moi. Il m'a serrée dans ses bras, et, pendant un moment, je n'ai pas eu la force de me dégager. Pendant un *petit* moment.

— Marcus, je t'en prie !

Après avoir relâché son étreinte, il s'est penché en soupirant, les coudes sur les genoux.

— Je sais qu'Andy est innocent et que la vérité finira par triompher, mais des tas de gens ne le connaissent pas. Ils n'ont pas la même perception que toi et moi quand nous le regardons. Ils le prennent pour un gamin perturbé, qui cherche désespérément à se faire accepter... et à passer pour un héros.

— C'est absurde !

Je me sentais encore émue par cette soudaine étreinte. Je venais de retrouver l'odeur de Marcus, que j'associerais toujours à celle du désir, de la mer, et de la trahison.

— Je m'en vais, m'a-t-il déclaré en se levant. Ne bouge pas, je connais le chemin.

Pourtant, il ne s'est pas dirigé vers la porte. Les mains dans les poches, il a tourné son regard vers les eaux sombres du bras de mer et les lumières du continent. Il voulait m'en dire plus, et j'ai deviné qu'un véritable combat se livrait dans son esprit.

— Oui ? ai-je murmuré.

Il a baissé les yeux vers moi et chuchoté :

— Ils ont l'intention de perquisitionner la chambre d'Andy. Trouve-toi un avocat, Laurel.

22

Marcus

A mon retour de chez Laurel, je me suis fait un Coca-cacahouètes, avant de monter sur le toit de ma tour pour réfléchir. Il y a là-haut quelques vieux transats, mais je préfère m'installer au bord du toit, les pieds dans le vide. Certaines femmes que j'ai fréquentées refusaient de s'asseoir au bord avec moi ; l'une d'elles avait tellement le vertige qu'elle a même refusé de s'asseoir dans un transat : « Tu es cinglé de ne même pas fixer une rampe là-haut », m'a-t-elle dit. Je ne l'ai plus jamais rappelée.

Une fois, Laurel et Jamie s'étaient assis là-haut en ma compagnie. C'était par une chaude soirée d'été, et je faisais encore des rénovations. J'avais dû téléphoner à Jamie pour lui dire que j'étais beurré. Ils ont pris aussitôt une baby-sitter et sont arrivés avec un saladier de crevettes et une bouteille de cidre pétillant. On est restés au moins une heure au bord du toit à bavarder, manger, et jeter les queues de crevettes dans le patio en dessous, où je les ai balayées le lendemain matin. Laurel se sentait peut-être gênée d'être entre Jamie et moi, mais le fait d'être au bord du toit ne l'a pas troublée le moins du monde.

J'ai secoué la tête en pensant à elle. Ma parole, j'avais transgressé un certain nombre de mes principes moraux pendant cette journée ! J'avais pris sur moi d'aller parler à Keith le premier, et j'avais prévenu Laurel de la perquisition. Mais elle devait savoir que cette affaire devenait sérieuse ! Je l'imaginais, après mon départ, allant dans la chambre d'Andy le voir dormir. Peut-être avait-il un petit sourire aux lèvres, comme je l'avais remarqué une fois ou deux.

Laurel, telle que je me la représentais, tendait la main pour remonter les couvertures sur les épaules d'Andy. Je chérissais ces deux êtres du fond du cœur, et j'aurais voulu les protéger des menaces que leur réservait l'avenir.

23

Laurel

1990

J'ai dormi plusieurs jours d'affilée après le départ de Jamie et Maggie. Je n'aurais pu dire que ma solitude me comblait, car rien ne me comblait, mais, en l'absence de Jamie, je pouvais rester au lit toute la journée sans vergogne, si je le souhaitais. Et, en l'absence de Maggie, je n'avais plus à sentir son aversion, à l'entendre crier, à craindre de lui plonger un couteau dans le cœur ou de la jeter à la mer. Je n'avais plus à ressentir le découragement de Jamie. Donc, sans être heureuse pour autant, j'éprouvais un certain apaisement dans cette nouvelle situation.

Mais au bout de trois ou quatre jours, j'ai trouvé, à mon réveil, Marcus au pied de mon lit, sa silhouette se détachant sur le ciel nocturne. Il avait les bras croisés, et, abrutie par le sommeil, je n'ai même pas été surprise de le voir là.

— Je suis chargé de veiller sur toi, m'a-t-il dit. De m'assurer que tu manges, et tout et tout. Es-tu sortie de ton lit depuis leur départ ?

Après réflexion :

— Je suis allée aux toilettes.

— Tu as mangé ?

J'avais bu de l'eau et du jus de pomme, mais je n'avais le souvenir d'aucune nourriture solide.

— Pas vraiment.

— Lève-toi et viens chez moi ! J'ai ramassé quelques crevettes et préparé un peu de semoule de maïs. Tu te sentiras mieux si tu avales quelque chose.

— Non, merci.

Je trouvais beaucoup plus simple de replonger sous mes couvertures.

— Sais-tu que ça empeste dans cette chambre et dans toute la maison ?

J'ai ricané :

— Parce que toi, tu passes l'aspirateur chaque jour ?

Marcus vivait à Talos en célibataire irresponsable et alcoolique.

— Au moins, chez moi ça ne pue pas.

Je me suis souvenue de l'odeur de bière rancie et de cigarettes qui m'avait prise à la gorge la dernière fois que je lui avais rendu visite, mais je n'avais pas la force de discuter.

— Va-t'en, Marcus.

J'ai roulé sur le côté, en cachant ma tête sous l'oreiller.

Sans attendre une seconde de plus, il a tiré sur les couvertures, et m'a entraînée, en tee-shirt et culotte, vers la salle de bains.

— Je parie que tu dors depuis plusieurs jours dans les mêmes vêtements !

Je ne me suis pas débattue quand il m'a poussée, tout habillée, dans la cabine de douche. Il a tourné le robinet et j'ai hurlé en sentant l'eau froide gicler sur ma peau. Adossé à la porte de la cabine, il m'empêchait de l'ouvrir.

— Je vais attraper une pneumonie !

— Ça va se réchauffer.
— Marcus, salaud !
Je me suis blottie dans un coin pour éviter le jet froid.
— As-tu au moins du shampooing là-dedans ? Du savon ?
J'ai regardé dans la petite cavité du mur carrelé.
— Oui.
— L'eau se réchauffe ?
J'ai penché ma tête sous le jet d'eau et elle s'est mise à tambouriner sur mon crâne.
— Oui.
— Tu as des serviettes propres ? Celle qui est ici a l'air moisie.
— Dans le placard.
La porte du placard s'est ouverte en grinçant.
— J'en pose une sur le panier à linge et je t'attends dans le salon.
Quand je suis sortie de la salle de bains, enveloppée dans une serviette propre, il défaisait le lit. Il m'a fourré les draps dans les bras.
— Ils sont infects.
— Tais-toi, je t'en prie !
Drapée dans la serviette, je me suis adossée au mur.
— Je mets une lessive en route et je te retrouve chez moi. Si tu n'es pas là dans vingt minutes, Laurel, je viens te chercher.
Les yeux fermés, j'ai attendu qu'il parte. Je l'ai entendu sortir par la porte principale, et descendre l'escalier jusqu'à la buanderie, au niveau de la plage. J'ai tiré les rideaux devant la mer en train de s'assombrir et j'ai fini par m'habiller.
J'ai supposé que si Jamie avait prié son frère de veiller sur moi, c'était une façon comme une autre de lui fournir un travail d'appoint. Marcus était passé me voir un jour à la maison, peu de temps avant que

Jamie reparte avec Maggie, et les deux hommes s'étaient violemment affrontés une fois de plus.

— Trouve du travail ! avait crié Jamie. Tu passes ton temps à surfer, à sortir, à baiser et à boire !

Marcus était la seule personne avec qui j'avais entendu Jamie élever la voix. Dans mon lit, j'avais tiré l'oreiller sur ma tête, mais je pouvais tout de même l'entendre.

— Je n'ai pas besoin de travailler, avait répliqué Marcus. Toi non plus ! On est riches, ne l'oublie pas.

— On ne nous a pas élevés comme des fainéants.

— Soyons clairs, frangin. On n'a pas été élevés de la même manière.

— Tu vis des revenus des propriétés familiales. Tu ne pourrais pas trouver quelques heures par semaine pour faire des réparations et des travaux de maintenance ?

— Tu exiges que je sois totalement sobre au travail ?

— Totalement !

— Ça ne m'intéresse pas, a tranché Marcus.

La montée des marches, devant Talos, m'a littéralement épuisée. Je manquais d'énergie et mes muscles avaient perdu leur tonicité. J'ai ouvert sans frapper, et je l'ai vu aux fourneaux, une spatule en main.

— Beaucoup mieux ! a-t-il lancé en m'observant de la tête aux pieds, avec cette mimique irrésistible qui me fascinait quand il avait seize ans. Et, en plus, tu souris presque.

— Vraiment ?

Je croyais pourtant que les muscles de mon visage avaient oublié ce réflexe.

Une forte odeur de crevettes emplissait la cuisine. Il m'a indiqué un tabouret au bar.

— Tu ferais bien de t'asseoir avant de t'écrouler. Que veux-tu boire ?

Il y avait devant lui une bouteille de bière bien entamée, et plusieurs autres traînaient sur le comptoir.

— Un jus de fruits, si tu en as.

Je me suis juchée sur le tabouret, les coudes sur le plan de travail, tandis qu'il ouvrait le réfrigérateur.

— Pas de jus de fruits. Une bière ?

— Hum. Tu aurais du vin ?

— Non, mais j'ai un panaché que j'offre aux dames.

— Je préfère de l'eau.

Il a ouvert la bouteille.

— Essaie quand même mon panaché, tu vas aimer.

J'ai bu une gorgée du mélange vin-jus de fruits, sans en percevoir le goût. Alors que mon sens de l'odorat était exacerbé, j'avais perdu celui du goût ; mais cette boisson était fraîche et désaltérante. Elle me conviendrait.

Marcus a posé devant moi une assiette de semoule de maïs, avec des crevettes et du fromage – des choses que j'aimais, ou plutôt que j'avais aimées en d'autres temps. Avant Maggie ! Depuis, j'avais perdu tout appétit, comme si mon estomac devenait concave. Chaque matin, à mon réveil, j'apercevais le relief de mes hanches, comme des petites montagnes sous les couvertures.

— Ça a l'air délicieux, Marcus. Seulement, je n'ai pas faim.

Il a encerclé ma main de son poignet.

— Ma fille, tu es en train de fondre. Mange autant que tu pourras !

Quand Jamie ou Sara me tenaient ce discours, je restais de marbre, mais j'étais touchée que Marcus ait cuisiné pour moi. Le frère indigne... Pour ne pas le vexer, j'ai pris une fourchette de semoule et j'en ai avalé une bouchée. De la mousse de polystyrène ou presque ; mais j'ai réussi à absorber la moitié de ma part. Depuis des mois, je n'avais pas mangé autant.

— Reste un moment, on va glander un peu, m'a-t-il proposé ensuite. J'ai quelques films... Toute seule chez toi, tu dois finir par t'ennuyer.

Je n'ai pas osé lui dire que j'appréciais ma solitude et que je me sentais bien, loin de mon mari et de mon enfant. Il m'aurait trouvée monstrueuse.

En me levant, je titubais un peu, mais ce n'était pas désagréable. J'ai emporté un autre panaché avec moi dans le séjour. Nous buvions rarement, Jamie et moi, et depuis le départ de Marcus, il n'y avait plus une goutte d'alcool à la maison.

Il s'est agenouillé devant le magnétoscope, deux cassettes en main.

— Tu préfères *Quand Harry rencontre Sally* ou *Né un 4 juillet* ?

— Je ne sais rien de ces deux films. Mets le plus léger des deux.

Il a opté pour le premier, puis s'est assis à l'autre bout du canapé. Après avoir envoyé promener nos chaussures, nous avons posé les pieds sur sa table basse en bois massif. Comme j'avais oublié de mettre des chaussettes, j'ai eu froid. Il m'a prêté une paire des siennes ; elles étaient trop grandes et mes orteils flottaient dedans.

Affalée sur le canapé, j'ai été prise sous le charme du film, qui m'a fait pouffer de rire. Quand avais-je ri pour la dernière fois ? Juste après le moment où Meg Ryan simule un orgasme au restaurant, Marcus a dit qu'il avait encore faim, et nous avons interrompu le film pour nous faire du pop-corn au micro-ondes.

Marcus a posé le saladier de pop-corn sur la table basse et m'a tendu un autre panaché.

— Alors, Laurel, que penses-tu du message de ce film ?

J'ai pouffé de rire une fois de plus.

— Il y a un message ?

— Une amitié entre hommes et femmes est-elle possible... sans que la sexualité intervienne ?

— Bien sûr ! Nous sommes amis, toi et moi.

— C'est différent, puisque nous sommes beau-frère et belle-sœur.

— Ça me paraît tout de même possible.

J'ai pris une poignée de pop-corn. Toujours du polystyrène, mais je l'ai avalé sans peine grâce au panaché. L'image de Meg Ryan simulant l'orgasme s'est insinuée dans mon esprit.

— A propos d'orgasmes, ai-je lancé, j'ai eu mon premier quand j'étais sur la moto de Jamie.

Marcus a ouvert de grands yeux.

— Sans blague ? Je croyais que c'était un mythe.

— Absolument pas ! La quatrième vitesse a un pouvoir...

— Tu es ivre, a constaté Marcus en riant.

— Non !

En fait, j'avais conscience de l'être et je m'en réjouissais.

Si ! Mais j'aime bien te voir ivre. Tu n'avais pas semblé aussi heureuse depuis longtemps.

Je me suis penchée pour reprendre une poignée de pop-corn, mais j'ai raté le saladier de quelques centimètres. Il a valsé sous mes yeux. Deuxième essai. Quand j'ai remué la tête, la pièce s'est mise à tourner. J'ai eu alors la nausée, et j'ai vomi.

— Oh, bon Dieu !

Il a bondi comme un ressort, et, la tête entre mes mains, j'ai regardé d'un air incrédule la mare de semoule de maïs, de crevettes mastiquées et de panaché, sur sa table basse.

— Je te demande pardon !

Marcus a foncé dans la cuisine.

— C'est ma faute. Je t'ai laissée beaucoup trop boire.

Sur le point de vomir à nouveau, je me suis levée, mais je suis retombée au bord du canapé. Marcus est apparu dans mon champ visuel : un rouleau de papier essuie-tout dans une main, il m'a attrapée par le bras de l'autre.

— A la salle de bains ! a-t-il dit en me traînant à moitié.

J'ai eu juste le temps d'arriver. Il maintenait mes cheveux en arrière pendant que je rendais tripes et boyaux. Quand j'ai pu enfin m'asseoir sur le carrelage, le dos contre la porte de la douche, il a nettoyé mon visage avec un linge humide.

— Désolée d'avoir sali ton salon !

— Je m'en occupe. Reste ici.

J'aurais voulu lui proposer mon aide, mais je n'ai pas eu la force d'articuler un traître mot.

Après avoir dormi – ou avoir perdu conscience ? – un moment, je me suis retrouvée dans un lit inconnu, dans une chambre inconnue. Sous la porte fermée, j'ai aperçu un rai de lumière.

Je me suis assise, la tête lourde, et j'ai appelé Marcus.

La porte s'est ouverte, et j'ai sursauté face à la lumière. Il est entré dans la chambre et s'est assis sur le lit.

— Comment te sens-tu ?

— Tu as dû me porter ici ? Dans ton lit ?

— C'est la chambre d'amis. Tu sais bien que ma chambre est à l'avant de la maison ! Et je ne t'ai pas tout à fait portée.

— Quelle heure est-il ?

— Deux heures du matin.

— Pourquoi es-tu encore debout ?

— J'avais peur que tu ne meures sous mes yeux, Laurel ! Je me suis engagé à te faire manger, mais Jamie ne m'avait pas demandé de te faire boire. (Il a tapoté mes jambes à travers les couvertures.) Tu ne supportes pas l'alcool, petite.

— Je me sentais euphorique jusqu'au moment où… j'ai été malade.

— Oui, c'était drôle au début.

— J'ai vraiment honte.

Une fois de plus, je me suis surprise en train de pouffer de rire, et Marcus a souri.

— Tu vas me promettre quelque chose, m'a-t-il dit en me soulevant doucement pour me serrer dans ses bras.

— Oui ?

— Arrange-toi pour te réconcilier avec Jamie, parce que je veux que tu restes pour toujours dans ma famille. Tu es la seule à m'avoir traité d'une manière valorisante.

— C'est faux. Jamie aussi te traite bien.

— Il m'a viré.

— Parce que tu te conduisais mal.

Marcus est resté silencieux si longtemps que j'ai failli m'endormir, la tête sur son épaule.

Il a fini par soupirer :

— Tu as raison. Chacun de nous connaît son rôle et le joue bien. Jamie est un saint, et moi le pécheur.

Cette nuit-là a ouvert un nouveau chapitre de ma vie. Marcus et moi, nous dînions presque tous les soirs à Sea Tender ou à Talos, puis nous regardions une cassette vidéo ou la télévision. J'ai découvert combien de panachés je pouvais boire pour me sentir bien sans dépasser mes limites. D'habitude, c'était Marcus qui cuisinait, mais je me chargeais d'acheter les ingrédients dont il avait besoin ; un grand progrès, car je n'avais pas fait de courses depuis des mois. Mes sorties au supermarché m'épuisaient, et je m'assoupissais souvent à mon retour, mais je ne dormais plus dans mes vêtements de jour et je prenais régulièrement une douche. J'appréciais mes soirées en compagnie de Marcus, bien que j'aie craint au début qu'il ne joue les baby-sitters à contrecœur. Petit à petit, j'ai réalisé qu'il préférait ma compagnie à celle de ses copines. Nous donnions, me semblait-il, la preuve que la thèse de *Quand Harry rencontre Sally* était erronée. Un homme et une femme pouvaient être de bons amis, sans plus.

J'ai commencé à m'intéresser à lui. Je m'inquiétais quand je le savais en train de surfer tout seul, probablement en ayant trop bu. Je ne voulais pas le perdre : il était non seulement mon beau-frère et mon ami, mais aussi mon compagnon de beuverie.

L'alcool me déliait la langue et je lui parlais plus librement qu'à Jamie, qu'au psychothérapeute que j'avais consulté, et même qu'à Sara. Il était la seule personne à qui j'aie osé avouer ma peur de faire du mal à Maggie.

— Elle te manque ? m'a-t-il demandé, un soir où nous étions recroquevillés à chaque extrémité du canapé.

J'ai serré mes genoux dans mes bras. Il me posait une question délicate...

— Ce qui me manque... c'est la femme que j'aurais voulu être avec elle. La mère que je pensais devenir. Moi qui croyais être un jour une mère formidable, je suis la pire de toutes.

— Ne dis pas ça !

— En fait, je me sens soulagée de ne plus l'avoir avec moi. (J'ai plaqué mon front contre mes bras.) Mes paroles doivent te choquer !

— Tu es trop fatiguée pour t'occuper d'elle, a protesté Marcus.

Je l'ai regardé dans les yeux.

— Non, Marcus, je suis soulagée parce que j'avais peur de lui nuire.

Il a ri, avant de réaliser que j'étais sérieuse.

— Lui nuire, toi qui ne vas même pas à la pêche pour ne pas déranger les poissons ?

— Ça peut sembler absurde, mais je me sentais insatisfaite avec elle et... je m'imaginais en train de lui faire du mal.

Je ne voulais pas lui avouer les méthodes qui m'étaient venues à l'esprit ; évoquer ces images intolérables qui m'assaillaient sans crier gare et me donnaient l'impression d'être un danger public.

— Crois-moi, ai-je conclu, Maggie est plus en sécurité quand je ne suis pas avec elle.

Une fois par semaine, Jamie amenait Maggie à la maison. C'était un beau bébé avec les grands yeux bruns et la chevelure sombre de son père, qui tombait en vagues soyeuses sur ses épaules frêles. Je ne me retrouvais pas du tout dans son visage. Etait-ce pour cela que je la considérais plus comme l'enfant d'une amie que comme la mienne ? J'aurais voulu l'aimer. Quand je la voyais sortir de la voiture avec Jamie, mon cœur palpitait d'émotion, mais plus elle s'approchait de moi, moins j'éprouvais de sentiments. Je jouais pourtant la comédie.

D'une voix qui sonnait faux à mes oreilles, je m'entendais susurrer :

— Bonjour, Maggie ! Tu veux jouer avec tes cubes ? Ou bien, on pourrait faire ensemble un de tes puzzles.

Elle s'accrochait à la jambe de Jamie, tout en me gardant dans son champ visuel. Je rassemblais toute mon énergie et mon faux enjouement, et nous pouvions en général nous lancer dans une activité, à condition que Jamie y participe.

Un jour, après m'avoir enlacée comme il le faisait toujours à son arrivée, Jamie a eu un mouvement de recul et m'a demandé d'un air inquisiteur :

— Tu as bu ?

Mon haleine m'avait trahie.

— Juste un panaché, avec mon déjeuner.

— Méfie-toi !

Sa main puissante sur le crâne de Maggie, il a ajouté :

— Sais-tu que l'alcool déprime ?

— Je sais, mais tu n'as pas à t'inquiéter.

Il m'a alors souri.

— Je te trouve en meilleure forme ces derniers temps.

Si l'alcool déprimait certaines personnes, il avait sur moi l'effet inverse : il allégeait mes souffrances et me permettait de redevenir un peu moi-même.

A sa visite suivante, je me suis brossé les dents, puis je me suis rincé la bouche avec un désinfectant. Une telle ruse m'a horrifiée : je buvais tant que j'en étais réduite à dissimuler ma conduite.

Je prenais aussi des précautions en présence de Sara, au cas où Jamie lui aurait demandé de me tenir à l'œil. Elle apportait parfois de quoi déjeuner, et j'avais l'impression qu'ils avaient mis au point un « système de visites pour contrôler Laurel ».

Un beau jour de novembre, elle m'a proposé une promenade sur la plage, après le repas.

— Il fait un temps magnifique, Laurel. Tu te sens d'attaque ?

J'ai failli insister sur ma fatigue, mais quand j'ai regardé par la fenêtre, le sable étincelait, le ciel et la mer étaient du même bleu intense, et j'ai éprouvé une soudaine envie de marcher au soleil.

J'ai répondu :

— Volontiers ! Il fait très froid dehors ?

— Tu auras du mal à me croire, mais c'est un temps à marcher pieds nus.

Elle a envoyé valser ses tennis et commencé à ôter ses chaussettes, en prenant appui sur le plan de travail de la cuisine.

J'ai enlevé mes pantoufles, puis nous sommes sorties sur la terrasse derrière la maison et avons descendu l'escalier jusqu'à la plage. Un sentiment de bonheur m'a envahie un instant. Je n'aurais su dire dans quelle mesure la splendeur de cette journée ou le panaché que j'avais bu après le déjeuner y étaient pour quelque chose. J'ai enfoui mes orteils dans la fraîcheur du sable et nous avons marché vers le sud de la plage.

— Pieds nus en novembre ! s'est exclamée Sara. Je ne retournerai *jamais* au Michigan.

— Tant mieux ! Je serais navrée que tu partes.

— Il n'en est pas question, mais un changement se prépare. Je voulais t'annoncer la nouvelle avant que ça crève les yeux.

Elle me souriait, une main sur son ventre.

— Tu es enceinte ?

— De quatre mois. J'accouche en mai.

— Félicitations !

J'aurais voulu mettre un peu d'enthousiasme dans ma voix, mais j'étais consumée d'envie. Sara serait une mère exceptionnelle, qui déborderait de bonheur à la naissance de son bébé.

— Steve est excité ? ai-je demandé.

— Autant qu'il peut l'être, a ricané Sara. Tu le connais. Toujours calme et maître de lui ! Voilà pourquoi l'armée l'apprécie, et réciproquement.

En fait, je ne connaissais pas très bien Steve. Je le trouvais sérieux et réservé et il me semblait parfois que Sara appréciait les moments où il partait en mission. Mais peut-être projetais-je sur elle mon propre besoin de tenir Jamie à distance.

Une pensée m'est venue : avec un bébé, Sara et Steve souhaiteraient-ils encore garder Jamie et Maggie chez eux ? Leur maison, où je n'étais allée qu'une fois, était peu spacieuse. J'allais formuler ma question quand Sara a repris la parole.

— Tu sais que Jamie ne tient pas spécialement à vivre chez nous et qu'il préférerait revenir ici ? Il t'aime toujours et il t'a quittée à *ta* demande.

— Je sais.

— Tu l'aimes encore ?

J'ai soupiré et rejeté ma tête en arrière, comme si le ciel allait m'apporter une réponse.

— En ce moment, Sara, je ne m'aime pas moi-même !

Une vague image de Marcus avait flotté dans mon esprit, car la profonde gratitude qu'il m'inspirait était, de tous mes sentiments, le plus proche de l'amour.

— Je ne suis pas sûre que ce soit bon pour lui de ne pas habiter ici et de te séparer de ta fille.

Mon cœur a failli flancher quand j'ai compris l'arrière-pensée de Sara.

— Je suppose que tu as besoin d'installer une chambre d'enfant. Jamie doit partir immédiatement ?

— Pas du tout, m'a répondu Sara. Maggie occupe la troisième pièce pour l'instant, mais nous garderons le bébé dans notre chambre un certain temps ; donc, ce n'est pas un problème. La première semaine après la naissance, en mai, maman arrivera du Michigan, et il nous faudra une chambre pour elle. A part ça, Jamie est le bienvenu avec Maggie aussi longtemps qu'il voudra. Franchement, le loyer qu'il nous verse nous aide beaucoup. Et puis, Steve est si souvent absent que Jamie me rend de grands services quand l'évier est bouché, quand la porte sort de ses gonds, ou que les toilettes se transforment en geyser.

Quel soulagement de savoir que mon mari et mon enfant ne reviendraient pas à la maison, sauf pour une semaine en mai !

— Tu as vraiment eu tous ces ennuis ? ai-je demandé en riant.

— La semaine dernière ! En plus, Mags me manquerait beaucoup. Elle est tellement adorable...

D'un pas, j'ai évité un tas d'algues. Sara appelait Maggie « Mags », comme le faisait Jamie. Et j'étais triste que cette petite fille, difficile avec moi, soit « adorable » en compagnie de Sara. Avais-je mérité d'en arriver là ?

— Laurel, que s'est-il passé ? m'a demandé Sara. Tu as tellement changé après la naissance de Maggie. Maintenant que je suis enceinte, je me demande si cela pourrait m'arriver à moi aussi.

Par chance, je portais des lunettes de soleil ; elle n'a pas pu voir mes yeux s'emplir de larmes.

— Tout ira bien, ai-je murmuré. Je suis une monstruosité de la nature !

— Mais non, Laurel. Je crois que tu as eu le *baby blues* et qu'il ne t'a pas lâchée.

— Ça va aller mieux...

En tout cas, je savais que je me sentirais nettement mieux encore une fois de retour à Sea Tender, un verre de panaché à la main.

24

Laurel

J'ai à peine fermé l'œil de la nuit, après que Marcus m'eut appris que l'on soupçonnait Andy d'être à l'origine de l'incendie. Je me répétais dans ma tête : *Quelle absurdité !* Au petit matin, j'ai failli appeler mon beau-frère pour lui déclamer les tirades indignées que je composais en même temps sur le thème de : *S'il n'est pas capable de planifier un crime, comment parviendrait-il à en dissimuler un ?*

Je me suis souvenue du jour où il avait volé une barre de chocolat, à l'épicerie. Il avait alors environ cinq ans. Je m'en étais rendu compte en vérifiant sa ceinture de sécurité et j'ai agi comme sont censés agir tous les parents dignes de ce nom : je l'ai ramené au magasin pour présenter des excuses au gérant, puis je lui ai dit clairement de ne *jamais* recommencer à voler une barre de chocolat.

Une semaine plus tard, après un arrêt au *drugstore*, je l'ai surpris dans la voiture avec un pistolet à eau – qu'il n'essayait même pas de me cacher.

« Andy, je t'ai expliqué la semaine dernière qu'il est interdit de voler », ai-je crié. Il m'a répondu du tac au tac que je lui avais dit de ne jamais voler... des sucreries.

Mais il n'avait plus cinq ans ! Si gênante qu'ait été cette expérience à l'époque, elle avait le pouvoir d'attendrir les amis à qui j'en parlais. A mesure qu'Andy grandissait, son manque de compréhension du monde perdait de son charme, comme je l'avais réalisé à l'aéroport la semaine précédente. Et les gens n'étaient pas aussi indulgents que l'avait été le gérant du magasin.

Aussitôt après le départ de mes enfants pour l'école, je suis montée dans la chambre d'Andy, et, debout sur le seuil, j'ai essayé de faire un tour d'horizon avec les yeux d'un inspecteur de police. Superficiellement, elle paraissait impeccable. J'avais inculqué à mon fils, dès son plus jeune âge, que « chaque chose avait sa place » ; sinon, sa chambre aurait été un véritable capharnaüm. Il avait même fait son lit. C'était la première chose mentionnée sur son programme des tâches matinales. Sentant une légère odeur de renfermé, j'ai ouvert la fenêtre, face au bras de mer, et laissé entrer une brise tiède.

Je lui avais conseillé de fixer sur son panneau d'affichage certaines cartes ou lettres qu'il avait reçues après l'incendie, au lieu de les disperser dans sa chambre. Il y en avait une trentaine sur ce panneau, et une grande corbeille d'osier, sur sa commode, contenait les autres.

Priorité à son ordinateur ! J'avais, des années auparavant, installé un logiciel de contrôle parental sur son ordinateur et celui de sa sœur, avec leur accord. Environ deux ans avant, j'avais supprimé celui de Maggie, car elle s'estimait assez mûre pour que sa mère ne s'immisce plus dans ses affaires. Elle avait droit à sa vie privée et n'était absolument pas le genre de fille qu'un étranger peut coincer dans un forum de discussion. Mais le moment n'était pas encore venu de retirer le logiciel d'Andy ; j'évitais pourtant de lire ses mails ou ses messages instantanés, car ils témoignaient de son immaturité et de son manque d'amis.

Ses mails concernaient en général l'entraînement et les compétitions de natation, ou provenaient de Marcus et d'Emily. Je ne lisais pas ceux de Marcus, et rarement ceux d'Emily, dont l'orthographe était si abominable que je me demandais comment Andy pouvait comprendre leur signification. La plupart de ses messages instantanés lui étaient adressés par sa sœur, à propos de choses anodines – *Passe une journée formidable, demain !* Je devinais sa motivation car je la partageais : permettre à son frère de recevoir des messages comme la plupart de ses camarades de classe. Je me suis armée de courage contre d'inévitables méchancetés. Andy adressait parfois des messages à des gamins de sa classe qu'il considérait comme des amis ; les plus gentils lui adressaient une réponse évasive. De temps en temps, il se trompait de cible. J'ai parcouru tout son courrier électronique avec mon nouveau regard d'enquêteur.

Andy avait reçu un message sous le pseudonyme de *Purrpetual* : « Merci de m'avoir sauvé la vie », avait écrit la personne en question. Réponse d'Andy : « De rien, mais, sans moi, tu aurais pu cramer. »

J'ai frémi. Pourquoi avais-je omis de lui recommander d'être modeste dans ses e-mails et ses messages ? Comment la police allait-elle réagir devant son narcissisme ?

Il y avait un message de Ben Trippett, envoyé après la dernière compétition de natation : « Andy, t'es un chef. » Il avait tout simplement répondu par « Un grand merci !!!! ».

A une personne se présentant sous le nom de *MuzicRuuls*, il avait écrit : « Si on fezait de la planche à roulettes smdi ? » Réponse de *MuzicRuuls* : « Pas avec toi, espèce de nul. »

Assez ! Je ne voulais pas en lire davantage.

J'ai passé en revue chaque tiroir de son bureau sans rien trouver d'extraordinaire. Pour finir, j'ai ouvert celui du haut, en m'attendant au pire désordre. Sachant combien les rangements lui étaient pénibles, je lui laissais un tiroir qu'il pouvait remplir selon son bon vouloir. Il y fourrait les choses pêle-mêle, avec un certain soulagement.

Le tiroir était plein à ras bord ; j'ai eu du mal à l'ouvrir. Une odeur nauséabonde s'en dégageait : il y avait des chaussettes sales et un tee-shirt roulé en boule, qui sentait le sel et le poisson (Andy le portait sans doute la dernière fois qu'il était allé pêcher sur la jetée avec Marcus). Après avoir jeté par terre les vêtements sales, j'ai découvert son ancienne Game Boy et un tas de piles probablement hors d'usage. Puis deux vieilles voitures Matchbox que je n'avais pas vues depuis qu'il était petit ; de la crème contre l'acné (bien qu'il n'ait eu qu'un ou deux boutons jusque-là), quelques paquets vides ou à moitié vides de chewing-gums, et un grand nombre de mouchoirs en papier froissés. Tout au fond du tiroir se trouvait un préservatif enveloppé dans du papier alu. J'ai essayé de modérer ma réaction : pour un adolescent, posséder un préservatif était un rite de passage. A quoi bon le confisquer s'il permettait à Andy de se sentir « dans la norme » pour une fois ?

Il y avait aussi un mot de l'un de ses professeurs, à propos de ses nombreux retards. Il l'avait apparemment rapporté à la maison pour que je le signe, mais ne me l'avait jamais présenté. Enfin, j'ai déniché un CD encore sous blister des Beatles. J'ignorais qu'il achetait des CD, surtout des Beatles. L'aurait-il volé ? Comme au moment où l'on avait découvert son briquet à l'aéroport, j'ai réalisé que je ne savais pas tout ce qu'il y avait à savoir sur mon fils. Une crainte insidieuse m'a serré la gorge. Comment ferais-je pour le guider pendant les dix prochaines années, qui coïncideraient avec son entrée dans l'âge adulte ? Pourrait-il un jour avoir un emploi ? Etre autonome ? J'en doutais ; mais j'avais pour l'instant des soucis plus urgents en tête.

Je suis ensuite passée à la commode, en commençant par le tiroir où étaient pliés ses tee-shirts, pas spécialement bien, mais en trois piles. J'allais refermer le tiroir quand j'ai vu quelque chose de blanc dépasser de la pile du milieu. Ma main s'est refermée sur une poignée de papiers roulés en boule : des tickets de caisse. Je les ai aplatis sur le lit, et j'ai été rassurée de voir qu'ils correspondaient au CD, au chewing-gum et à une barre Snickers, enfin au canif qu'il avait échangé contre le briquet. Un ticket, vieux de quatre mois, correspondait à l'achat de cigarettes. En soulevant les tas de tee-shirts, j'ai trouvé un paquet froissé de Marlboro, dont il manquait trois cigarettes. Je l'ai reniflé : son odeur un peu éventée laissait supposer qu'il se trouvait là depuis un certain temps. Mon bébé se donnait tant de mal pour faire comme les grands.

J'ai fouillé le tiroir de ses sous-vêtements : pas trop rangé, mais rien d'alarmant.

Je n'avais plus qu'à ouvrir les portes pliantes de sa penderie. Sa chemise à rayures vertes et le pantalon brun qu'il portait le soir de l'incendie étaient là. Je les avais lavés deux fois pour tenter de les récupérer – avec succès, m'avait-il semblé – mais quand je les ai humés, j'ai retrouvé des relents de fumée. Penchée en avant, j'ai ramassé la paire de baskets qu'il portait : d'un brun sombre, avec des finitions plus claires. Nous l'avions achetée la veille de l'incendie. Quand je l'ai flairée, une légère odeur s'en dégageait. Une odeur de cuir ? J'ai inspiré une bouffée d'air frais avant de les flairer une seconde fois. Rien à voir avec le cuir, mais un léger relent chimique. Le briquet dans la chaussette ! Il portait ces mêmes baskets pour aller à New York. L'essence du briquet avait dû fuir ! Il faudrait donc que je rappelle aux inspecteurs de police l'épisode à l'aéroport, de peur qu'ils décèlent eux aussi une odeur suspecte.

J'ai conclu que tout irait bien. Aucun indice risquant de donner du grain à moudre aux inspecteurs de police ! Et je me sentais parfaitement capable de leur fournir toutes les explications qu'ils souhaiteraient.

25

Marcus

J'ai chargé mon kayak à l'arrière de ma camionnette après ma dernière traversée du bras de mer, plus tardive que d'habitude. J'avais un peu mal aux épaules, comme toujours quand j'ai pagayé pendant une heure.

Il y avait un message sur mon téléphone portable.

« Marcus, ici Sara. (Elle semblait très nerveuse !) Keith a retrouvé la parole et il faut que je te voie. C'est important. Je suis à Surf City et tu me trouveras chez Jabeen's. »

Je comptais de toute façon m'arrêter au café. Je n'étais pas de garde et j'avais l'intention de boire tranquillement un café, en lisant le journal. J'ai supposé que Sara voulait me dire ce que je savais déjà : Keith avait vu Andy à l'extérieur de l'église, le soir du *lock-in*. A moins qu'elle me reproche d'être passé à l'hôpital sans avoir cherché à la voir, ou tout simplement d'avoir vu Keith sans la prévenir.

Je me trompais sur toute la ligne.

Quand je suis entré chez Jabeen's, elle a levé les yeux et m'a adressé un signe de tête, tout en préparant une boisson coûteuse et sophistiquée pour une femme au comptoir. Je ne l'avais pas vue depuis l'incendie. Deux semaines et demie s'étaient écoulées, deux semaines et demie effroyables, dont chaque seconde avait marqué son visage. Sara, une femme en général hâlée d'un bout de l'année à l'autre, avait le visage blême. Plâtreux. Depuis que je la connaissais, ses cheveux blonds étaient coupés court, avec une frange. Elle les avait plaqués sur le côté et derrière les oreilles, comme si elle n'avait pas eu le temps de se coiffer.

— Un grand café, Marcus ?

— Oui, s'il te plaît.

— Ici ?

J'ai acquiescé. Elle faisait peine à voir avec ses cernes sombres sous les yeux.

Elle a placé un mug blanc sous le percolateur. Son pantalon corsaire marron flottait autour de ses hanches ; amaigrie et pâle, elle n'en restait pas moins un beau brin de fille. Quelques années plus tôt, j'avais joué avec l'idée d'ébaucher une liaison avec elle. Mais Sara avait beau être jolie, intelligente, et fort sympathique, elle ne m'attirait pas suffisamment, et je ne voulais pas d'une aventure sans lendemain. Dans une petite ville où l'on risque de se croiser à chaque instant, je préférais éviter ce genre de situation. Et puis, elle n'était pas Laurel !

Elle m'a tendu le mug.

— Tu voulais me parler, Sara ?

Un homme et une femme d'un certain âge, dont le visage ne m'était pas familier, sont entrés. Des touristes.

— Ce matin, je suis seule ici, m'a-t-elle répondu. Dawn est chez le dentiste, donc je n'ai pas beaucoup de temps. (Elle a souri aux touristes.) Mais j'ai quelque chose à te dire.

— Je suis ici pour un moment.

Je lui ai désigné ma table favorite, près de la fenêtre, où j'ai pris place. J'ai ouvert mon journal pendant qu'elle servait le couple, puis elle est venue s'asseoir en face de moi. Elle paraissait soucieuse.

— Keith a retrouvé la parole. Je te l'ai dit dans mon message ?

— Oui. D'ailleurs je lui ai parlé hier. C'est formidable qu'il aille mieux.

Elle a ouvert de grands yeux.

— Tu es allé lui parler à l'hôpital ? Qu'est-ce qu'il t'a dit ?

— Il affirme qu'il a vu Andy à l'extérieur de l'église.

— C'est tout ?

Manifestement, elle cherchait à en savoir plus.

— Je ne suis pas resté longtemps. Dommage que je n'aie pas pu te voir. On m'a dit que tu étais retournée à l'hôtel.

Deux agents immobiliers, de l'agence au coin de la rue, sont entrés.

— Je reviens tout de suite, m'a glissé Sara.

Sa main tremblait quand elle a chassé une mèche de cheveux gênante de son front. Penchée vers moi, elle a ajouté dans un murmure :

— Il a retrouvé ton ancienne lettre.

— Quelle lettre ? (Au même instant, je me suis souvenu.) Tu l'avais gardée ?

— Chut !

J'ai baissé la voix.

— Tu aurais dû la jeter !

— Je l'avais classée avec mes documents bancaires quand Keith était petit, et je n'y ai plus jamais pensé. Il est allé fouiller dans mes dossiers et il l'a retrouvée.

Qu'avais-je écrit exactement ? Je ne me souvenais plus des mots, mais me rappelais de la teneur du message.

— Qu'est-ce qu'il a dit ?

— Il était furieux et très perturbé. Je lui ai demandé de ne jamais en parler, parce qu'il risquait de faire du mal à un trop grand nombre de gens.

— Quand l'a-t-il retrouvée ?

J'ai senti le regard impatient des agents immobiliers peser sur nous, du moins sur Sara qui s'est levée.

— Le jour du *lock-in*. Je t'avais laissé un message, et puis il y a eu l'incendie. Keith était entre la vie et la mort… Je ne me souciais plus de savoir s'il parlerait ou non de la lettre.

Elle a tapé sa main sur la table et dit « plus tard » en retournant derrière le comptoir.

Un vague souvenir m'est revenu d'un message qu'elle m'avait envoyé l'après-midi avant l'incendie. Je m'étais promis de l'appeler dès la fin de mon service.

Keith a peut-être mis le feu à l'église, m'avait dit Laurel. Cette lettre aurait pu lui fournir un motif. Mais je ne comprenais toujours pas comment il se serait laissé piéger par un incendie qu'il aurait lui-même déclenché.

Inexplicable ! Pourtant, j'ai réalisé brusquement pourquoi Keith avait traité Andy de gosse de riche ce soir-là. Après le *lock-in*, il regagnerait sa double caravane, tandis qu'Andy vivait dans une demeure de rêve, au bord de l'eau.

Cette différence m'avait toujours semblé injuste, à moi aussi.

26

Laurel

1991

A la différence de Sea Tender, Talos possédait un jacuzzi. Quand vint l'hiver, avec des vents glacés soufflant à l'extrémité nord de l'île, nous avons pris l'habitude, Marcus et moi, de passer la soirée, assis en sous-vêtements dans l'eau chaude – avec nos bouteilles d'alcool, évidemment. Quand je regardais les étoiles scintiller sur le velours noir du ciel, ma tête en appui au bord du jacuzzi, je me souvenais des nuits d'hiver où Jamie et moi, bien emmitouflés, guettions les satellites depuis la plage. Quelques années seulement s'étaient écoulées depuis ; j'avais pourtant l'impression qu'une autre personne que moi avait vécu cela.

Une nuit de mars – nous avions dû rester trop longtemps dans le jacuzzi, à moins que l'eau n'ait été trop chaude ou que nous n'ayons trop bu – je suis rentrée dans la maison en frissonnant, pour passer mon peignoir en éponge. Brusquement, je me suis sentie tout étourdie et j'ai dû me retenir au mur du salon en fermant les yeux.

— Tu te sens mal ? s'est inquiété Marcus.

J'ai rouvert les yeux : la pièce m'a paru floue mais ne tournoyait pas.

— Rien de grave !

— Tu veux un café ou un chocolat chaud ?

J'ai fait un pas hésitant, puis un autre.

— Non. Je vais aller m'écrouler dans ta chambre d'amis.

— Rabat-joie ! a crié Marcus. Appelle-moi si je peux t'aider.

Dans sa chambre d'amis, devenue mon deuxième chez-moi, je me suis déshabillée, avant de me glisser sous les couvertures.

Combien de temps ai-je dormi ? Je n'en sais rien, mais quand je me suis réveillée, j'étais couchée sur le flanc droit, face au mur, et, lentement, très lentement, j'ai réalisé que Marcus était allongé derrière moi. Il m'enlaçait, son doigt effleurait le contour de l'un de mes seins, et je sentais la chaleur de son érection contre ma fesse gauche. Pendant quelques minutes, je suis restée comme ça, dans un demi-sommeil et une demi-ivresse. Puis j'ai roulé sur moi-même, et, à moitié tournée vers lui, j'ai passé le point de non-retour.

27

Andy

Mlle Betts s'est adossée à son bureau comme ça lui arrive quelquefois, et elle a demandé :

— Quelles preuves a-t-on du réchauffement de la planète ?

J'ai été le premier à lever le doigt, mais c'est Brynn qu'elle a interrogé, pourtant il y avait au moins dix minutes que je n'avais pas levé le doigt. Quand je connais la réponse, je dois seulement lever le doigt une fois sur trois ! Je suis bon quand il faut répondre à des questions sur des faits. Je peux me rappeler les faits ; cette partie de mon cerveau est excellente. Je ne suis pas bon quand on doit discuter d'un problème ; par exemple : « Faut-il ou non utiliser la chaise électrique ? » La chaise électrique tue des gens et c'est mal de tuer, évidemment. Mais, dans la discussion, on ne doit pas voir les choses en noir et blanc, comme dit Mlle Betts. Ça, c'est plus difficile ! C'est maman qui m'a conseillé de lever le doigt seulement une fois sur trois quand je connais la réponse, pour ne pas énerver les profs. J'essaye de suivre ses conseils, mais quelquefois on ne m'interroge pas, même si j'ai attendu pour lever le doigt.

Brynn a donné exactement la réponse que j'avais trouvée : la fonte des glaciers. Ensuite, une dame des bureaux est entrée dans la salle. Elle me regardait en se dirigeant vers Mlle Betts, et elle lui a chuchoté quelque chose. Mlle Betts m'a regardé elle aussi.

— Andy, rassemble tes affaires et va avec Mme Potter, je te prie.

— Pourquoi ?

— Mme Potter t'expliquera

J'ai fourré mes livres et mon cahier dans mon sac à dos, mais j'étais furieux de manquer la fin du cours. Mme Potter est très, très vieille. Elle m'a souri quand je me suis approché. Ensuite, elle a passé un bras autour de mes épaules, et on est sortis.

Dans le hall d'entrée j'ai remarqué un policier debout, qui me regardait. Il ne souriait pas. J'ai récapitulé en vitesse ce que j'avais fait dans la journée. Quelque chose de mal ? Je ne voyais pas quoi.

Mme Potter m'a dit :

— Andy, voici le sergent Wood. Il souhaiterait te parler quelques minutes.

C'était un costaud. Je n'avais pas envie que Mme Potter me laisse seul avec lui, mais j'ai compris qu'elle allait le faire. Mon cœur battait très vite quand j'ai marché avec lui vers le bureau. Il avait un revolver accroché à la taille. A quelques centimètres de moi ! Je n'avais jamais vu un vrai revolver d'aussi près. Mme Potter lui a dit d'utiliser le bureau de la conseillère pédagogique ; on y est entrés. Le policier a refermé la porte, et j'ai eu du mal à respirer. Mon inhalateur était dans mon sac à dos, posé par terre. Je pouvais encore m'en passer, mais j'aimais autant qu'il soit là, en cas de besoin.

Il m'a dit :

— Tu peux t'asseoir.

Je me suis assis sur une chaise, à côté de l'espèce de meuble de classement. Lui s'est assis près de la fenêtre. C'était une petite pièce et ça ne me plaisait pas d'être aussi près de son arme. Sur sa poitrine, il avait une grande plaque avec le mot *sergent*, et au-dessus de la plaque j'ai remarqué un petit drapeau, comme le drapeau américain, mais sans le nombre de rayures suffisant.

— Andy, tu as le droit de garder le silence, il m'a dit.

Ensuite, il a parlé très vite et je n'arrêtais pas de penser que j'avais le droit de garder le silence. Quand il a eu fini de parler, il s'est frotté le menton et il m'a demandé :

— Tu as bien compris ?

Il avait les yeux très bleus, comme oncle Marcus.

— Oui, monsieur.

— Ça signifie que je vais te poser quelques questions, mais que tu n'es pas obligé de me répondre maintenant.

J'ai hoché la tête : c'était ridicule de me poser des questions si je pouvais me taire. Les gens sont quelquefois bizarres...

Il a ajouté :

— Tu as aussi le droit d'avoir un de tes parents présents quand je te parle. Tu comprends ?

Je n'y comprenais plus rien : maman n'était pas là, et pourtant il me parlait. J'ai tout de même répondu :

— Oui, monsieur.

— Je voudrais que tu me parles de la nuit de l'incendie.

— OK.

— Es-tu sorti de l'église, à un moment ou un autre, pendant le *lock-in* ?

Je ne savais plus quoi faire ! Je n'étais pas obligé de lui répondre, mais son revolver était toujours là, même si je ne le voyais plus depuis qu'il s'était un peu tourné sur le côté. Il pouvait le braquer sur moi pour me tuer... J'ai décidé que j'avais intérêt à lui répondre et que je devrais lui mentir. Et s'il avait apporté un détecteur de mensonges ? J'avais la gorge serrée, mais j'avais trop peur de me baisser pour prendre mon inhalateur dans mon sac à dos. Il risquait de s'imaginer que j'avais une arme moi aussi.

Il a répété :

— Es-tu sorti de l'église pendant le *lock-in* ?

— Non, monsieur.

— Tu dis que tu n'es pas sorti ?

J'ai hoché la tête. Pourquoi il me posait trois fois la même question ? Je me suis penché pour voir s'il y avait un détecteur de mensonges sous son siège et je n'ai vu que ses pieds.

— Nous avons des témoignages selon lesquels on t'a aperçu à l'extérieur de l'église pendant le *lock-in*.

Ma chemise était humide sous mes bras. J'avais oublié, ce matin, d'utiliser le déodorant : c'était une nouvelle chose que maman avait ajoutée au crayon à mon programme du matin. J'oubliais toujours.

— Je suis pas sorti, monsieur, j'ai redit.

— Tu t'es bagarré avec Keith Weston. Exact ?

Il cherchait peut-être à savoir qui avait commencé la bagarre...

— Il m'avait mal parlé, monsieur.

— Et tu étais furieux contre lui ?

— Oui, monsieur.

— Assez furieux pour mettre le feu à l'église ?

— *Comment ?*

Il devenait de plus en plus difficile à comprendre !

— C'est toi qui as déclenché l'incendie, Andy ?

— Non, c'est moi qui ai sauvé des gens.

Il avait dû me confondre avec quelqu'un d'autre.

— Eh bien, si tu me racontais comment tu as fait pour sauver des gens ?

Rien de plus facile. J'avais répété cette histoire si souvent que je pouvais expliquer les faits aussi facilement que le réchauffement de la planète. La fenêtre des toilettes des garçons, l'appareil de climatisation… Je lui ai tout raconté.

— Très bien, Andy. Tu peux retourner en classe. Merci de ton aide.

Il s'est levé et la crosse de son revolver était juste devant mes yeux. « Y a pas de quoi », j'ai marmonné, et je suis reparti dans ma classe. Le cours était fini et Mlle Betts a dû m'aider à trouver la salle où je devais aller. Si on désorganise ma journée, je suis perturbé. Elle m'a dit d'aller au bout du couloir, à mon cours d'activités artistiques, et elle a ajouté :

— Ça s'est bien passé avec le policier ?

— Bien ! j'ai répondu, en essayant d'avoir l'air de bonne humeur.

Ensuite, je suis allé à mes activités artistiques. En repensant aux questions du policier et à mes réponses, j'ai trouvé que j'aurais été plus malin de ne pas lui répondre, même s'il était armé.

28

Laurel

Bonnie Betts a passé la tête dans mon bureau, où je prenais la température d'une élève du cours élémentaire.

— Quand tu auras une minute…

Sans un mot de plus, elle a disparu dans le couloir.

Après avoir retiré le thermomètre de sa bouche, j'ai rassuré la fillette :

— Température normale, mon petit. C'est probablement une allergie.

— Je me mouche tout le temps et j'ai quand même le nez bouché !

J'ai jeté l'emballage plastique du thermomètre dans la poubelle.

— Ça doit être très gênant pour toi. Pour te soulager, demande à ta maman de t'acheter un spray d'eau salée.

La fillette s'est levée et a quitté mon bureau, aussi accablée que si elle portait un sac de pommes de terre.

J'ai fait entrer Bonnie. L'école primaire (où je travaillais) partage le campus avec le collège et le lycée où elle enseignait, mais elle venait très rarement dans mon bâtiment au milieu de la journée.

— Ça va, Bonnie ? lui ai-je demandé. Veux-tu t'asseoir ?

Je lui ai désigné le siège que venait de libérer l'élève.

— Non merci. Je tenais à te dire que Mme Potter est venue chercher Andy dans ma classe pour qu'il parle à un policier. Il avait l'air en forme à son retour, mais je voulais te prévenir.

— Ils lui ont parlé sans m'en avertir ?

Une démarche d'une légalité douteuse, à mon avis...

Bonnie a simplement haussé les épaules.

— Je ne me suis pas posé cette question. Maintenant que tu es au courant, je te laisse.

Après l'avoir remerciée, je me suis assise à mon bureau. Devais-je interrompre le cours suivant d'Andy pour éclaircir cette affaire ? Sa journée serait vraiment compromise, mais j'étais certaine que cet interrogatoire l'avait déjà dérouté.

Je pesais encore le pour et le contre quand Flip Cates m'a appelée sur mon portable. Je le connaissais depuis des années et je pouvais compter sur son honnêteté à mon égard.

— Je viens d'apprendre que tu as envoyé quelqu'un interroger Andy, lui ai-je dit.

— Oui, le sergent Wood. Nous avions des questions complémentaires à lui poser sur l'incendie.

Wood... Ce nom ne m'était pas familier.

— Vous avez le droit de l'interroger hors de ma présence ?

— Une présence parentale est obligatoire quand on a affaire à un mineur de moins de quatorze ans. Le sergent Wood a informé Andy qu'il pouvait demander à répondre en présence de l'un de ses parents, mais il ne semblait pas avoir de problème.

— Il devait être perturbé, Flip ! (Je me suis levée et j'ai fermé la porte de mon bureau.) Quelqu'un aurait dû prendre contact avec moi.

— Je crois que tout s'est bien passé. Et je suis désolé d'avoir à te dire que nous souhaitons perquisitionner la chambre d'Andy. Il faudrait que tu signes un formulaire d'acceptation ; la perquisition doit avoir lieu cet après-midi. Tu peux t'absenter un moment de ton travail ?

Je n'ai pas eu de mal à manifester mon indignation.

— Vous allez fouiller sa chambre ?

— Oui, ça ne sera pas long.

Je pouvais refuser de signer : ce formulaire n'était pas l'équivalent d'un mandat de perquisition. Trouveraient-ils dans la chambre d'Andy quelque chose qui avait échappé à ma vigilance ? J'ai pensé à ses chaussures. J'étais idiote de ne pas les avoir jetées ! Maintenant, il faudrait que je leur parle de l'essence du briquet...

— Venez chez moi dans environ quarante-cinq minutes, ai-je proposé.

Je les laisserais fouiller la chambre d'Andy et constater son innocence. Les rumeurs s'éteindraient. Ils pourraient alors se mettre en quête du vrai coupable.

— Bien, a dit Flip, on sera là à midi.

Quand je suis arrivée chez moi, à 11 h 45, une voiture de police stationnait déjà au bout de la rue, près du bras de mer. J'ai aperçu deux hommes auxquels j'ai fait signe en me garant dans mon allée. Les policiers étaient-ils volontairement en avance, de peur que j'inspecte la chambre d'Andy avant eux ? C'était en effet la réaction prévisible d'une mère.

Quand on s'est retrouvés sur la véranda, Flip m'a serré la main.

— Laurel, je te présente le sergent Wood.

Le sergent Wood s'est incliné sans me tendre la main. Ses cheveux grisonnaient prématurément et ses yeux étaient d'un bleu lumineux ; je l'aurais trouvé beau si un semblant de sourire avait effleuré ses lèvres. L'idée qu'il avait interrogé Andy me déplaisait.

Flip m'a tendu le formulaire d'acceptation et un stylo. J'ai regardé le papier comme si je le lisais, mais les mots dansaient devant mes yeux

— Vous voulez simplement perquisitionner la chambre d'Andy ? ai-je demandé en signant. Vous ne vous intéressez pas au reste de la maison ?

— Exact, a grommelé Flip. (J'ai cru lire une certaine gêne dans son regard.)

J'ai fait entrer les deux hommes.

— Pas de problème ! Je sais que vous ne devez négliger aucun indice, et je souhaite que mon fils soit lavé de tout soupçon.

Ils m'ont suivi à l'étage jusqu'à la chambre d'Andy. Le sergent était muni d'un grand sac de toile. S'il emportait certaines choses, comment expliquerais-je cela à Andy ?

Sur le seuil de la chambre, les deux hommes se sont arrêtés pour enfiler des gants en latex. Je leur ai demandé l'autorisation d'assister à la fouille.

— Bien sûr, madame, m'a répondu Flip, comme s'il avait oublié depuis combien de temps nous nous connaissons.

Assise au bord du lit de mon fils, j'ai croisé mes mains moites sur mes genoux, en essayant de ne pas les gêner quand ils se sont mis à ouvrir les tiroirs et à lire les cartes sur le tableau en liège.

J'ai questionné le sergent Wood :

— Quand vous avez parlé à Andy, aujourd'hui, a-t-il dit une chose qui vous a incité à fouiller sa chambre ?

— Non, madame, a répondu Flip à la place du sergent, on avait déjà prévu cette démarche.

— De quoi lui avez-vous parlé ?

— Avez-vous installé un logiciel de contrôle parental sur cet ordinateur ? m'a demandé le sergent Wood comme s'il n'avait pas entendu ma question.

— Oui, mais mon fils n'est pas un fan d'Internet ; il s'intéresse surtout aux jeux.

Le sergent Wood s'est assis au bureau d'Andy et a glissé un CD dans le graveur. J'ai repensé au déplaisant message de *MuzicRuuls*, et je me suis demandé quels autres messages blessants Andy avait reçus.

Tandis que le sergent Wood cliquait sur la souris et scrutait l'écran de l'ordinateur, Flip a fouillé les tiroirs de la commode. Je savais ce qu'ils contenaient et j'ai commencé à me détendre. Après m'avoir priée de me lever, il a passé un bras sous le matelas et le sommier, puis regardé sous le lit.

— Que cherchez-vous exactement ? ai-je demandé en me rasseyant.

Flip m'a répondu :

— Nous cherchons surtout de l'essence à briquet, des allumettes... et, entre autres, des informations sur la manière de déclencher un incendie, qu'il aurait pu trouver sur Internet. Cette perquisition est un moment pénible à passer...

— Andy n'est pas le genre de garçon qui pourrait ou voudrait déclencher un incendie criminel, donc je ne m'inquiète pas. Tu le sais aussi bien que moi, Flip, ai-je ajouté, histoire de lui rappeler notre ancienne amitié.

Il était passé au tiroir du bureau en désordre, en me tournant le dos. J'ai su à quel moment il avait trouvé le préservatif, car il m'a demandé si Andy avait une activité sexuelle.

— Pas la moindre ! ai-je répliqué en riant, et j'ai entendu la porte d'entrée claquer.

— Maman ? a vociféré Maggie, qui n'avait cours que le matin ce jour-là.

— Je suis là-haut !

— Il y a une voiture de police dehors. Pourquoi ?

Elle me parlait de l'escalier et a fait irruption dans la chambre.

— Salut, Maggie, a lancé Flip.

Elle nous a regardés tour à tour, le sergent et moi.

— On est en train de fouiller la chambre d'Andy ?

J'ai répondu :

— Oui, c'est ça.

— Pourquoi ? (Elle m'a fusillée du regard.) Tu n'aurais pas pu... Ils ont le droit, au moins ?

Au cas où elle aurait craint pour sa propre intimité, j'ai cherché à la rassurer.

— Ils ne s'intéressent qu'à la chambre d'Andy, pas à toute la maison.

— Mais c'est absurde !

— Je sais, ma chérie. Viens t'asseoir à côté de moi.

— C'est à cause du témoignage de Keith ?

J'ai répondu « probablement » en haussant les épaules.

Le sergent Wood s'est levé, et il a glissé le CD dans un petit sac en plastique, rangé dans un grand sac de toile. Il a ensuite sorti une pile de sachets en papier.

— Nous souhaitons emporter les vêtements qu'Andy portait le soir de l'incendie.

— Si vous voulez, mais je les ai lavés... deux fois, pour faire disparaître l'odeur de la fumée !

J'ai ouvert les portes de la penderie.

— Nous allons tout de même les emporter, a dit le sergent.

J'ai voulu prendre la chemise à rayures vertes dans la penderie, mais mes mains se sont dirigées spontanément vers une chemise gris-vert.

— Non, maman, il portait...

D'un regard impératif, j'ai interrompu Maggie, qui a compris.

— Oh, j'avais oublié ! Je pensais à une autre chemise, celle qu'il portait pendant la journée. C'est bien ça ?

J'ai vivement hoché la tête, de peur qu'elle n'insiste inutilement et que son mensonge ne crève les yeux. J'ai ensuite tendu la chemise au sergent, qui l'a rangée dans l'un des sachets en papier. Quant au pantalon brun, Andy en avait, grâce au ciel, plusieurs de la même couleur ! Mes mains ont glissé sur celui qu'il portait et tendu un autre à Maggie, qui l'a remis au sergent Wood.

Flip triait les cartes de la corbeille ; il a levé les yeux.

— N'oubliez pas les chaussettes et les chaussures !

— Je ne sais plus exactement quelles chaussettes il portait.

Je me suis penchée pour prendre les chaussures, mais Maggie a été plus rapide que moi : en fuyant mon regard, elle a empoigné une paire de baskets différente de celle qu'il portait ce soir-là. Puis elle l'a tendue au sergent, qui a mis chaque chaussure dans un sachet. Nous étions maintenant complices, Maggie et moi. Je me suis sentie mal en réalisant que je l'avais amenée à falsifier les indices.

— Merci de votre coopération, a déclaré le sergent Wood en glissant le dernier sachet dans son sac de toile.

Flip a fait un ultime tour d'horizon.

— Merci, Laurel. Nous pouvons maintenant partir.

Maggie et moi avons évité de nous regarder quand les deux hommes ont descendu l'escalier, et même après qu'ils eurent refermé la porte derrière eux. Nous les avons entendus claquer les portières de leur voiture, puis les pneus ont crissé sur le gravier, au bout de la rue. Je n'aurais su dire si Maggie se sentait aussi coupable que moi, mais j'étais effarée de l'avoir entraînée dans mes mensonges.

Un bras autour de ses épaules, j'ai murmuré :

— Je te demande pardon.

Sa réponse a fusé :

— J'aurais agi de la même manière si j'y avais pensé avant toi !

— Mais pourquoi... pourquoi avons-nous fait cela si nous sommes sûres à cent pour cent de son innocence ? Pourquoi avoir falsifié les indices ?

— Pour le protéger, maman. Qui sait ce qu'ils auraient découvert sur les vêtements qu'il portait ce soir-là ? Il aurait pu marcher par hasard dans une flaque d'essence ou je ne sais quoi, et alors ils ne l'auraient plus lâché. Comme ça, nous sommes sûres qu'ils ne trouveront rien.

J'ai aperçu de loin les baskets qu'il portait le soir du *lock-in*. Il m'a semblé que, de l'endroit où j'étais assise, je pouvais encore sentir l'odeur d'un produit inflammable. Mais je n'en dirais rien à Maggie. Pas question de la faire douter de son frère !

— J'avais peur que le briquet ait fui dans ses chaussures, ai-je murmuré.

J'ai lâché Maggie pour attraper l'oreiller d'Andy, resté à côté du lit, là où Flip l'avait jeté après avoir fouillé sous le matelas. J'ai serré cet oreiller contre ma poitrine. L'odeur d'Andy l'imprégnait ; une odeur de petit garçon plutôt que d'adolescent. Même s'il avait pu songer à apporter de l'essence à l'église pour y mettre le feu, de manière à passer pour un héros, il était incapable d'avoir réalisé un tel projet.

Je connaissais mon fils. Son cœur était transparent pour moi, et il n'aurait pas fait de mal à une mouche.

29

Laurel

1991

L'enfant de Sara vint au monde avec trois semaines d'avance. Keith souffrait d'un léger problème cardiaque qui pourrait nécessiter une intervention chirurgicale par la suite. J'étais navrée pour Sara : elle méritait autant que moi d'avoir un bébé en parfaite santé.

Sara et Keith ont passé deux nuits à l'hôpital de Jacksonville. Au cours de la seconde soirée, Steve m'a appelée pour m'annoncer que Jamie était aux urgences. Alors qu'il rendait visite à Sara, il avait été soudain plié en deux par des douleurs à la poitrine.

J'ai essayé de joindre Marcus ; il était sorti. J'ai donc pris moi-même le volant jusqu'à Jacksonville. La semaine précédente, j'avais eu un accident devant le supermarché : en reculant pour dégager ma voiture, j'étais plus ou moins rentrée dans un poteau. Quand j'étais sortie pour constater les dégâts, j'avais trébuché et je m'étais écorché la joue sur le rétroviseur. Plusieurs passants s'étaient précipités pour me venir en aide, mais je m'étais réfugiée dans ma voiture, un sourire aux lèvres comme si je n'avais rien senti et comme si le parking ne tournoyait pas autour de moi. Il n'était pas question qu'ils constatent, en s'approchant, que j'étais incapable de tenir debout !

Je n'étais pas ivre quand j'ai roulé en direction de Jacksonville ; malgré tout, j'avais suffisamment bu pour ne pas être censée prendre la route. Je conduisais lentement, les yeux grands ouverts fixés sur la ligne blanche. Il y avait peu de circulation à cette heure tardive, mais je redoutais de tomber dans un fossé ou de percuter un cerf. L'état de Jamie ne m'inquiétait pas : je croyais savoir ce qui lui était arrivé.

Les urgentistes n'avaient sûrement pas diagnostiqué un problème cardiaque, mais ils le gardaient en observation pour la nuit. Je me suis assise à son chevet et je lui ai tenu la main, raide comme une statue. Dans ses yeux, j'ai lu qu'il avait réalisé lui aussi ce qui l'avait troublé et qu'il ne chercherait pas à expliquer aux médecins : le petit bébé livide de Sara et Steve avait déclenché son empathie – son don et sa malédiction.

Jamie et Maggie sont revenus à Sea Tender, pendant le séjour de la mère de Sara chez les Weston. Le premier soir, Maggie ne parvenait pas à trouver le sommeil dans le berceau où elle n'avait pas dormi depuis près d'un an, et j'ai entendu Jamie sortir en pleine nuit de la chambre d'amis pour s'occuper d'elle. J'étais soulagée qu'il n'ait pas tenu à partager mon lit.

Je me sentais gênée de vivre sous le même toit que lui, surtout le second soir, quand Marcus est passé saluer son frère et sa nièce. Nous n'avions fait l'amour qu'une seule fois, lui et moi. Le lendemain, dégrisés et accablés de remords, nous nous étions promis de ne jamais recommencer. Nous avions tenu parole pendant le mois qui venait de s'écouler, mais un lien profond existait entre nous, et j'étais plus proche de lui, sur le plan affectif, que de Jamie. C'était une véritable épreuve pour moi de me trouver en compagnie des deux frères.

— Ecoute, frangin, a dit Marcus qui jouait par terre avec Maggie, j'aimerais t'aider dans la gestion de nos biens... Tu m'avais parlé des problèmes de maintenance, il y a quelque temps.

J'ai remarqué le regard surpris de Jamie, son sourire. Il a dû penser que Marcus avait fini par mûrir ou que son malaise l'avait effrayé. Pour ma part, je comprenais ce qui se cachait derrière l'offre de Marcus : une bonne vieille culpabilité. Dans mes moments de sobriété, il m'arrivait d'éprouver profondément ce sentiment. En tout cas, cette soudaine accalmie entre les deux frères m'a aidée à me détendre.

Il était prévu que Jamie resterait à la maison les premiers jours pour aider Maggie à s'adapter, mais, dès le deuxième jour, il a dû s'absenter après avoir reçu un appel des sapeurs-pompiers. Il venait de mettre Maggie au lit pour sa sieste, et nous avons espéré tous les deux qu'il serait de retour avant son réveil. A peine Jamie parti, j'ai eu une envie irrésistible d'aller chercher un panaché dans le réfrigérateur, mais je me savais incapable de me limiter à un seul. Comme je devais être lucide au cas où Maggie se réveillerait, je suis allée faire une sieste moi aussi, en laissant ma porte ouverte pour l'entendre en cas de besoin.

Je me suis réveillée au son d'une lointaine mélopée, en provenance de la chambre d'enfant :

— Pa-pa, pa-pa, pa-pa !

Quand je suis entrée dans la chambre, elle se tenait debout, agrippée aux barreaux de son berceau. A ma vue, elle a écarquillé les yeux et s'est interrompue au milieu de ses vocalises.

Aussi enjouée que possible, j'ai murmuré :

— Bonjour, ma chérie.

Elle a poussé un cri en se jetant à plat ventre sur son matelas, en gémissant :

— Papa, papa...

— Papa a été appelé à la caserne des pompiers, il va bientôt rentrer.

Je lui ai caressé le dos, mais elle m'a échappé en gémissant de plus belle. D'une main tremblante, je l'ai sortie de son berceau ; elle s'est débattue dans mes bras.

Je l'ai déposée à terre.

— Papa !

Elle a foncé hors de la pièce, couche ballante, en quête de Jamie. Je l'observais, désespérée, et je l'ai suivie d'une pièce à l'autre, en craignant qu'elle ne se fasse du mal. J'ai maintenu la porte d'entrée fermée au moment où elle tendait un bras pour agripper la poignée.

— Viens, ma chérie, il faut que maman te change.

— Non !

Elle s'est jetée à plat ventre dans le salon, comme elle l'avait fait sur son matelas, puis elle a émis plusieurs hurlements ponctués du mot « papa ». Je la contemplais, perplexe.

Finalement, je me suis assise à côté d'elle, sans la toucher, en lui disant que son papa ne tarderait pas à revenir. J'ai essayé d'entonner une chansonnette pour la distraire ; ses cris ont persisté. Etait-ce la « redoutable deuxième année » ? Elle n'avait pourtant que vingt-trois mois... J'ai sorti tous ses jouets du coffre en faisant chaque fois un petit discours : « J'adore ce puzzle et j'aimerais que Maggie m'aide à le recomposer. »

Elle m'ignorait. Je lui ai lu un livre. Toujours des hurlements !

J'en ai conclu qu'elle éprouvait une véritable haine à mon égard. Alors, je suis allée chercher un panaché dans le réfrigérateur et j'ai bu toute la bouteille d'un trait.

Dans la bibliothèque du séjour, j'ai pris le livre sur les enfants de un an, que j'avais lu si attentivement pendant ma grossesse. « Les crises de colère finissent par passer », affirmait l'auteur. Enfin, j'ai allumé la télévision et regardé mon feuilleton à travers mes larmes. Ma fille me haïssait ; et qui aurait pu l'en blâmer ? J'étais une mère indigne.

La crise de Maggie a duré quarante-cinq minutes. Ses sanglots ont décru et elle s'est endormie par terre, épuisée. Je l'ai prise dans mes bras pour l'allonger sur le canapé. Bien que sa couche soit pleine, je ne voulais pas courir le risque de la réveiller en la changeant. Cette sieste intempestive allait probablement décaler l'horaire établi par Jamie, mais elle était si paisible et détendue dans mes bras ! Je l'ai bercée un moment, en sentant la douceur de ses cheveux contre ma joue.

Je lui ai murmuré que je l'aimais, même si le sens véritable de ces mots m'échappait encore. Et j'ai ajouté, dans un élan, que je lui demandais pardon.

Elle s'est réveillée ; une nouvelle crise a éclaté. J'ai pris un autre panaché, c'était plus fort que moi. Maggie criait encore quand Jamie est rentré. La portière de sa voiture a claqué et j'ai sursauté à l'idée qu'il pourrait l'entendre depuis l'allée.

Elle a couru vers lui dès qu'il est apparu sur le seuil ; il l'a soulevée dans ses bras.

— Tu as du chagrin, Mags ?

Debout contre le canapé, j'avais les mains nouées. Il m'a dévisagée.

— Ça dure depuis longtemps ?

La vérité m'humiliait. J'ai balbutié :

— Elle n'était pas dans son assiette à son réveil... Ensuite, elle s'est un peu calmée, mais je n'ai pas voulu la changer parce que...

— Elle est trempée ! Tu es trempée, Maggie, mon poussin.

Il a filé dans la chambre d'enfant, et Maggie a protesté pour la forme pendant qu'il la changeait. Je n'aurais jamais su en faire autant ! J'ai profité de cette pause pour me brosser les dents et me rincer la bouche avec mon désinfectant.

Quand il est revenu dans le salon, Maggie trottinait à côté de lui en reniflant. Elle tenait son index de sa petite main.

— Pourquoi ne l'as-tu pas changée, Laurel ?

— Elle hurlait pour te voir. Jamie, elle ne m'aime pas.

— Chut ! a-t-il dit à voix basse. Elle comprend mieux que tu ne le crois. Bien sûr qu'elle t'aime ! Nous avons perturbé sa routine, c'est tout.

Au cours du week-end, ma relation avec Maggie s'est un peu améliorée. J'ai jeté les panachés restants, à l'exception d'une bouteille – que j'ai cachée dans ma penderie, en cas de besoin – et j'ai tenu trois journées entières sans y toucher. Histoire de me prouver que je n'étais pas alcoolique ! J'ai fait aussi un effort pour jouer avec Maggie. Je lui lisais des livres quand elle le voulait bien, de plus en plus souvent d'ailleurs. Mais elle ne se détendait pas réellement avec moi, comme si elle me perçait à jour derrière mon masque. A en juger par mon enthousiasme à l'égard de ma fille, j'avais l'impression de garder le bébé d'une amie et non le mien. Pourtant, j'aurais voulu l'aimer ! J'essayais de donner le change, ce en quoi j'excellais.

Marcus a travaillé exactement trois jours sur les propriétés des Lockwood. Le premier jour, il a passé les terrasses au Kärcher ; le deuxième, il a réparé un toit ; le troisième, Jamie était si content qu'il lui a demandé de remplacer quelques fenêtres dans l'une des villas de Surf City. Marcus a enlevé les anciennes et agrandi les ouvertures pour placer les nouvelles, mais il les a taillées trop grandes et de travers. Il était ivre.

Ce soir-là, il est venu à Sea Tender reconnaître ses torts.

Jamie m'a tendu Maggie en me priant de l'emmener dans ma chambre, ce que j'ai fait volontiers : je ne tenais pas à voir éclater l'orage entre les deux frères. Je me suis assise sur le lit, Maggie dans les bras, mais j'ai entendu leur confrontation à travers la fine cloison.

— Tu avais pris des mesures, non ? a crié Jamie.

— Bien sûr !

— Papa !

Maggie s'est faufilée vers le bord du lit. Je l'ai retenue par le pan de sa chemise.

— Alors, comment est-ce arrivé ?

— Aucune idée, a dit Marcus. C'est comme ça, et ce n'est pas le bout du monde, Jamie.

— Papa !

J'ai fermé les yeux en priant le ciel qu'ils se calment. Je ne supportais pas de les entendre se disputer.

— Un travail de cochon, Marcus. Les réparations vont me coûter les yeux de la tête.

— On peut trouver des fenêtres plus grandes.

— *On* ne fera rien. Je t'interdis de t'approcher de ces fenêtres !

— Tu attendais avec impatience le moment où j'allais me planter !

Maggie m'a échappé à cet instant.

— Pas du tout ! J'espérais que tu allais enfin devenir raisonnable. C'était le moment ou jamais. Tu as vingt-deux ans, Marcus ; tu es un foutu ivrogne et tu files un mauvais coton. Je te vire...

J'ai tendu la main vers Maggie, qui a culbuté hors du lit, la tête la première. Je l'ai rattrapée. Elle ne s'était pas fait mal, mais j'ai lu sur son visage une expression qui signifiait : « Attention, je me prépare à pousser un cri à vous dresser les cheveux sur la tête ! »

J'ai bondi vers elle.

— Non, ma chérie. Chut !

— Tu me vires ? a glapi Marcus. Comme si tu me payais ! Je n'ai aucune raison de m'inquiéter. Les soucis, tu peux te les garder.

La porte d'entrée a claqué ; Maggie a poussé le cri auquel je m'attendais. Quant à moi, je suis sortie de la chambre et je l'ai tendue à Jamie, qui avait le visage écarlate, les poings sur les hanches et les yeux rivés sur la porte.

— J'ai besoin d'une sieste, lui ai-je dit en lui confiant Maggie sans lui laisser le temps de protester.

Je me suis enfermée dans ma chambre et j'ai pris dans ma penderie le dernier panaché, que j'ai bu chaud.

Le lendemain soir – veille du jour où Jamie et Maggie devaient retourner chez les Weston –, Jamie a reçu un autre appel de la caserne. Grâce au ciel, Maggie dormait et j'étais au lit quand il est rentré ! Il a entrouvert ma porte, après avoir frappé.

— On peut parler une minute ?

— Hum !

La tête contre le dosseret, j'ai remonté les couvertures sur ma poitrine, car j'étais nue.

La colère de Jamie contre son frère s'était évanouie au cours de la journée, à moins qu'il n'ait renoncé à m'en faire subir les conséquences. Il s'est assis au bord du lit. La lumière du couloir éclairait sa joue et ses grands yeux bruns que j'avais tant aimés. Si seulement j'avais pu les aimer encore, l'aimer *lui*, aimer ma fille qui méritait beaucoup mieux que ce que je lui donnais !

— Cette semaine avec toi m'a fait plaisir, a-t-il dit à voix basse.

J'ai acquiescé d'un signe de tête, bien que j'attende avec impatience le départ de mon mari et de ma fille : je pourrais enfin me remettre à dormir et à boire comme je l'entendais.

— Du moins, Maggie ne pleure plus quand tu la laisses seule avec moi.

Jamie n'a pas souri.

— Tu as fait de gros efforts avec elle. Je sais que tu n'es pas encore redevenue toi-même, mais j'apprécie sincèrement le mal que tu t'es donné pour... te comporter comme une maman.

J'avais les larmes aux yeux. Il s'est approché de moi et il a pris ma main entre ses deux grosses pattes d'ours.

— Laurel ? Pourquoi pleures-tu ?

— Je voudrais tellement éprouver quelque chose pour elle... et pour toi. Comme une mère normale, une épouse normale.

Il s'est penché et j'ai été surprise qu'il m'embrasse. Puis il a murmuré, une main sur ma joue :

— Ça viendra.

Il m'a embrassée une seconde fois. Le contact de ses lèvres éveillait tout au fond de moi de lointains échos que j'aurais voulu retrouver, mais qui m'étaient inaccessibles.

Ses doigts se sont glissés sous le drap et posés sur ma poitrine, puis il a tiré le drap et je l'ai laissé faire : je ne voulais pas le priver du peu qui vibrait encore dans mon cœur. Il a fouillé dans le tiroir de la table de nuit et pris un préservatif, qu'il a mis.

J'ai joué la comédie du désir afin de ne pas le décevoir, mais mon corps était insensible quand je me suis ouverte à lui. Pour la première fois de ma vie, j'ai feint un orgasme.

En se retirant, il a juré entre ses dents :

— Ça, c'est une première !

— Une première ? ai-je répété en craignant une allusion à ma pitoyable comédie.

— Il a craqué ! ! ! (En fait, Jamie parlait du préservatif.) Je suppose qu'il était trop vieux.

Allongé près de moi, il a posé une main sur mon ventre.

— Où en es-tu de ton cycle ?

Je me suis souvenue de mes dernières règles, il y avait de cela bien plus d'un mois. La semaine précédente, j'avais été prise de légers vertiges, que j'avais attribués à mes excès de boisson. Mon cœur a bondi dans ma poitrine et, pour un peu, j'aurais couru dans la cuisine compter les jours sur le calendrier, en espérant que je me trompais ; mais j'ai réussi à ne pas broncher.

— Je ne sais pas exactement, ai-je enfin articulé.

— Une nouvelle grossesse serait la pire des choses pour toi, dans les circonstances actuelles.

La pire des choses… c'était, en effet, ce qui m'arrivait.

30

Marcus

Un Coca aux cacahouètes avait le pouvoir de me remonter le moral, mais pas ce matin-là. Assis sur la terrasse, derrière ma tour, je regardais les vagues grignoter la plage. Une forte écume venait éclabousser mon visage et le journal de Wilmington que j'avais posé sur mes genoux. J'ai adressé un salut à deux promeneurs et regardé leur labrador récupérer une balle dans l'eau, en essayant de me convaincre que c'était une journée comme les autres. Ça a presque marché jusqu'au moment où j'ai repris mon journal.

« Le héros de l'incendie serait-il un scélérat ? » pouvait-on lire à la une.

Depuis deux jours, des bruits couraient. Pour tenter d'étouffer certains d'entre eux, la police avait tenu une conférence de presse, laquelle avait eu l'effet inverse. Trop de questions posées, trop peu de réponses données.

Même CNN avait envoyé une équipe. C'était la conséquence du *Today Show* : un incendie dans une petite ville devenait subitement une nouvelle majeure.

« Est-il exact que plusieurs témoins ont vu Andy Lockwood à l'extérieur de l'église pendant le *lock-in* ? » avait demandé l'un des reporters.

Comment cette information avait-elle circulé ? Avait-elle flotté dans l'air et fini par s'infiltrer dans l'esprit des gens ?

« L'enquête est en cours, nous interrogeons toujours des gens et nous recueillons encore des témoignages, avait répété le chef de la police pour la troisième ou la quatrième fois.

— Considérez-vous Andy Lockwood comme un suspect éventuel ? »

A cette question, le chef de la police avait répondu que toutes les personnes « ayant approché l'église ce soir-là » étaient des suspectes éventuelles.

« Nous avons entendu parler d'une colère d'Andy Lockwood ; avez-vous eu la confirmation de ses colères en public ? »

Réponse du chef :

« Je n'y ai jamais assisté personnellement ! »

Je me souvenais d'un jour où Laurel était allée faire un speech dans la région, au sujet du syndrome d'alcoolisation fœtale. L'école m'avait appelé car j'étais second sur la liste des personnes à contacter en cas d'urgence. (La première personne était évidemment Sara, alors injoignable.) Andy avait été renvoyé pour la journée : on lui reprochait d'avoir frappé une fille qui l'avait traité de « glandeur ». D'autres incidents s'étaient produits au fil des ans – mais pas en trop grand nombre. Andy avait effectivement un caractère imprévisible et passait en un instant du plus grand calme à la fureur. Je pouvais l'imaginer en train de tabasser Keith au *lock-in* ; il était impulsif, mais ses comportements agressifs n'étaient jamais prémédités.

Même si aucune accusation n'avait été dirigée contre lui pendant la conférence de presse, les questions posées avaient fait germer la graine.

— Salut, oncle Marcus.

Maggie marchait sur le sable, en se dirigeant vers ma maison. J'ai retourné le journal, au cas où elle ne l'aurait pas encore eu sous les yeux.

— Salut, Mags.

— J'ai frappé chez toi. Comme tu ne me répondais pas, je me suis doutée que tu étais ici.

Elle a gravi les marches menant à la terrasse et je l'ai taquinée.

— Tu ne vas plus jamais au lycée ?

— Je devais te voir en urgence !

Ses longues mèches ondulées flottaient autour de sa tête. Tout en parlant, elle a sorti un élastique d'une poche de son pantalon, pour les nouer.

— Hier soir, cette conférence de presse m'a fait flipper. J'y comprends rien !

Elle a passé ses doigts dans sa longue queue de cheval.

— Assieds-toi, Mags.

Elle s'est affalée sur l'un des transats.

— Ça me gonfle grave !

— Tu veux un Coca ?

Une erreur de ma part, car la caféine risquait d'aggraver son excitation.

— Non, merci, dis-moi plutôt où en est *réellement* l'enquête ?

J'ai regardé le labrador se laisser rouler dans une vague, s'ébrouer, et foncer vers l'eau pour recommencer.

— Allez, oncle Marcus, dis-moi !

— Je te rappelle que je ne fais plus partie de l'équipe.

— Hier, ils ont fouillé la chambre d'Andy.

— Ils ont trouvé quelque chose ?

— Un préservatif et des cigarettes. Ils ont emporté les vêtements qu'il portait le soir de l'incendie, comme s'ils pouvaient leur révéler quelque chose.

— Ah bon, un préservatif ?

Laurel avait-elle demandé à Andy où il se l'était procuré ? Qu'avait-il répondu ? Il avait quinze ans, et j'ignorais si elle avait abordé avec lui le sujet des relations sexuelles. Quelqu'un devrait s'en charger.

— Ils étaient si... intrusifs. Beurk !

Maggie s'exprimait parfois comme une ado, elle qui paraissait si adulte en général. J'avais souvent tendance à oublier qu'elle n'avait que dix-sept ans.

— Ta maman va bien ?

— Non. Comment veux-tu qu'elle aille bien quand tout le monde soupçonne Andy d'être un pyromane ? C'est dingue. (Les joues cramoisies, elle m'a dévisagé.) Et d'abord, le type de la conférence de presse n'a même pas parlé d'incendie volontaire. Est-ce qu'il pourrait s'agir d'une sorte d'accident ?

— On ne parlera pas officiellement d'incendie volontaire avant la fin de l'enquête ; mais un scénario d'incendie comme celui-ci ne peut pas être accidentel.

— Est-ce qu'il y aurait un rapport avec la panne d'électricité de la Maison des jeunes ?

— Ça n'expliquerait pas le scénario de l'incendie.

— De quels indices ils disposent ? Est-ce qu'ils savent au sujet d'Andy quelque chose dont je n'ai pas entendu parler ?

— Ils savent quel carburant a été utilisé. Un mélange d'essence et de gazole.

— Comme si Andy avait pu apporter de l'essence et du gazole au *lock-in* ! C'est moi qui l'y ai conduit. Je m'en serais aperçue.

— Je sais, petite.

Maggie a laissé planer son regard sur la plage.

— J'ai l'impression qu'ils vont considérer Andy comme le seul suspect maintenant, sans même chercher à savoir ce qui s'est effectivement passé.

— Andy leur fournit le sujet d'une rumeur… originale, mais la vérité finira par triompher.

— Il n'y a pas eu une église incendiée à Wilmington cette année ? On pourrait avoir affaire à une sorte de… pyromane en série ?

L'hypothèse de ma nièce m'a impressionné.

— Bravo, Mags ! Je vais suggérer aux enquêteurs de t'embaucher.

— Sérieusement ?

— Non. Si moi je ne peux plus faire partie de leur équipe, comment veux-tu qu'ils s'adressent à la sœur d'Andy ? Mais ton idée était astucieuse, à une grosse nuance près : l'église de Wilmington était vide.

— Ils envisagent tout de même cette hypothèse ?

— Bien sûr ! Ta maman a déjà parlé à un avocat ?

— Je ne crois pas.

— Qu'est-ce qu'elle attend ?

— J'en sais rien, mais Andy est terriblement perturbé. Hier soir, il a pleuré dans son lit et il répétait sans arrêt : « Mais je suis un héros ! » (La voix de Mags s'est brisée.) Je ne voulais pas qu'il aille en classe aujourd'hui. Les gosses vont lui mener la vie dure.

J'ai pensé tout haut :

— Il aurait peut-être intérêt à rester un jour ou deux à la maison.

— J'essaie d'organiser une collecte au lycée, en mai, a dit Maggie. Un grand événement médiatique, avec la participation des classes de cosmétologie, des enchères silencieuses, etc. Avec tout ça, je n'ai même plus envie de m'en occuper…

Comment faire pour calmer ma sacrée nièce ? Peu m'importait maintenant qu'elle soit en tête de classe ou non.

— Souviens-toi qu'il s'agit d'une collecte au profit des victimes, ai-je marmonné. Ne va pas les punir, sous prétexte que certaines personnes colportent des médisances au sujet d'Andy.

Maggie a fait la grimace et regardé sa montre en soupirant, puis elle s'est levée.

— Tu as raison. Il est temps que je retourne au lycée !

— Ecoute-moi bien, Mags. Pour toi comme pour moi, le mieux à faire est de rester solidaires d'Andy. Continue à le soutenir et ne te laisse pas démoraliser par cette histoire.

— OK, Marcus.

Elle m'a embrassé sur la joue d'un air sombre et je l'ai regardée descendre les marches. Quand elle a disparu au coin de la maison, j'ai relu une fois encore le titre à la une du journal. « Le héros de l'incendie serait-il un scélérat ? »

Les soupçons se focalisaient sur Andy, comme sur moi quelques années auparavant. Un phénomène destructeur, et aussi imparable que l'action des vagues grignotant le sable de ma plage.

31

Laurel

J'ai été convoquée chez le principal comme une gamine indisciplinée. Telle était mon impression tandis que j'attendais mon tour, dans ma blouse blanche d'infirmière, devant le bureau de Mme Terrell. De mon petit siège en bois, j'apercevais par les fenêtres une partie du lycée. Comment se passait la journée d'Andy là-bas ? J'aurais peut-être dû le garder à la maison. Je lui avais recommandé de profiter de l'occasion pour pratiquer le *self-control* si un élève l'insultait ou lui adressait des paroles blessantes. Il s'y était engagé de bon cœur, mais je doutais de sa capacité à supporter l'agressivité verbale de ses comparses.

Cette convocation avait probablement un rapport avec lui. Je savais que certains parents avaient téléphoné au principal du lycée pour s'indigner qu'Andy assiste encore aux cours. Ils craignaient qu'il apporte une arme en classe et tire sur ses camarades, comme le font parfois certains enfants inadaptés. J'imaginais le principal appelant Mme Terrell pour qu'elle me persuade de garder mon fils chez moi jusqu'à la fin de l'année.

— Madame Lockwood ?

Mme Terrell avait ouvert la porte de son bureau et se tenait devant moi, souriante. Je l'ai suivie à l'intérieur. Malgré ma taille moyenne, je la dominais de plusieurs centimètres.

C'était sa première année dans mon établissement et je ne la connaissais pas personnellement, bien que je sache déjà pas mal de choses à son sujet. Une petite quarantaine d'années ; doctorat d'éducation ; afro-américaine et enfance passée dans les rues de Baltimore. Menue, elle portait toujours un rang de perles autour du cou et des talons que l'on entendait cliqueter dans les couloirs. Les élèves la craignaient et la respectaient, car elle était impitoyable à leur égard. Assise face à elle, j'éprouvais les mêmes sentiments.

— Vous arrivez à tenir le coup ? m'a-t-elle demandé.

J'ai cherché à masquer mon anxiété par un sourire.

— Je me débrouille...

Elle a croisé les mains sur son bureau.

— Etant donné la situation de votre fils, j'aimerais que vous et moi fassions le point. Il me semble que vous pourriez souhaiter prendre un congé pendant cette période difficile...

Comment déchiffrer son expression ? Des rides marquaient son front, et j'ai cru lire de la sollicitude dans son regard.

— Des parents se sont plaints de ma présence ici ? lui ai-je demandé.

— Non. Je sais que certains parents d'élèves du collège déplorent qu'Andy poursuive sa scolarité, mais je n'ai pas reçu de plaintes formelles à votre sujet. Simplement, je...

— Vous avez reçu des plaintes informelles ?

— *Plaintes* est un terme excessif. Votre travail ne pose aucun problème, évidemment. Les enfants vous adorent. (Elle a décroisé ses mains, qu'elle a posées sur ses genoux.) Mais les gens causent. Vous savez ce que c'est.

J'ai répondu d'un ton sec qu'ils n'avaient pas à se mêler de ma vie ou de celle de mon fils, puis j'ai joint les mains dans un geste implorant, avant d'ajouter :

— Pardonnez-moi d'être sur la défensive ! Ce n'est pas dans mes habitudes, mais... je sais qu'Andy est innocent... J'ai du mal à... Les gens ne le comprennent pas, et vos remarques sont la goutte d'eau...

— Je comprends. (Mme Terrell, pensive, a tourné son regard vers le lycée.) J'ai moi-même un grand fils...

J'ai cru tomber des nues.

— Un grand fils ?

— Je l'ai eu à quinze ans, il en a maintenant vingt-cinq, et il est étudiant en médecine à l'UNC.

Quelle énergie avait dû être la sienne pour parvenir à ce poste !

— Mon Dieu, mais comment avez-vous fait pour...

J'ai agité mes mains dans les airs pour prendre en compte à la fois le bureau qu'elle occupait et les diplômes accrochés au mur.

— Votre réussite est impressionnante !

— J'étais fermement décidée à faire des études et j'ai failli avorter, mais j'avais peur et j'ai attendu trop longtemps. Bien entendu, je n'ai aucun regret.

Mme Terrell a souri en regardant une photo encadrée, sur son bureau.

— J'ai eu beaucoup de chance, a-t-elle repris. Ma mère et ma grand-mère m'ont aidée à élever mon fils, pour me permettre de poursuivre mes études. L'endroit où nous vivions n'était pas bon pour un adolescent. Il n'était ni un enfant modèle ni un drogué, comme beaucoup de gamins de son âge, mais les flics ne font pas dans la nuance devant un jeune Afro-américain. A l'époque, je gagnais suffisamment bien ma vie, en tant qu'enseignante, pour pouvoir déménager.

Elle s'est penchée vers moi, après avoir croisé une fois encore ses mains sur son bureau.

— Comme vous voyez, je sais ce qui peut se produire quand une jeune femme commet l'erreur de tomber enceinte à quinze ans, ou (elle a hoché la tête dans ma direction) de boire quand elle est enceinte. J'ai l'expérience de l'ostracisme et de la maternité, et je comprendrais parfaitement que vous preniez un congé pendant que vous traversez cette épreuve.

J'ai réfléchi un moment avant de la remercier : une pause de quelques jours me serait utile, le temps de trouver un avocat.

Elle paraissait surprise que je n'aie pas encore fait la démarche. Je lui ai dit que j'avais consulté un notaire pour certains documents. Ce dernier m'avait adressée à une femme, à Hampstead, dont – regrettable coïncidence – le neveu avait été blessé au cours de l'incendie. Elle avait refusé de s'occuper de moi, sans se donner la peine de m'indiquer d'autres noms. Je n'avais plus qu'à regarder dans les pages jaunes.

Mme Terrell a inscrit un nom sur l'une de ses cartes de visite et tapoté le clavier de son ordinateur, puis elle a griffonné un numéro de téléphone.

— Je ne connais pas bien cet homme, a-t-elle précisé en me tendant la carte, mais je sais qu'il plaide au pénal. Il s'appelle Dennis Shartell et je l'ai rencontré par l'intermédiaire d'un ami d'ami. Il exerce à Wilmington... Ce n'est pas tout près, mais il pourra peut-être vous donner un coup de pouce.

Après l'avoir remerciée une fois encore en me levant, je suis sortie dans le couloir, sa carte de visite serrée dans ma main. J'appellerais ce Dennis Shartell. Quand je suis arrivée dans mon bureau, j'avais placé tous mes espoirs en lui. Il endiguerait la marée de soupçons qui menaçait mon fils. J'avais commis un certain nombre d'erreurs dans ma vie ; je n'en commettrais pas une de plus en laissant tomber Andy !

32

Laurel

1991-1992

Quand j'ai pris conscience de ma grossesse, j'ai été terrassée par une terrible dépression, auprès de laquelle mes humeurs noires depuis la naissance de Maggie me semblaient aussi banales qu'un après-midi pluvieux. Une voix me répétait inlassablement : *Tu es une menteuse, une femme adultère, une mère indigne.* Je me haïssais et je ne voulais plus voir personne, pas même Marcus. Mais il continuait à venir passer plusieurs soirées par semaine à Sea Tender pour boire et regarder la télévision. Il attribuait probablement mon changement d'attitude à mon désir d'éviter le jacuzzi, et une autre nuit comme celle que nous avions passée.

Mon meilleur ami, mon seul véritable ami, me manquait. Mais si je restais trop souvent en sa compagnie, je serais amenée à lui dire ce que je voulais garder secret.

J'avais la conviction que je ne pouvais pas mettre au monde ce bébé, l'enfant du frère de mon mari, dont je ferais le malheur à cause de mon manque d'instinct maternel. Je ne méritais pas qu'il naisse et il ne méritait pas de m'avoir comme mère. Avorter aurait supposé que je décroche mon téléphone, que je prenne rendez-vous, et que je fasse toute seule l'aller-retour entre chez moi et la clinique de Wilmington. Chaque fois que je réfléchissais à la manière de planifier mon avortement, je me réfugiais dans mon lit, où je m'endormais en sanglotant

Un après-midi, allongée sur mon lit, j'ai senti comme le frémissement d'une aile d'oiseau entre mon nombril et ma hanche. Cette brève sensation m'a affolée. En étais-je déjà à ce stade ? J'ai fini par me lever et j'ai appelé le planning familial.

— A quand remontent vos dernières règles ? m'a demandé la standardiste.

Sur le calendrier, au mur de la cuisine, la page de mai était toujours visible, alors que nous étions déjà en plein mois de juin.

Ne sachant que répondre, j'ai murmuré :

— Il y a deux ou trois mois, je suppose.

On m'a donné un rendez-vous pour le lendemain.

Devant le centre, une bonne douzaine de protestataires, en faction sur le trottoir, brandissaient des pancartes que je m'étais soigneusement abstenue de lire en me garant. Rien ne devait m'arrêter.

Les anti-avortement me fusillaient du regard, mais je suis sortie de ma voiture, j'ai refermé calmement ma portière, et je me suis dirigée vers l'entrée de la clinique.

— Ne tuez pas votre bébé ! Ne le tuez pas ! vociférait le petit groupe sur mon passage.

Une protestataire a brandi sa pancarte devant moi, ce qui m'a obligée à faire un bond de côté pour ne pas me cogner la tête.

Une jeune femme m'a accueillie sur le seuil de la clinique. Elle a pris mon bras en souriant, puis m'a escortée à l'intérieur. Dans la salle d'attente, une réceptionniste était assise dans un bureau vitré. Une vitre blindée ? Et si une bombe explosait ce jour-là dans la clinique ? Je n'y voyais pas d'inconvénient, pourvu que je sois l'unique victime. Le personnel et les autres patients devaient être épargnés ; quant à moi, j'étais prête à mourir.

La réceptionniste m'a inondée de brochures à lire et de formulaires à remplir. Je me suis assise pour me mettre au travail. Ensuite, j'ai pris le temps d'observer les personnes autour de moi. Qui s'intéressait à la contraception ? Qui venait demander un avortement ? Une adolescente m'a jeté un regard sombre et craintif, qui m'a fait baisser les yeux. Je ne les ai plus levés jusqu'au moment où une assistante m'a apporté un gobelet en carton, en me désignant la fontaine à eau, dans un coin de la salle d'attente.

— Vous devez boire de l'eau pour l'échographie.

— Une échographie ? Je suis ici pour un avortement.

— Nous voulons savoir à quel stade vous en êtes exactement, pour cibler la méthode appropriée.

Après avoir bu un nombre incalculable de gobelets, j'avais l'impression que ma vessie allait éclater. On m'a conduite dans une cabine où j'ai enfilé une légère blouse jaune. Sur la table d'examen, j'ai réalisé pour la première fois que mon ventre formait un monticule arrondi et en pente douce, au dessus du reste de mon corps. Un nouveau frémissement d'ailes s'est alors fait sentir.

La technicienne, une brune aux cheveux hérissés, a fait irruption dans la salle, munie des formulaires que j'avais remplis.

— Bonjour. Comment vous sentez-vous aujourd'hui ?

J'ai marmonné « ça va », et sans perdre une seconde, elle a étalé du gel sur mon ventre. L'écran était orienté vers elle tandis qu'elle promenait la sonde sur moi.

— Hum... A peu près dix-huit semaines... Vous voulez voir ?

— Dix-huit semaines ?

Se pouvait-il que tant de temps se soit écoulé depuis ma nuit avec Marcus ? Eberluée, j'ai questionné la technicienne :

— Quelle date ?

Son regard est passé brusquement de l'écran à moi.

— Je ne comprends pas...

— Aujourd'hui, quel jour nous sommes-nous ?

— Oh, le 21 juillet ! Souhaitez-vous voir l'échographie ?

J'ai refusé d'un signe de tête. On était déjà en juillet alors que je me croyais encore au mois de juin. Je me suis passé la main sur le front énergiquement, comme pour remettre mes idées en place.

— Je suis si perturbée...

La technicienne a éteint l'appareil à ultrasons et essuyé le gel avec des serviettes en papier.

— Une grossesse peut parfois être très perturbante. Nous avons donc des psychologues qui vous guideront dans votre réflexion. (Elle m'a tendu la main pour m'aider à m'asseoir.) Vous pouvez vider votre vessie dans les toilettes, au bout du couloir. Ensuite, habillez-vous et allez dans la première pièce à gauche ; la psychologue vous parlera de l'avortement. A dix-huit semaines, c'est un processus de deux jours, et vous devrez obligatoirement être accompagnée, chaque fois, d'une personne qui vous raccompagnera chez vous.

Aux toilettes, j'ai pleuré. Je me sentais complètement seule. En tant qu'infirmière, je savais en quoi consistait un avortement au second trimestre, mais dans le brouillard où m'avaient plongée l'alcool et la dépression, j'avais espéré ne pas avoir atteint ce stade et je comptais sur un avortement facile. Ce n'était ni la complexité de l'avortement ni l'obligation d'être accompagnée qui me troublaient le plus. Mon problème était que je me souvenais parfaitement de l'échographie de Maggie à dix-huit semaines : elle suçait son pouce, roulait sur elle-même, agitait les mains vers Jamie et moi. Ce jour-là, on nous avait annoncé que nous aurions une fille. Elle était si réelle, si parfaite : un petit être en devenir, sur lequel nous avions focalisé nos espoirs, nos rêves, et notre amour.

Dans le bureau de la psychologue, je me suis assise en face d'une femme aux cheveux gris coupés court, aux épais sourcils blancs et à la peau basanée.

— Vous avez froid ?

Elle me regardait avec inquiétude, et j'ai réalisé que je tremblais de la tête aux pieds.

J'ai serré les mâchoires pour ne pas claquer des dents.

— Juste un peu d'anxiété...

Elle a rapproché sa chaise, de sorte que nos genoux se touchaient presque.

— La technicienne qui s'est chargée de votre échographie m'a dit que vous paraissiez surprise en apprenant que votre grossesse était si avancée.

J'ai hoché la tête et chuchoté :

— Je renonce à cet avortement, donc je suppose que cet entretien est inutile.

— La décision vous appartient, mais pourquoi avez-vous changé d'avis ?

Mes mains se sont nouées sur mes genoux.

— Parce que je me souviens de l'échographie de ma fille à dix-huit semaines... et je ne pourrai pas... A ce stade de développement, je m'en voudrais de...

— Je vous comprends ! Vous avez dû éprouver des sentiments très conflictuels au sujet de votre grossesse, pour attendre aussi longtemps.

Je n'avais qu'une idée en tête : le petit supermarché devant lequel j'étais passée en venant. Je pourrais m'y arrêter au retour et acheter un panaché.

— Vous avez un soutien moral chez vous ? (Le regard de la psychologue s'est posé sur mon annulaire.) Votre mari ? Il vous a poussée à avorter ?

— Il ne sait pas que je suis enceinte.

D'une voix douce, elle m'a demandé si j'étais enceinte de *lui*. De quoi se mêlait-elle ? Je lui ai répondu que non.

— Alors, qu'allez-vous faire ?

— Je n'en sais rien.

Elle a feuilleté les formulaires que j'avais remplis.

— Vous vivez à Topsail Island... Je peux vous adresser à un thérapeute d'Hampstead. Vous avez de graves décisions à prendre, et une aide extérieure me paraît indispensable.

J'ai fait mine d'acquiescer, tout en sachant que j'avais trop peur pour prendre rendez-vous. A quoi bon voir un thérapeute, qui risquait de m'envoyer dans un service psychiatrique si j'ouvrais trop la bouche ?

Après avoir consulté un dossier, la psychologue a noté un nom et un numéro de téléphone sur une carte qu'elle m'a tendue.

— Si vous êtes sûre de ne pas souhaiter un avortement, prenez immédiatement rendez-vous avec un obstétricien qui suivra l'évolution de votre grossesse.

Penchée en avant, elle m'a scrutée de sous ses sourcils blancs.

— Autre chose... L'accompagnatrice a eu l'impression que vous aviez bu ce matin.

J'aurais voulu protester, mais je n'en avais pas la force. Les yeux baissés, je regardais mes mains, agrippées à la carte qu'elle m'avait remise.

— L'alcool est toxique pour votre bébé, a-t-elle ajouté.

— Je ne bois que des panachés.

— Ils ont la même teneur en alcool que la bière.

— Non ! L'étiquette de la bière dit que les femmes enceintes ne doivent pas en boire, alors que le même avertissement ne figure pas sur celle des panachés.

— Parce que la loi ne l'exige pas encore, mais je vous certifie qu'ils contiennent le même taux d'alcool que la bière !

Je me suis dit qu'elle se trompait ; ou encore qu'elle me racontait des bobards pour m'effrayer. Ma marque préférée de panachés n'était sans doute pas assez alcoolisée pour être soumise à cette obligation.

— Si vous le dites, ai-je murmuré pour qu'elle cesse de me sermonner.

— Je peux vous indiquer une réunion des Alcooliques Anonymes près de chez vous.

Mes joues sont devenues écarlates.

— Je n'ai pas besoin des AA !

Pourtant, ce petit discours m'avait troublée... A tel point que je suis rentrée chez moi sans m'acheter un seul panaché en route. Une fois à Sea Tender, j'ai déniché le flacon de vitamines prénatales que je prenais en attendant Maggie et j'en ai pris une. Quand j'ai cherché une boisson pour l'avaler, je n'ai trouvé dans le réfrigérateur qu'un carton de jus d'orange vieux de trois semaines, et le pack de six panachés, acheté la veille. Le choix a été vite fait.

J'ai gardé mon secret encore deux semaines. Mes efforts pour réduire ma consommation de panachés ont échoué, mais je me suis forcée à mieux manger et j'ai pris des vitamines. Je n'ai pas vu le médecin et j'ai prié Jamie de ne plus m'amener Maggie, parce que je ne me sentais pas bien – ce qui était la pure vérité.

Sara était si absorbée par son bébé qu'elle passait rarement me voir, un soulagement pour moi. Marcus me rendait toujours visite ; je portais des robes de plage amples et j'étais désagréable avec lui, car mon dilemme m'obsédait. Décidée à poursuivre ma grossesse jusqu'à son terme, je ne savais pas encore si je garderais l'enfant. Je devrais peut-être le faire adopter, sans en parler à personne, après être allée accoucher ailleurs.

Un soir de ma vingt et unième semaine, Marcus est venu me voir. Nous avons trop bu en mangeant des pizzas et en regardant *Seinfeld*. Il a rapporté nos assiettes dans la cuisine et je l'ai suivi peu après, avec les bouteilles vides.

Taquin, il m'a dit :

— Avec cette robe, tu as l'air enceinte.

La surprise m'a rendue muette et nos regards se sont rencontrés. Il a effleuré mon ventre et retiré brusquement sa main en murmurant :

— Bon Dieu !

J'ai précisé aussitôt que j'étais enceinte de Jamie, et il a répété « de Jamie ? », comme s'il était choqué que j'aie fait l'amour avec mon mari pendant notre séparation.

— C'était pendant la semaine qu'il a passée à la maison avec Maggie, quand Sara a accouché, ai-je ajouté.

— Il est au courant ?

— Non, je n'ai pas encore décidé ce que je vais faire.

— Apparemment, ta décision est prise. Pourquoi n'as-tu pas avorté ?

Soudain très lasse, je me suis frotté les yeux.

— Ne me pose pas de questions difficiles, Marcus.

Je suis retournée au salon. Il m'a suivie et je me suis rassise sur le canapé.

— Difficiles en quoi, Laurel ?

— Je ne savais plus où j'en étais et j'ai trop attendu. Maintenant, je dois décider si je dois aller accoucher ailleurs et faire adopter le bébé.

Marcus a secoué la tête.

— Il faut que tu en parles à Jamie.

Avec un soupir résigné, j'ai laissé aller ma tête contre le dossier du canapé. Je savais... Je savais depuis longtemps, au fond de moi-même, que je ne partirais pas. Aucun lien particulier ne m'attachait au bébé que je portais, mais je n'avais pas la force de réfléchir à l'endroit où je pourrais aller.

Marcus s'est assis à l'autre bout du canapé.

— Comment sais-tu que c'est l'enfant de Jamie et non le mien ?

— Parce que... (J'ai levé la tête pour le regarder encore une fois dans les yeux.) Parce que j'ai décidé que c'était comme ça !

Jamie et Maggie sont revenus à Sea Tender alors que j'allais entrer dans mon septième mois. Jamie culpabilisait que le préservatif ait craqué. Il aurait dû vérifier la date, disait-il, et nous n'aurions pas dû faire l'amour alors que j'étais encore si déprimée. Il voulait veiller sur moi et souffrait que je n'aie pas eu le courage de lui annoncer ma grossesse dès le début. J'étais ennuyée d'être enceinte de deux semaines de plus que ce que je lui avais annoncé. J'espérais accoucher avec deux semaines de retard, pour donner l'impression que j'étais exactement à terme.

Maggie, qui avait deux ans et demi, devenait un véritable moulin à paroles. Malgré mes efforts, je ne comprenais presque rien de ce qu'elle disait, et Jamie me tenait lieu d'interprète.

Quand je demandais plusieurs fois de suite à Maggie de répéter, elle en pleurait de rage. Jamie, lui, comprenait le sens de la quasi-totalité de ses mots, pour moi un galimatias. Ils semblaient partager un langage secret dont je ne possédais pas la clé.

Jamie évitait de me laisser seule avec Maggie. Il avait engagé une nounou pour la garder pendant ses heures de travail à l'agence immobilière, et le dimanche matin quand il était à la chapelle. Il avait renoncé à faire partie des pompiers bénévoles, pour ne plus être appelé à l'improviste.

J'appréciais qu'une nounou vienne s'occuper de Maggie à domicile, mais je n'aimais pas être chez moi en présence de cette femme entre deux âges. J'avais l'impression qu'elle me jugeait et que ma relation difficile avec mon enfant ne lui avait pas échappé. Afin que ma lassitude et ma somnolence continuelles ne la surprennent pas, Jamie avait prétendu que je devais me reposer, sur ordre du médecin, pendant mes derniers mois de grossesse. Comme je me sentais mal à l'aise sous mon propre toit, je me réfugiais une bonne partie de la journée à Talos – où je pouvais faire la sieste sur le canapé de Marcus, regarder la télévision, et boire les panachés interdits. Je m'en passais de plus en plus difficilement ; ils devenaient une nécessité psychique et physique.

Voilà pourquoi j'étais ivre au moment où le travail a commencé, trois semaines trop tôt, et cinq semaines avant la date que j'avais indiquée à Jamie. J'ai donc appelé Marcus pour qu'il me conduise à l'hôpital : Jamie ne devait pas me voir avant que je sois dégrisée.

Andy était né depuis dix heures seulement quand l'assistante sociale est entrée dans ma chambre. Jamie, assis à côté de mon lit, m'a dit qu'il voulait appeler le bébé Andrew, en souvenir de son père. J'ai fait rouler ce nom plusieurs fois dans ma bouche, tout en me disant que ça m'était égal. Je n'avais qu'une envie : me rendormir.

L'assistante sociale, dont j'ai immédiatement oublié le nom, devait avoir environ trente ans, cinq de plus que moi. J'ai lu dans son expression dix pour cent de pitié et quatre-vingt-dix pour cent de condescendance, quand elle s'est assise à mon chevet pour me poser des questions auxquelles je ne me suis pas donné la peine de répondre. Son opinion à mon sujet me laissait indifférente. J'ai fermé les yeux pour ne pas voir Jamie froncer les sourcils devant mon attitude.

— Votre bébé est prématuré, a dit la jeune femme. Même en tenant compte des trente-six semaines environ de gestation, il est anormalement petit. Il ne s'est pas développé normalement dans votre utérus.

Sans ouvrir les yeux, j'essayais de calculer dans quelle mesure Jamie risquait de douter de sa paternité après ces remarques ; mais les mots et les chiffres s'embrouillaient dans ma tête.

L'assistante sociale :

— L'équipe soignante m'a contactée pour cela, et aussi parce que vous étiez en état d'ivresse à votre arrivée.

— Je ne parviens toujours pas à y croire, a marmonné Jamie.

Il m'avait déjà adressé des reproches et j'espérais qu'il n'allait pas recommencer.

— Nous appelons cela un double diagnostic.

Jamie :

— Qu'est-ce que ça signifie ?

L'assistante sociale, à mon intention :

— Premièrement, vous avez un problème d'addiction.

J'ai fini par ouvrir les yeux pour la foudroyer du regard.

— Votre alcoolémie était de 0,9 à votre arrivée ici, a-t-elle poursuivi. La personne qui vous a amenée... votre beau-frère ?... a dit au personnel soignant que vous aviez bu tout au long de votre grossesse.

J'étais furieuse contre Marcus. De quel droit leur avait-il parlé de moi ?

— En fait, je savais qu'elle buvait au début de sa grossesse, a dit naïvement Jamie. Nous étions séparés alors... Je suis rentré à la maison depuis plusieurs mois, et elle ne boit plus du tout... sauf hier soir, peut-être. (J'ai vu ses yeux briller.) Tu avais bu quelque chose chez Marcus, pendant la journée ?

— Juste des panachés.

— Oh, Laurel !

Ai-je entendu de la déception ou du dégoût dans sa voix ?

— La deuxième partie du diagnostic concerne votre dépression post-natale, madame.

L'assistante sociale a adressé un signe de tête à Jamie.

— L'infirmière à qui vous avez parlé, monsieur Lockwood, m'a mise au courant. Il semblerait que votre femme soit en difficulté depuis la naissance de son premier enfant.

— Au moins, Laurel, nous savons de quoi tu as souffert pendant cette longue période, a remarqué Jamie.

Je n'ignorais rien de la dépression post-natale, mais mon problème me paraissait beaucoup plus grave. Je m'étais imaginée en train de plonger un couteau dans le cœur de mon enfant. Pouvait-on considérer cela comme une simple dépression ?

L'assistante sociale nous a fait un topo sur les hormones et les échanges neuronaux.

— Vous vous êtes sentie très isolée sur Topsail Island, après la naissance de votre fille, a-t-elle conclu.

En un éclair, j'ai revécu les semaines qui avaient suivi la naissance de Maggie : elle hurlait sans cesse et je n'avais personne vers qui me tourner. J'aurais voulu répondre mais j'en étais incapable : les mots restaient coincés dans ma gorge.

— D'après votre beau-frère, vous ne touchiez que très rarement à l'alcool avant cette naissance. A mon avis, vous vous sentiez si mal que vous avez cherché un apaisement dans l'alcool.

A cet instant, j'aurais donné n'importe quoi pour avoir un panaché.

— Les pédiatres de l'unité de soins intensifs du nourrisson estiment que votre bébé risque d'avoir des problèmes liés à votre consommation.

Brusquement, j'ai retrouvé ma lucidité.

— Quels problèmes ?

— Sa petite taille, par exemple, a précisé l'assistante sociale. D'autre part, son score d'Apgar, qui permet d'évaluer la santé d'un nouveau-né, est bas. Heureusement, il n'est atteint d'aucune difformité faciale, bien que cela se produise souvent dans les cas d'alcoolisation fœtale. Par ailleurs, il présentait une détresse respiratoire supérieure à celle que l'on peut attendre d'un prématuré à ce stade de développement. Enfin, le système nerveux central est fréquemment touché : d'éventuels handicaps intellectuels et cognitifs. On ne peut pas encore savoir s'il sera affecté sur ce plan, ni dans quelle mesure.

J'étais tétanisée. Qu'avais-je fait ? Je me sentais aussi mal que le jour où j'avais percuté la moto de Jamie. J'avais nui à un être humain par ma conduite ; j'avais mis en danger mon propre enfant.

— Pardon, Jamie, ai-je murmuré. Je te demande pardon de tout mon cœur.

Il a détourné la tête et j'ai compris qu'il lui faudrait du temps pour me pardonner. Qui l'en aurait blâmé ?

J'ai essayé de m'imaginer le bébé que j'avais aperçu à peine un instant dans la salle d'accouchement.

— Dites-moi s'*il* souffre !

— On peut difficilement évaluer ce que ressentent les nouveau-nés. Ecoutez, vous devez savoir qu'Andrew est sous la tutelle des services de protection de l'enfance. Quand son état lui permettra de quitter l'hôpital, il sera placé en famille d'accueil, pendant que nous ferons le bilan de votre situation familiale.

— Comment ! s'est indigné Jamie. Nous pouvons parfaitement prendre soin de lui. (En évitant mon regard, il a ajouté :) Moi, en tout cas.

— Les services de protection de l'enfance vont effectuer un bilan. Vous avez une nounou à domicile pour votre autre enfant, n'est-ce pas ?

Jamie a acquiescé d'un hochement de tête.

— Elle a contacté nos services quand Laurel a accouché : elle craignait qu'un nouveau-né ne soit pas en sécurité dans votre foyer.

— Cette femme (j'étais incapable de me souvenir de son nom) me hait.

— Les informations qu'elle nous a fournies, jointes à votre problème d'addiction et à l'état de santé précaire d'Andrew, tout cela nous pousse à agir dans l'intérêt de l'enfant – c'est-à-dire le placer en famille d'accueil après sa sortie de l'hôpital, en attendant que votre situation familiale soit éclaircie.

— Comment faire pour le récupérer ?

— La meilleure chose serait que Laurel entreprenne une cure de désintoxication. Il y a à Wilmington un centre destiné en particulier aux gens qui font l'objet d'un double diagnostic. Mais c'est onéreux…

— Peu importe le prix, a lancé Jamie.

— Je t'en prie, ne les laisse pas m'enfermer !

L'assistante sociale m'a sentie paniquée.

— Vous êtes libre de votre choix, Laurel ; mais je vous conseille vivement d'entreprendre une cure si vous voulez avoir une chance de récupérer votre bébé.

Ce soir-là, Sara est entrée dans ma chambre d'hôpital et a conseillé à Jamie d'aller faire un tour, puis elle s'est penchée vers moi :

— Va en centre de désintoxication, je t'en supplie. Si ce n'est pas pour toi, pense à ta famille, m'a-t-elle dit, avant même de s'asseoir.

— J'aimerais qu'on me fiche la paix !

Jamie m'avait harcelée pendant des heures à ce sujet, et je me sentais à bout de nerfs. Prête à craquer.

Tandis que Sara restait assise au fond de son siège, je me suis détournée pour regarder le ciel d'hiver s'assombrir. Elle est restée muette longtemps, et j'aurais juré qu'elle avait renoncé à me convaincre. Quand elle a fini par remuer, j'ai cru qu'elle se préparait à partir, mais elle s'est penchée une fois encore vers moi.

— Je me souviens d'une femme… a-t-elle chuchoté. C'était il y a quelques années, dans une petite chapelle que son mari avait construite. Son mari s'est levé pour parler à l'assistance, et cette femme le regardait comme s'il avait décroché la lune… Je me souviens que je l'ai observée avec envie, en me disant que j'aimerais éprouver autant d'amour.

Si j'avais pu ouvrir la bouche, je l'aurais priée de se taire. J'ai regardé fixement un lointain château d'eau, pendant qu'elle continuait :

— L'homme a demandé qui avait fait l'expérience de Dieu au cours de la semaine. Comme personne ne répondait, cette femme s'est levée : elle aimait tant son mari qu'elle voulait lui sauver la mise. Elle a dit qu'elle avait senti la présence de Dieu, la nuit précédente, sous un ciel étoilé. La beauté du monde l'avait bouleversée...

J'ai tourné la tête vers Sara.

— Tu te souviens encore de cela ?

— Oh oui ! Si tu savais comme j'ai admiré cette femme et comme je l'ai enviée !

D'une voix à peine audible, j'ai chuchoté :

— Qu'est-elle devenue ?

— Elle s'est noyée dans une bouteille d'alcool ! Son mari souhaite son retour, ses enfants aussi.

— Maggie s'en fiche. Elle me hait.

Sara a haussé le ton.

— Maggie n'a pas trois ans ! Elle ignore la haine, Laurie. Simplement, elle ne te connaît pas. Elle ne peut pas te faire confiance.

J'ai secoué la tête.

— Pour l'instant, je n'ai qu'une envie : boire !

Sara a brusquement agrippé mon poignet. J'ai crié de surprise en essayant de me dégager mais elle m'a retenue.

— Tu es devenue une sale égoïste, totalement centrée sur toi-même. (Elle me transperçait du regard et je n'osais pas tourner la tête.) Je sais que tes hormones te jouent un mauvais tour et que tu n'es pas responsable de ta dépression. Mais c'est à *toi* de lutter pour t'en sortir, Laurel. Toi seule !

C'est la colère de Sara, plus que les supplications de Jamie, qui m'a poussée à entreprendre une cure de désintoxication. Je n'ai pas cédé pour récupérer mon bébé : il se porterait certainement mieux sans moi. Mais Sara m'avait rappelé la femme heureuse, digne, et comblée que j'avais été. Si une chance m'était offerte de retrouver cette femme – qui s'était noyée dans l'alcool – je devais la saisir.

Le centre de désintoxication se trouvait dans un environnement paisible et bucolique, contrastant avec le travail intensif qu'il fallait fournir dans ses quatre bâtiments. Au début, tout me semblait détestable : la discipline de vie, la nourriture, les séances de travail en groupe, le psychothérapeute qui m'était assigné. J'étais entourée de toxicomanes et de malades mentaux, avec qui je croyais n'avoir aucun point commun. Personne n'était autorisé à me rendre visite, pas même Jamie. On me donnait du Prozac, que j'avais refusé quelques années plus tôt, et il se passa un bon mois avant que je commence à percevoir un changement. Pendant une séance de psychothérapie, j'ai craqué et j'ai versé des torrents de larmes – qui restaient sans doute bloquées en moi depuis la mort de mes parents, bien des années avant. J'ai repensé à ce que m'avait dit Jamie autrefois : « Si tu n'oses pas regarder en face la mort de tes parents, elle reviendra te *mordre* plus tard. »

Un beau jour, une publicité à la télévision m'a fait rire, et j'ai cru entendre résonner la voix d'une inconnue. Depuis quand n'avais-je pas ri ?

Un matin, près de deux mois après mon arrivée au centre, je me suis réveillée soucieuse. Je me demandais comment se portaient Maggie et Jamie ; j'aurais voulu voir et toucher mon bébé, dont j'avais à peine entrevu le visage. Je gardais dans ma poche dans la journée (et sur ma table de nuit quand j'allais me coucher) une photo de lui, prise par Jamie à l'hôpital. Un bébé aux cheveux sombres, grand comme une main, allongé dans une couveuse, tournant le dos à l'objectif, et relié à un nombre incalculable de fils et de tubes. Je savais qu'il était maintenant placé en famille d'accueil ; j'ai prié le ciel que ce soient des gens attentifs et aimants. J'étais abasourdie de me soucier de lui, de Maggie, et de Jamie ; abasourdie de me soucier de moi-même.

J'avais fini par connaître le nom des toxicomanes et des malades psychiatriques qui m'entouraient, et je réalisais qu'ils n'étaient pas si différents de moi. Certains avaient perdu leurs enfants pour toujours ; je refusais d'en arriver là. J'allais me battre pour guérir et je récupérerais mon bébé. Quand je le tiendrais à nouveau dans mes bras, on ne pourrait jamais, plus jamais, me l'arracher.

33

Maggie

Appuyé sur un coude, Ben a gratté une allumette pour allumer le joint qu'il serrait entre ses lèvres. En un éclair, j'ai aperçu la toison sombre et soyeuse de son torse. J'y ai plaqué ma joue, une main posée sur son ventre. Parfois, je n'arrivais pas à me sentir assez proche de lui. Même quand il me pénétrait, je n'étais pas vraiment comblée. Qu'est-ce qui clochait chez moi ? Il me donnait tant de choses, et j'en voulais toujours plus… sans savoir exactement ce qui me manquait.

Il a placé le joint entre mes lèvres et j'ai inspiré la fumée, en la gardant dans mes poumons le plus longtemps possible, avant de la souffler au-dessus de son torse.

Soudain, il a chuchoté :

— Je m'inquiète pour Andy.

— Moi aussi. Tout le monde se ligue contre lui !

Je savais que ma mère était encore perturbée d'avoir donné les mauvais vêtements aux flics, mais j'en étais bien contente. Si seulement j'avais pu le dire à Ben ! J'avais envie de parler à quelqu'un de cette décision subite qu'on avait prise elle et moi. Une étrange transmission de pensée s'était produite entre nous et il n'avait plus été question de revenir en arrière. Pourtant je ne pouvais pas faire porter ce poids à Ben. Il y avait tant de confidences que je ne pouvais pas lui faire...

— En tout cas, pas toi, ni moi ni ta maman, m'a-t-il répondu.

— Exact.

Ben a tiré encore une fois sur le joint.

— Ta mère se dévoue corps et âme à Andy. Je m'en suis aperçu la première fois que je l'ai rencontrée à la piscine, quand elle m'a donné des instructions écrites sur la meilleure manière de s'y prendre avec lui.

Il a ri et ma tête a rebondi sur son torse.

— Ma mère est comme ça !

— Toi, elle ne te materne pas tant que ça.

— Moi, j'ai dix-sept ans.

— Mais avant ? Est-ce qu'elle s'occupait de toi comme elle s'occupe d'Andy ?

Bizarrement, la question de Ben m'a fait mal.

— Je n'ai jamais eu besoin qu'on s'occupe de moi de cette manière.

— Tout le monde en a besoin.

— C'est toi qui t'en charges !

Il n'a rien répondu et j'ai eu encore plus mal. Il a porté le joint à mes lèvres, mais j'ai secoué la tête : je commençais à me sentir un peu écœurée. J'ai réfléchi à un autre sujet de conversation. Sa fille, par exemple ; il aimait en parler. Je pouvais lui demander quand il allait la revoir. Au moment où j'ouvrais la bouche pour le questionner, son bipeur de pompier a sonné, quelque part dans la pile de vêtements jetés à terre.

Comme de juste, Ben a bondi pour enfiler son tee-shirt.

— Tu ne te lèves pas ?

Je me suis étirée sous les couvertures.

— Je vais rester ici un moment.

La baie vitrée, face au lit, était parsemée d'étoiles. Je pourrais m'asseoir dehors et essayer d'entrer en contact avec l'esprit de papa. Il y avait si longtemps que je n'y étais pas arrivée, et cette discussion à mon sujet m'avait vraiment ébranlée.

— Je n'aime pas te savoir seule ici, la nuit.

Si Ben avait su combien de fois j'étais venue seule à Sea Tender !

Je l'ai entendu traverser le séjour et refermer la porte d'entrée. Il y a eu ensuite un bruit sourd, quand il a sauté du haut des marches dans le sable. Sa camionnette devait être garée trop loin pour que je l'entende démarrer.

Il m'avait tendu le joint avant de partir. Je l'ai coincé entre mes lèvres, sans inspirer, le temps d'enfiler mon short et mon débardeur. J'ai ensuite éteint les bougies et je suis allée m'asseoir dehors à mon endroit favori, au bord de la terrasse. Pour finir, j'ai jeté le reste du joint dans le sable, plus bas. *Gaspillage !* aurait dit Ben.

Les yeux fermés, j'ai inspiré profondément l'air marin, en essayant de retrouver la paix de l'esprit. Au moins, l'incendie avait été un bienfait pour Ben. Maintenant qu'il se sentait à l'aise avec les sapeurs-pompiers, il n'aurait plus envie de partir.

Surtout, ne plus penser !

Après avoir inspiré profondément une fois de plus, je me croyais sur le point d'y voir clair, quand ces sacrées affiches de la commémoration me sont revenues à l'esprit.

Déçue, j'ai soufflé :

— Papa... Viens, je t'en prie...

Et s'il était aussi déçu que moi ? Peut-être attendait-il de l'autre côté que je sois calme suffisamment longtemps pour pouvoir m'apparaître. L'avais-je trompé comme je trompais tout le monde ? Croyant entendre du bruit à l'intérieur de la maison, je me suis tournée pour écouter à travers la porte-moustiquaire, mais ce n'était que le grondement de l'océan.

Alors, un faisceau lumineux a éclairé la rambarde, à côté de moi. J'ai bondi sur mes pieds.

— Maggie ?

Une voix féminine... J'étais repérée. Heureusement, j'avais jeté le joint !

J'ai essayé de faire paravent à la lumière d'une main, pour voir qui la braquait sur moi. Impossible. J'avais le tournis car je m'étais levée trop vite. Agrippée à la rambarde, j'ai crié :

— Qui est là ?

Incroyable, mais vrai, c'était *Dawn*. Elle a ouvert la porte-moustiquaire et sa lampe torche m'a éblouie.

— Qu'est-ce que tu fabriques ici ?

— Je pourrais te retourner la question !

Adossée à la rambarde, j'ai protégé mes yeux de mon bras. Que savait-elle ? J'ai fait mon possible pour échapper à la lumière et je l'ai frôlée pour rentrer dans la maison. Elle m'a suivie.

A l'intérieur, j'ai bégayé :

— J'habitais cette villa quand j'étais enfant... Je viens de temps en temps y passer un moment... J'étais sur le point de partir...

Dawn a promené le faisceau de sa lampe dans le salon et la cuisine. Je distinguais vaguement sa queue de cheval et les quelques rides qui marquaient son front. Elle s'est assise sur un accoudoir du canapé ; sa torche, posée à terre, éclairait un coin de la pièce. Son air placide m'inquiétait. J'avais envie d'aller chercher mon sac dans la chambre pour m'enfuir, mais elle risquait de me suivre et de voir le lit défait. Sa présence était signe qu'elle avait une idée derrière la tête.

J'ai pris ma bouteille d'eau sur le comptoir et je lui ai parlé. Son silence devenait intenable.

— Je voulais justement t'appeler à propos de la collecte, Dawn, mais j'attendais d'avoir réglé tous les détails. On va organiser ce grand événement médiatique au lycée, avec...

— Dis-moi pourquoi Ben était là avec toi ?

Et merde !

— Ben ? Qu'est-ce que tu racontes ?

— Ne me prends pas pour une idiote ! Ce n'est pas par hasard que je suis ici ce soir. Je l'ai suivi, figure-toi ! Je me demandais pourquoi il disparaît si souvent, la nuit, sans donner d'explications. Quand je l'ai vu sortir de cette villa, j'ai voulu comprendre ce qu'elle avait de si... attrayant pour lui. Maintenant, j'ai compris.

J'ai ouvert la bouteille et bu une gorgée, le temps de réfléchir.

— On se retrouve quelquefois ici pour parler de l'équipe de natation, ai-je dit à tout hasard.

— Tu te fiches de moi, ma petite ?

— Dawn, ce n'est pas comme si...

— Arrête de te payer ma tête ! Cette histoire dure depuis quand ?

Elle était d'une violence incroyable. J'ai renoncé à jouer la comédie et soupiré :

— Un certain temps...

— Il me trompe avec une ado. Une gamine... C'est dingue !

— Il ne te trompe pas.

— Et qu'est-ce qu'il fait alors ?

— Vous êtes juste des amis...

— Sans blague ! Il t'a raconté ça ?

Je craignais que mes gaffes n'attirent des ennuis supplémentaires à Ben, mais ma nervosité m'empêchait de raisonner.

— Je sais qu'au moment de son installation, il a... vous avez eu des relations sexuelles, toi et lui... et tu espérais devenir plus qu'une amie, mais...

— Quel salaud ! Je le croyais différent des autres ; en réalité, il ne vaut pas mieux. Il se cachait pour prendre son plaisir avec une fillette...

J'ai protesté :

— Ben n'est pas comme ça !

— Qu'est-ce que tu en sais ? Je vis avec lui et je le connais mieux que tu ne le connaîtras jamais.

Je faisais tourner la capsule de la bouteille sur elle-même en me demandant jusqu'où cette colère entraînerait Dawn. A qui risquait-elle de parler ? Comme si elle avait lu dans mon esprit, elle a ajouté :

— Ta maman est au courant ? Elle peut le poursuivre pour détournement de mineure.

— L'âge légal de la nubilité est seize ans.

Dawn a ricané méchamment.

— Je vois que tu as pensé à tout. Même si ce n'est pas illégal, c'est immoral, pour un homme de vingt-huit ans, de coucher avec une fille de dix-sept ans.

J'ai froncé le nez en laissant un cliché stupide m'échapper :

— L'âge ne compte pas !

— C'est immoral de coucher avec deux femmes en même temps et de mentir, a insisté Dawn.

— Entre vous, c'est de l'histoire ancienne ! Tu n'as pas à le considérer comme ton petit ami.

Je me suis trouvée odieuse, mais elle l'avait bien mérité. Après m'avoir dévisagée, elle a recommencé à ricaner.

— Ma parole, ce salaud va m'entendre !

La tête penchée sur le côté, elle a ajouté :

— C'était la première fois pour toi ?
— Ça ne te regarde pas.
— Tu étais vierge, je parie. Les hommes adorent les pucelles !
— Tu dis n'importe quoi. Il ne faut pas le confondre avec ces pauvres mecs qui te...
— Ta maman sait que tu fumes des joints ?
— Quoi ?
— Ne joue pas les innocentes, Maggie. Ça pue, ici !

Dawn avait maintenant deux griefs contre moi. Je faisais tourner la capsule d'un côté, puis de l'autre. Elle s'est levée en rugissant comme un tigre :
— Fiche la paix à mon homme, ma petite !

Elle a ramassé sa lampe torche et marché vers la porte.
— Si tu ne le lâches pas, il faudra que je raconte à ta mère tout ce qui s'est passé. Elle a bien assez de soucis en ce moment, mais si tu veux lui en rajouter...

Sans savoir ce que je faisais, j'ai lancé la bouteille de toutes mes forces vers son cou. Elle a poussé un cri strident et laissé tomber sa lampe torche.
— Sale garce !

J'ai pressé mes deux mains sur mon visage.
— Pardon, Dawn. Je ne l'ai pas fait exprès, je te le jure !

Quand elle a ramassé sa lampe, j'ai cru qu'elle allait se jeter sur moi, mais elle s'est contentée d'ouvrir la porte. Je l'ai entendue courir sur la terrasse de devant, puis les marches de bois ont crissé, et elle a sauté sur le sable.

J'ai claqué la porte pour la refermer et j'ai tourné la clé dans la serrure. Ensuite, j'ai essayé de joindre Ben sur son portable. Pas de réponse ; alors je lui ai envoyé un texto en vitesse : « D au courant ».

34

Laurel

— Asseyez-vous, je vous prie.

Après m'avoir escortée dans son bureau, Dennis Shartell m'a indiqué un des fauteuils de cuir, devant sa table en acajou massif.

En prenant place, je l'ai remercié de m'avoir reçue si vite. Mme Terrell ne m'avait donné son nom que la veille, mais sa secrétaire m'avait proposé d'intercaler un rendez-vous entre deux.

Il s'est installé de l'autre côté de la table.

— J'imagine ce que vous endurez. La rumeur m'est parvenue…

— Ici ? A Wilmington ?

— L'incendie de l'église a fait grand bruit, et bien qu'on ne parle pas officiellement d'un incendie volontaire, tout le monde sait qu'un pyromane est passé par là. Une histoire n'est jamais aussi savoureuse que quand le héros devient le méchant.

— Mais ce n'est pas le cas !

Quand il a hoché la tête, la lumière du plafonnier a scintillé sur les verres de ses lunettes. C'était un homme svelte, à l'allure paisible, comme s'il ne devait pas livrer bataille à l'embonpoint. Il avait un long visage, sous des cheveux bruns, clairsemés, et un sourire à la fois aimable et énergique. Cet homme me plaisait. J'étais presque tombée sous son charme... Il m'aiderait à clarifier cet absurde imbroglio.

Il a fait cliqueter son stylo-bille au-dessus de son bloc-notes.

— Dites-moi tout ! De quels indices dispose-t-on pour l'instant ?

— Autant que je sache, le bruit court qu'Andy serait sorti pendant le *lock-in*, mais je n'y crois pas. Mon fils a un mode de pensée concret. Si la règle dit : « On ne sort pas d'un *lock-in* », il ne sort pas.

— Qu'entendez-vous par « mode de pensée concret » ?

Je lui ai décrit le syndrome d'alcoolisation fœtale. Il aurait peut-être été préférable de trouver un avocat déjà familier de cette notion, mais Dennis Shartell a pris des notes en semblant écouter très attentivement mes explications.

— Eh bien, quels sont les témoins qui prétendent l'avoir vu dehors pendant le *lock-in* ? m'a-t-il demandé ensuite.

— Il y a un jeune garçon, Keith Weston.

J'ai parlé de la bagarre entre Andy et Keith, avant l'incendie, et de leur amitié d'enfance.

— Ainsi qu'une femme, qui passait près de l'église ce soir-là. Elle n'a pas pu désigner Andy par son nom, évidemment, mais le garçon qu'elle affirme avoir vu lui ressemblerait. Enfin, son amie Emily, une enfant handicapée elle aussi, a dit qu'il s'était éclipsé pendant le *lock-in*.

— C'est tout ? m'a demandé Shartell avec un regard inquisiteur.

— Je n'en sais pas plus. La police a perquisitionné sa chambre.

— Ils avaient un mandat ?

— Non, j'ai signé un formulaire de consentement.

— Ont-ils emporté quelque chose ?

— Les vêtements qu'il portait le soir du *lock-in*, et, je crois, certaines informations de son ordinateur.

Shartell a tapoté son stylo-bille contre sa joue.

— Andy était, semble-t-il, le seul à connaître une issue possible.

— Oui, mais on ne peut pas lui en faire grief.

— Difficile, en effet ! D'après ce que j'ai lu, votre fils passe pour un marginal... pas très populaire. Etes-vous d'accord avec cette description ?

— C'est vrai qu'il a du mal à s'intégrer, mais il ne faut pas en déduire qu'il provoquerait un incendie pour se rendre populaire sur le campus.

— Eh bien...

Shartell a posé son stylo-bille sur son bloc et s'est carré dans son fauteuil.

— A moins que certaines choses ne nous échappent, je ne vois pour l'instant que des présomptions. Rien de tout cela ne permettrait d'inculper votre fils ! Comment s'est-il rendu au *lock-in* ?

— Ma fille – sa sœur, Maggie – l'y a conduit.

— Je suppose que Maggie peut affirmer qu'il n'emportait pas avec lui quelques bidons de carburant.

— En effet !

J'ai souri, car je commençais à me détendre : c'était une histoire absurde, comme je l'avais supposé depuis le début.

— Pourvu que le labo ne détecte pas de traces de carburant sur ses vêtements, tout ira bien.

— Rien à craindre ! ai-je affirmé.

Et j'étais bien placée pour le savoir.

Après avoir parlé avec Shartell, j'éprouvais un tel soulagement que je me suis mise à chanter en écoutant la radio dans ma voiture. Les vitres baissées et mes cheveux au vent, dans la chaleur du printemps, j'ai fredonné de vieilles chansons jusqu'au pont tournant.

J'ai traversé le pont et pris la direction de Jabeen's. Si Sara était encore à Surf City, nous aurions peut-être le temps de bavarder. Une fois de plus, j'avais l'impression d'avoir perdu le contact avec elle. J'avais cherché à la joindre deux fois ces derniers jours, mais elle ne m'avait pas rappelée.

Dawn nettoyait le comptoir quand je suis entrée dans le café vide. Elle a levé les yeux et m'a fait signe sans grand enthousiasme.

— Salut, Dawn. Sara est là ?

— Elle est retournée à l'hôpital.

Elle a vaporisé une tache du comptoir sans m'accorder un regard, mais ses yeux injectés de sang m'ont paru bizarres.

— Comment va Keith ? lui ai-je demandé.

Dawn a posé son chiffon et son vaporisateur, puis elle a placé un gobelet en carton sous le robinet de l'un des percolateurs.

— Il va mieux, mais les soins qu'il reçoit pour ses brûlures ne sont pas une partie de rigolade.

— Je sais... J'ai eu affaire à quelques grands brûlés en stage d'infirmière. (Soigner la peau des brûlés avait été l'une des tâches les plus pénibles de ma formation.) Pauvre Keith... Et quelle épreuve pour Sara de le voir souffrir comme ça !

Dawn m'a tendu le café que je n'avais pas commandé. Je l'ai remerciée, après en avoir avalé une gorgée.

— Elle prétend qu'elle ne va pas trop mal, mais elle doit être... lessivée.

Avec ses poches boursouflées sous les yeux, Dawn aussi paraissait lessivée.

— Et toi, comment vas-tu ? Tu n'as pas l'air bien ?

Je ne voulais pas me montrer indiscrète, mais j'étais sûre qu'elle avait un problème.

— Un peu fatiguée...

Assise sur le tabouret derrière la caisse enregistreuse, les pieds sur le barreau, elle a frotté ses paumes contre son jean. Puis elle a ajouté, avec un peu plus de tonus :

— Tu sais, nous avons d'importantes rentrées d'argent depuis le *Today Show*. Merci de ton aide !

— C'est toi qui fais tout le travail.

J'ai avalé une autre gorgée de café et je lui ai demandé si la blessure de Ben à la tête avait guéri.

Elle a passé les doigts dans sa jolie chevelure rousse, en prenant le temps de réfléchir avant de me répondre.

— Maggie ne te tient pas au courant ?

Evidemment, mes enfants devaient voir Ben à l'entraînement de natation.

— Je suppose que s'il avait des problèmes, Maggie ou Andy m'en auraient parlé. (A vrai dire, je n'avais aucune certitude.) Il va bien, non ?

— Ça va !

J'ai eu l'impression qu'elle riait sous cape. A quoi pensait-elle donc ? A un moment de sa vie intime avec Ben ? Quand elle a repris la parole, penchée en avant et les coudes sur ses genoux, elle ne riait plus du tout.

— Mon chou, j'imagine que toutes ces rumeurs au sujet d'Andy doivent t'exaspérer.

— C'est vrai, Dawn.

— Je tenais à te dire que... au cas où Andy aurait quelque chose à voir avec l'incendie, il pourrait sûrement s'en tirer, parce qu'il n'était pas en mesure de comprendre la gravité de ses actes.

Elle cherchait sans doute à me rassurer, mais elle n'atteignait pas son but. Je suis d'abord restée sans voix, puis j'ai protesté :

— Andy n'a rien fait de mal !

— J'ai dit « au cas où »...

A quoi bon argumenter ? Les gens penseraient ce qu'ils voudraient et je n'y pouvais pas grand-chose.

— Très bien, ai-je soupiré. Merci pour le café, et si tu parles avant moi à Sara, pense à lui dire que j'ai pris des nouvelles de Keith.

Au volant de ma voiture, je me suis demandé si Sara n'avait pas répondu à mes messages parce qu'elle croyait, elle aussi, Andy responsable de l'incendie. Absurde ! Sara connaissait mon fils presque aussi bien que moi ; j'essaierais de la rappeler une fois à la maison.

Une voiture de police était garée devant chez moi quand je me suis engagée dans mon allée. A sa vue, je n'ai plus pensé à Sara et je me suis précipitée vers la maison.

Maggie discutait sur le seuil avec le sergent Wood.

— Il paraît qu'on aurait donné de *mauvais* vêtements, m'a-t-elle dit aussitôt.

J'ai jeté un regard interrogateur au sergent.

— Désolée de vous déranger à nouveau, madame, mais nous avons des photos du *lock-in* que les gamins ont prises avec leurs téléphones portables. Les vêtements et les chaussures d'Andy, que vous nous avez donnés, ne correspondent pas à ce qu'il porte sur ces photos.

— Oh, vous croyez !

J'ai évité le regard de Maggie. Pourquoi l'avais-je entraînée dans cette histoire ?

— Je souhaiterais jeter un petit coup d'œil dans la chambre d'Andy, pour trouver les *bons* vêtements.

Après avoir hésité peut-être une seconde de trop, j'ai dit :

— Faites donc !

Nous sommes montées avec le sergent Wood au premier étage. Maggie se mordait les lèvres. J'aurais préféré qu'elle ait l'air moins gênée.

Une fois dans la chambre, le sergent a sorti du placard la bonne paire de baskets et l'a comparée à la photo qu'il avait tirée de sa poche de chemise.

— Celle-ci me paraît coller mieux.

Quand il m'a tendu la photo, je l'ai prise d'une main moite pour l'observer. Deux garçons que je ne connaissais pas posaient comme des athlètes, en jouant de leurs biceps d'adolescents. Andy et Emily, sur le côté, avaient des regards absents et ne semblaient pas concernés par cette mise en scène.

— J'étais pourtant sûre qu'il portait autre chose, ai-je marmonné.

Par chance, le sergent n'a pas reniflé les baskets et n'a donc pas senti ce que j'avais senti ; il s'est contenté de les jeter dans deux sacs différents.

— Et j'aurais juré qu'il portait sa chemise verte, ai-je ajouté en regardant la photo.

— Moi aussi, a confirmé Maggie. Il la portait au début de la journée, c'est ça qui nous a embrouillées.

Si elle ne se taisait pas, elle allait nous trahir. Peut-être était-il déjà trop tard…

— Hum, a fait le sergent Wood.

Apparemment, il n'en croyait pas un mot, mais il n'allait pas nous demander de nous justifier. Du moins, pas pour l'instant.

Il a terminé sa collecte et nous l'avons suivi dans l'escalier. En-bas, il nous a saluées avant de sortir.

Maggie a saisi mon bras.

— Pourquoi tu ne les as pas jetés ? Les baskets et les fringues ?

— Je n'y avais pas pensé. Je ne me doutais pas qu'il y aurait des photos ! De toute façon j'aurais dû leur donner tout de suite les *bons* vêtements. J'ai agi sottement. Excuse-moi, Maggie.

Nous sommes restées silencieuses devant la porte.

— Ses vêtements ne devraient pas poser de problème ! ai-je repris au bout d'un moment. Puisqu'il est innocent, on ne trouvera aucune trace de carburant, non ?

— Je l'espère.

— Maggie, tu ne penses tout de même pas que...

— Et si son briquet a fui, comme tu le supposais ?

— Eh bien, on donnera les explications nécessaires au sujet du briquet. J'ai vu un avocat ce matin. D'après lui, il n'y a pas de preuve sérieuse contre Andy jusqu'à maintenant. A condition que ses vêtements ne portent aucune trace de carburant, il est hors de tout soupçon.

J'avais parlé calmement, mais Maggie m'a jeté un regard anxieux. Je l'ai serrée contre moi, et elle s'est abandonnée dans mes bras – une réaction inhabituelle de la part d'une fille si indépendante.

— Il n'y aura rien sur ses vêtements, Maggie, ai-je conclu. Nous n'avons pas à nous inquiéter !

35

Maggie

Ben ne m'a pas fait signe le lendemain de ma rencontre avec Dawn ; je lui avais pourtant laissé six messages. Entre la deuxième visite du flic, et l'appréhension d'entendre maman me déclarer : « J'ai reçu un coup de fil de Dawn Reynolds, Maggie ! », il ne me restait plus qu'à m'ouvrir les veines. Et je doutais un peu – un tout petit peu – de Ben, ce qui était pire que tout.

Il a fini par m'appeler, le soir suivant. Je suis sortie sur la jetée pour ne pas risquer que maman surprenne notre conversation, et j'ai composé son numéro sur mon portable dès que j'ai été assez loin de la maison.

Quand il a décroché, je lui ai dit que je paniquais et j'ai voulu savoir comment avait réagi Dawn.

— Tout va bien, en tout cas pour l'instant, m'a-t-il répondu. Mais elle était folle de rage quand je suis rentré hier soir.

— Qu'est-ce que tu lui as raconté ?

— Je l'ai calmée. Ça m'a pris un certain temps. (Il a eu un petit rire.) Je lui ai expliqué… tu sais… qu'elle s'imaginait que nous avions entre nous… elle et moi… quelque chose qui n'existe pas réellement.

Sa réponse m'a rassurée. Habituellement, Dawn me faisait de la peine, mais elle avait été si odieuse que je n'avais plus aucun remords.

— Elle était très secouée ?

— Oui, bien sûr, mais je crois qu'elle a pigé.

J'étais arrivée au bout de la jetée et je me suis assise sur l'un des piliers.

— Tu penses qu'elle va parler ? Je parie qu'elle va appeler ma mère aujourd'hui.

— Oui, ça pourrait poser un problème, Maggie. Elle prétend que j'ai tort d'avoir des relations avec toi, à cause de notre différence d'âge.

— C'est *notre* affaire !

Ma voix a porté très loin, au-dessus de l'eau sombre, et je me suis demandé si j'avais eu raison d'aller sur la jetée.

— Justement, je ne voudrais pas qu'elle s'en mêle. Tu vois ce que je veux dire ?

— Non.

— Je pense qu'on devrait, toi et moi, mettre notre relation en sourdine, en attendant que Dawn se calme.

— En sourdine ? Ça signifie quoi ?

— Ça signifie qu'on devrait arrêter de se voir, en tout cas à Sea Tender. On peut se parler et s'envoyer des mails, mais il faut éviter de se rencontrer.

J'étais choquée qu'il emploie des mots pareils et j'ai protesté :

— Ben ! J'ai besoin de toi, je vais perdre la tête si on ne se voit plus !

— Moi aussi, Maggie, mais il faut se méfier des réactions de Dawn. Tu auras bientôt dix-huit ans et ton diplôme de fin d'études. Le problème ne se posera plus de la même manière. Attendons un peu…

— On pourrait… Le samedi, après la natation, ça serait normal de se rencontrer comme avant, non ?

Pour parler de l'équipe... Dawn ne devrait pas en faire un drame.

Au bout d'une seconde, Ben a marmonné :

— Dawn va assister à l'entraînement le samedi.

— Quoi ? (Je me suis levée.) Pourquoi ?

— Elle dit qu'elle a envie de voir les enfants, mais je crois que c'est pour nous avoir à l'œil. Faisons gaffe, Maggie. Tu comprends ?

— Pourquoi tu ne lui as pas interdit de venir ?

— Parce que je cherche à nous protéger ! (Il ne semblait pas très enthousiaste). Elle risque d'en parler à ta mère, mais aussi à Marcus, aux gens du centre de loisirs, aux parents des gosses que nous entraînons. Laisse-moi me débrouiller avec elle, s'il te plaît ; je la connais mieux que toi. Il faut que nous nous tenions tranquilles un certain temps... jusqu'à ton diplôme.

— Mais c'est dans plus d'un mois !

— Ça passera vite, mon ange.

— Tu as l'air si calme...

— Mais non ! Mais j'ai eu vingt-quatre heures pour réfléchir à une solution, alors que toi tu viens d'apprendre la nouvelle.

Je me suis allongée sur la jetée. Le ciel était si nuageux que je ne voyais pas une seule étoile ; d'ailleurs, mes yeux étaient embués de larmes. Il avait sûrement raison. Je manquais de patience, mais j'arriverais à attendre un mois si j'étais ensuite avec lui pour la vie.

— Maggie, tu es toujours là ?

Un plan se dessinait dans ma tête.

— L'année prochaine, je pense que je tâcherai de trouver une étudiante pour vivre en colocation avec moi sur l'île, et rien ne m'obligera à rester chez ma mère.

— Qu'est-ce que tu racontes ? Tu avais l'intention d'habiter sur le campus !

— Je ne veux pas être si loin de toi.

— Quarante-cinq minutes seulement, Maggie.

J'ai passé les doigts sur mes joues pour essuyer mes larmes.

— C'est trop !

— A mon avis, tu devrais t'installer sur le campus. Ce serait une bonne expérience pour toi.

— Tu ne veux pas que je sois plus près ?

— Bien sûr que si ! Mais je viendrai te rendre visite très souvent... si ça ne t'ennuie pas d'être vue en compagnie... d'un vieux monsieur comme moi.

— Absolument pas.

J'ai souri, car j'avais hâte de pouvoir me montrer avec lui en public.

— Prends ton temps pour décider, Maggie. Mais je pense que l'expérience du campus te serait profitable.

S'il avait dû aller en fac pendant que je restais *moi* à Topsail, je n'aurais pas apprécié qu'il vive sur le campus. Comment faisait-il pour me larguer si facilement ? Je me sentais si bien quand ma tête reposait sur son torse... Et quelle béatitude quand il m'entourait de ses bras !

— Ben ?

— Je suis là.

— On ne pourrait pas... dans une semaine, peut-être... se retrouver quelque part ? Un petit moment ? La nuit, sur la plage, ou ailleurs... Personne ne le saura. S'il te plaît...

Il est resté silencieux et tous mes muscles se sont contractés jusqu'au moment où il a murmuré :

— D'accord, mais il faut que je te laisse maintenant.

— Je t'aime, Ben.

Après avoir éteint mon téléphone, j'ai fini par m'endormir, allongée sur la jetée, en me retenant du bout des doigts à son « Je t'aime, moi aussi ».

36

Laurel

J'ai raccroché le téléphone et foncé à travers le campus, de l'école primaire au lycée. En arrivant au bureau central, j'étais en sueur et à bout de souffle.

— Par ici, m'a dit la secrétaire.

Elle m'indiquait, d'un signe de tête, la pièce réservée aux réunions. Sans frapper, j'ai poussé la porte entrebâillée. Flip était assis à la longue table. Bien qu'il ne soit pas spécialement grand, Andy, en face de lui, paraissait minuscule. Il a bondi et couru se réfugier dans mes bras, en sanglots.

Je l'ai bercé contre moi comme du temps où il était petit.

— Ne t'inquiète pas, mon chéri. N'aie pas peur... Tout va s'arranger...

Allait-il se rendre compte que je tremblais moi aussi de la tête aux pieds ?

Flip m'avait laissé un message sur mon portable : une pétition exigeait qu'Andy soit placé en garde à vue.

Je l'ai regardé, par-dessus la tête de mon fils.

— Pourquoi ?

— Son pantalon et ses chaussures portaient des traces de carburant liquide. Je suis navré, Laurel.

Le briquet !

— Il a peut-être renversé l'essence de son briquet quand…

Flip a secoué la tête.

— Il y a de l'essence et du gazole.

C'était donc cela que j'avais senti sur ses chaussures ? Je ne pouvais y croire.

— C'est impossible, Flip !

Andy s'était blotti dans mes bras comme s'il comptait y rester éternellement.

— Il s'agit d'une erreur… ou d'un complot…

Je cherchais tous les prétextes imaginables, tandis que mon cœur s'emballait dans ma poitrine.

— Je comprends que tu sois bouleversée, Laurel…

— Flip, tu connais mon fils !

J'ai serré Andy plus fort contre moi ; les larmes que j'aurais voulu lui cacher ruisselaient sur mes joues.

— Tu le connais pratiquement depuis sa naissance ! Je t'en prie, admets au moins qu'il s'agit d'une erreur absurde.

Une lueur de compassion est peut-être apparue dans les yeux de Flip à cet instant, mais je n'ai rien vu.

— Désolé, a-t-il marmonné, je dois l'emmener au centre de détention juvénile de Castle Hayne. Tu peux me suivre dans ta voiture si tu veux, ou l'accompagner dans la mienne.

— Je reste avec lui. Pas question de le perdre de vue une seconde !

De la banquette arrière de la voiture de Flip, j'ai appelé Marcus sur son portable.

— Déjà en route, m'a-t-il dit. Je viens de l'apprendre !

— Je ne comprends pas ce qui se passe, Marcus.

J'essayais de parler calmement, par égard pour Andy. Au lycée, je l'avais effrayé avec mon hystérie, et je sentais maintenant son corps trembler contre moi. Depuis sa petite enfance, je ne l'avais jamais vu dans un état pareil.

— Appelle son avocat, m'a dit Marcus. Je te rejoins là-bas.

— Il va nous tuer ? a chuchoté Andy, quand j'ai fermé mon téléphone.

— *Qui* va nous tuer ? Flip ? Bien sûr que non !

Au centre de détention, le responsable des admissions m'a fait remplir un formulaire, tout en parlant je ne sais quel jargon juridique avec Flip. Il a pris ensuite les empreintes digitales d'Andy, en raison de la gravité du délit.

Marcus est arrivé au moment précis où un autre policier lui tendait une combinaison bleu marine. J'ai réalisé alors qu'ils avaient l'intention de le garder.

Je me suis adressée au responsable des admissions, tandis que Marcus venait se placer à côté de moi.

— Vous n'allez pas garder mon fils ! Je suis prête à verser une caution. Dites-moi seulement combien, et...

— Pas de caution dans les cas de délinquance juvénile.

Marcus a tendu le bras pour serrer la main de l'homme assis de l'autre côté du bureau, et j'ai apprécié qu'il soit en uniforme.

— Je suis Marcus Lockwood, l'oncle de ce jeune garçon, a-t-il annoncé.

— Le capitaine des pompiers de Surf City ?

Marcus a acquiescé d'un hochement de tête et j'ai posé la question qui me brûlait les lèvres :

— Qu'entendez-vous par « pas de caution » ?

— Une audience va se tenir à ce sujet dans les cinq jours, et il appartiendra au juge de décider si Andy doit rester au centre jusqu'au jugement où s'il est autorisé à rentrer chez lui. Etant donné la gravité du délit, je suppose qu'il restera ici.

— Cinq jours ! Je ne le laisserai pas passer une seule nuit ici !

Marcus, dont j'avais empoigné le bras, en enfonçant mes ongles dans sa chair, s'est indigné :

— Andy est handicapé, il ne supportera pas la détention.

Le policier :

— Mme Lockwood a déjà évoqué ce handicap.

Marcus, plus calme que moi :

— Elle ne savait pas qu'il devrait passer la nuit ici. Cet enfant n'a jamais dormi hors de chez lui.

Le policier :

— Je recommanderai que l'audience se tienne le plus vite possible.

— Aujourd'hui ! ai-je insisté. Il faut absolument que ça soit aujourd'hui même.

Le policier :

— Il est déjà trois heures, madame, et on ne peut pas considérer qu'il s'agit d'une urgence. D'autre part, avez-vous songé que, lorsque cela se saura, la collectivité pourrait manifester une certaine hostilité ? Dans l'intérêt de votre fils, il est peut-être souhaitable qu'il reste ici. Le juge tiendra compte de cet élément.

— Rester ici n'est certainement pas souhaitable pour lui !

— Elle a raison, a dit Marcus au policier. Prévoyez une audience demain.

Andy est revenu dans la pièce, vêtu d'une combinaison bleu marine trop grande pour lui et chaussé de tongs du même bleu. Il avait le tour des yeux rouge et gonflé, mais il ne semblait plus terrifié. Plutôt accablé. Je respirais par saccades pour refouler mes larmes qui risquaient de l'anéantir.

Marcus l'a embrassé ; je n'ai pas osé en faire autant, de peur de craquer. Andy restait silencieux. Ce n'était pas son genre et je me suis inquiétée de ce que l'autre policier avait pu lui dire – ou, pire encore – lui faire.

J'ai articulé avec peine :

— Andy, ne t'inquiète pas, mon chéri. Tout va rentrer dans l'ordre.

— Rasseyez-vous donc, a dit le policier de l'accueil, toujours debout. Je vais faire une photocopie de la pétition, que nous enverrons à votre avocat, madame.

On s'est assis sur les durs sièges de bois tandis qu'il sortait de la pièce.

Andy s'est tourné vers Marcus.

— Cet homme dit que je dois rester ici !

— Pour quelques jours seulement. Tout ira bien. Ta maman a pris un avocat. Il viendra te parler.

— Mon avocat est M. Shartell, Andy. (Ma voix était remarquablement calme, bien que j'aie envie de hurler.) Il est de *ton* côté, mon chéri, et ne crains pas de lui dire la vérité quand il viendra. D'accord ?

— Je veux pas rester ici !

Andy n'avait pas entendu un seul mot de ce que je venais de lui dire ; j'en étais sûre. Marcus avait-il remarqué que son menton tremblait ?

— Je sais, ai-je chuchoté à l'intention d'Andy. Je sais que tu ne veux pas rester, et nous te ferons sortir le plus vite possible.

Au-dessus de sa tête, j'ai articulé silencieusement, en regardant Marcus : « Je ne peux pas le laisser ici ! »

Andy s'est adressé une fois encore à son oncle :

— Je ne comprends pas, oncle Marcus. Je n'ai rien fait de mal !

Marcus a glissé sa main de mon épaule à celle d'Andy, avec un petit sourire encourageant.

— Je sais, fiston !

J'ai dévisagé Marcus : jamais je ne l'avais entendu appeler Andy « fiston » jusque-là. Jamais, au grand jamais, et c'était ce que j'avais toujours souhaité. Mais, maintenant, je souhaitais l'entendre répéter ce mot encore et encore.

37

Marcus

1992

Jamie ne m'a pas permis de voir Laurie pendant les trois premiers mois de sa cure de désintoxication. J'ai eu beau essayer, la sentinelle, à l'accueil, m'obligeait à battre en retraite. « Les visites sont interdites, sauf celles de son mari et des personnes autorisées par ce dernier », me disait-on. Apparemment, je ne faisais pas partie des heureux élus. Jamie prétendait que j'avais donné à Laurel la possibilité de boire. La bonne blague ! Elle n'était pas alcoolique et je doutais que son bébé ait la moindre anomalie. Jamie, le personnel hospitalier et les services de protection de l'enfance avaient fait toute une histoire pour rien.

— Tu peux la voir, elle est assez forte maintenant, a fini par m'annoncer Jamie, un après-midi, à Sea Tender.

Furieux, je lui ai demandé si elle avait besoin d'être forte pour me voir. « Absolument ! » m'a-t-il répondu. Je lui ai dit d'aller se faire foutre.

Jamie a fermé les yeux, une sorte de tic quand il cherchait à se dominer. On aurait dit qu'il comptait jusqu'à dix, et je détestais cette réaction. Je détestais son aplomb.

Il a rouvert les yeux.

— Je te rappelle que ma fille de deux ans est dans la pièce à côté. Qu'elle fasse la sieste ou non, je n'apprécie pas que tu emploies un pareil langage en sa présence.

— Espèce de donneur de leçons !

— Tu veux voir Laurel, n'est-ce pas ? Je peux encore leur demander de t'interdire l'entrée du centre.

— Oui, je veux la voir !

— Alors, tais-toi, et ne bois pas une goutte d'alcool avant d'y aller.

Je l'ai à peine reconnue dans le hall quand elle s'est dirigée vers moi. Elle emplissait de nouveau son jean – je n'avais pas réalisé qu'elle avait perdu tant de poids ces dernières années – et elle portait un pull rouge, décolleté en V, comme une explosion de couleur sous ses cheveux sombres. Elle s'est approchée en souriant. Je l'ai serrée avec force dans mes bras, en hésitant à la lâcher, de peur qu'elle ne voie mes larmes. J'avais oublié à quoi ressemblait la vraie Laurel. J'avais oublié son sourire, l'éclat de ses yeux.

J'ai fini par la lâcher en murmurant :

— Tu es resplendissante.

Elle le savait...

— C'est bon de te voir, Marcus. Viens. Allons bavarder dans le salon.

Elle a passé son bras sous le mien et elle m'a guidé à travers un dédale de couloirs jusqu'à une petite pièce emplie de fauteuils. Nous y étions seuls et nous avons choisi deux sièges près des fenêtres.

Elle a envoyé promener ses chaussures et posé ses pieds sur son siège, les genoux serrés entre ses bras.

— Ça va, Marcus ?

— Oui, mais toi ? Comment as-tu supporté de rester enfermée si longtemps ici ?

Elle m'a encore souri. Son sourire impénétrable me rappelait celui de Jamie quand il parlait de sa « relation avec Dieu », comme si c'était un secret auquel un être aussi vil que moi ne pouvait avoir accès.

— Au début, m'a-t-elle répondu, c'était affreux, et je haïssais ces gens-là. Mais ils m'ont tellement aidée...

— On t'a persuadée que tu avais un problème d'alcoolisme ?

Nouveau sourire impénétrable, et, comme un perroquet répétant sa leçon, elle a articulé :

— Je suis alcoolique.

— Tu ne buvais que des boissons de fillette !

— J'ai eu des symptômes de manque quand j'ai renoncé à ces boissons de fillette, comme tu dis. Je suis alcoolique, Marcus, et toi aussi.

Je lui ai tapoté le crâne.

— Coucou ! Où est passée ma belle-sœur préférée ?

Le menton sur ses genoux, elle m'a jeté un regard qui m'a cloué au fond de mon fauteuil.

— J'ai fait du mal à mon enfant... J'étais déprimée après la naissance de Maggie et je n'y pouvais rien, mais j'aurais dû prendre des antidépresseurs quand mon médecin me l'a conseillé. Je m'en veux d'avoir été une mauvaise mère pour elle ; maintenant, je dois me pardonner ma faute et aller de l'avant. Je ne serai pas une mauvaise mère pour mon petit garçon quand on me le rendra. Mon petit Andy...

J'avais perdu Laurel. Evidemment, je ne souhaitais pas qu'elle soit une mauvaise mère ; mais comment renoncer à son amitié ? Elle avait été ma meilleure confidente et plus encore. Cette unique nuit dans la chambre d'amis – une nuit qu'elle regrettait, mais pas moi – resterait toujours gravée dans ma mémoire. Cette Laurel-là avait disparu, et plus jamais je ne la retrouverais.

— C'est un lavage de cerveau !

— Qu'est-ce que tu racontes ?

— Ils ont fait de toi une petite bourgeoise timorée.

— Je suis sobre, heureuse de l'être, et je recommence à me sentir bien dans ma peau.

J'ai regardé par la fenêtre : des prairies à n'en plus finir, bordées d'une profonde forêt. Un paysage sans doute apaisant pour beaucoup de gens, mais j'avais l'impression d'étouffer. L'océan m'était indispensable. Comment pouvait-elle s'en passer ?

— Tu rentres bientôt à la maison ?

— Je suis encore loin de pouvoir partir ! Je me sens en sécurité ici. A l'abri de l'alcool. (Son regard m'a cloué sur place une fois encore.) A l'abri de toi...

J'ai failli lui dire d'*arrêter ses foutaises*, mais je me suis retenu, parce que tout devenait clair. Je l'avais aimée, j'avais été son seul véritable ami pendant plusieurs années ; pourtant je ne lui avais pas fait de bien.

Après avoir sorti une photo de la poche de son chemisier, elle me l'a tendue. Le bébé... que j'avais vu peu après sa naissance, en soins intensifs. Relié à des écrans, il semblait entre la vie et la mort, sa petite cage thoracique se soulevant et retombant comme celle d'un oisillon. Je n'avais pas supporté de le regarder longtemps, et j'ai regretté qu'elle n'ait rien d'autre à me montrer que ce léger carton.

Elle a pressé ses doigts sur sa bouche, tandis que ses yeux s'embuaient de larmes.

— Quand je le portais, il était totalement vulnérable et dépendant de moi. Ma cure de désintoxication est difficile à vivre, mais je pourrais faire l'ascension de l'Everest pour le sauver. Je ne demande qu'à renoncer à l'alcool pour le récupérer et devenir une mère digne de ce nom.

J'ai observé plus attentivement la photo, et un déclic s'est produit en moi. Il y avait des bleus sur le corps du bébé, là où il était intubé. Ses veines transparaissaient sous sa peau. Un être sans défense, fragile, dont la vie ne tenait qu'à un fil. On affirmait que l'alcool lui avait fait du mal. Je commençais à le croire, et j'avais contribué à cela en buvant avec sa mère. Pour la seconde fois en une heure, des larmes ont picoté mes yeux.

— Marcus, a dit Laurel, arrête de boire, s'il te plaît. Sinon, je refuserai de te voir une fois rentrée à Sea Tender. Tu comprends ?

— Non, je ne comprends pas.

— Si tu continues à boire, il faudra que je t'évite.

Ses paroles lui coûtaient et sa voix s'est brisée.

— Tu me chasserais de ta vie, de celle de Maggie et… (J'ai mis la photo sous ses yeux.) Et de la vie de ce petit bonhomme ?

Elle a hoché la tête.

— Oui, Marcus. Renonce à l'alcool, je t'en prie ! Je t'aime et je sais qu'au fond de toi-même, tu es quelqu'un de bien…

Je ne méritais pas son estime. Quelque chose ne tournait pas rond dans ma tête : je m'étais toujours débrouillé pour décevoir les gens que j'aimais. Les gens qui m'aimaient…

Quand j'ai voulu lui rendre la photo, elle a pris ma main dans les siennes, en obligeant mes doigts à se refermer sur le cliché.

— Garde-le ! Il est *à toi.*

Je l'ai dévisagée, si déconcerté que j'en ai perdu la voix. J'ai failli lui demander ce qui était à moi. La photo ? Le bébé ?

Elle a détourné brusquement son regard, comme si elle m'avait dit tout ce que je devais savoir.

Cette nuit-là, j'ai bu une demi-bouteille de whisky en regardant la photo du bébé. Le goût n'était pas aussi bon que d'habitude. Au bout d'un moment, dans un accès d'énergie colossale, j'ai versé dans l'évier de la cuisine tout l'alcool que j'avais à la maison ; puis j'ai appelé la permanence des Alcooliques Anonymes. Il y avait une réunion le lendemain matin à sept heures, à Wilmington.

Je n'ai pas fermé l'œil de la nuit, de peur de ne pas entendre sonner mon réveil. A cinq heures trente, je suis parti, et j'ai roulé jusqu'à Wilmington dans les lueurs roses de l'aube. J'ai trouvé l'église où se tenait la réunion, je me suis forcé à entrer, et, sidéré, j'ai aperçu Flip Cates sur le pas de la porte. Le jeune flic de Surf City avait fait une heure de route lui aussi pour arriver là. Un sourire surpris aux lèvres, il a passé un bras autour de mes épaules pour me guider dans la salle.

— Content de te voir, Marcus, m'a-t-il dit.

Je lui ai demandé si c'était sa première réunion et il m'a répondu en riant :

— Plutôt ma cent unième !

Je me suis dit que s'il en était capable, je pouvais tenter l'expérience moi aussi.

J'assistais à une réunion chaque soir, en accumulant les kilomètres avec ma camionnette. Flip m'avait trouvé un employeur, dans le bâtiment, qui me permettait de m'absenter pour aller à une réunion les jours où je déprimais. Sans Flip, je n'aurais sans doute pas atteint mon but, car quatre-vingt pour cent de moi-même n'étaient pas acquis à la sobriété et rêvaient d'une bière. Les vingt pour cent restants étaient, par bonheur, d'une obstination à toute épreuve. Obsédés par l'image d'un bébé enchaîné à des tubes et des fils, et par celle d'une femme qui m'avait dit qu'elle m'aimait – tout en prononçant ces mots comme une simple belle-sœur. Cette part de moi-même était d'une force inimaginable.

Ma sobriété ne regardait que moi. Je ne voulais pas entendre Jamie dire qu'il était fier de son frère ; pourtant j'avais toujours souhaité mériter son estime. Je ne voulais pas sentir qu'il m'observait, guettant d'éventuelles rechutes. Je ne voulais pas être rongé par la honte quand je me souvenais que j'avais couché avec sa femme.

A mesure que le retour de Laurel approchait, je devenais de plus en plus nerveux. J'avais envie de la voir, mais vivre près d'elle était une autre affaire. Une erreur pour nous deux... Si je devais me contenter d'être son beau-frère, sa présence dans le voisinage serait une véritable torture ; après deux mois seulement de sobriété, je ne souhaitais rien moins qu'une telle situation.

Un de mes copains des Alcooliques Anonymes habitait Ashville, à six bonnes heures de Topsail en voiture. Une semaine avant le retour de Laurel, j'ai décidé de m'y installer. Un choc pour Jamie, qui a apprécié malgré tout ma décision.

— Bonne idée, Marcus, de prendre tes distances, m'a-t-il dit. Je pense que ça te fera du bien.

Va te faire foutre, frangin !

Après le retour de sa belle-fille, ma mère m'a écrit qu'elle avait retrouvé « l'ancienne Laurel ». L'ancienne Laurel était une femme bien dans sa peau. Je m'en suis réjoui.

Plusieurs mois plus tard, ma mère m'annonçait que Jamie et Laurel avaient récupéré le petit Andy, âgé d'un an. J'aurais aimé leur rendre visite pour voir

Laurel et son petit garçon – mon fils, j'en avais la certitude. Je n'y suis pas allé. Je suis resté à Ashville où j'ai rejoint le corps des sapeurs-pompiers – d'abord en tant que bénévole, puis comme professionnel. Je me suis bâti une existence à quelque cinq cents kilomètres de ma famille. J'avais décidé de ne jamais retourner là-bas, car revoir Laurel agirait sur moi comme une gorgée d'alcool : il m'en faudrait plus, immédiatement.

38

Andy

J'avais une chambre à moi comme à la maison, mais une vilaine chambre. Pas une seule fenêtre, sauf dans la grande porte en métal, et les toilettes juste à côté de mon lit. Quand j'y allais, j'avais peur que quelqu'un me regarde par la fenêtre de la porte. Ça me rendait anxieux pour faire mes besoins, et j'ai eu mal au ventre à la fin de la journée.

J'étais beaucoup plus petit que les autres garçons. Tout le monde portait une sorte de salopette bleu foncé et des tongs. L'homme qui m'avait donné les miennes m'avait dit qu'il n'avait pas de plus petite pointure. Au dîner, c'était comme à la cantine du lycée, avec de longues tables, mais pas une seule fille. J'ai dit « salut » en souriant à tout le monde. C'était difficile, parce que j'avais peur. Et personne n'a répondu à mon sourire. Je voulais savoir quand je pourrais rentrer à la maison. Plusieurs garçons m'ont répondu : « Peut-être jamais. »

J'ai mal dormi. J'avais peur que quelqu'un entre par la porte en métal et me fasse du mal. Toute la nuit j'ai regardé la porte. Mais j'ai peut-être dormi un tout petit peu, parce que j'ai rêvé que je pêchais sur la jetée avec oncle Marcus.

Le matin, au petit déjeuner, ça s'est mal passé. J'ai dit bonjour à un garçon, en lui souriant. Il a éclaté de rire et il a dit aux autres : « On a une petite pédale avec nous. » Ils se sont mis à rire aussi et à se moquer de moi. Un des garçons a essayé de repousser mon plateau en disant : « Pas de pédés à notre table ! » Je connais le sens de ce mot et j'ai couru autour de la table pour le boxer. Ensuite, ils se sont tous mis à me donner des coups de poing et je sais pas ce qui est arrivé, mais j'ai atterri à l'infirmerie. L'infirmière – c'était un infirmier qui jouait le rôle d'une infirmière – a mis un produit brûlant sur mes écorchures. Ça faisait mal, j'avais peur et j'avais besoin de voir ma mère. J'ai demandé quand je pourrais rentrer à la maison. L'infirmier a prononcé des tas de mots bizarres au sujet d'une « parution ». Je lui ai demandé de m'expliquer et il m'a demandé si j'étais bête comme mes pieds ou si je faisais semblant. Je me suis assis sur mes mains pour l'empêcher de me frapper. Il m'a traité d'« enfoiré ». Je savais pas ce que ça voulait dire, mais je me suis douté que c'était une injure.

On m'a donné la permission de prendre les repas dans ma chambre. J'étais content, même si c'était pas une jolie chambre. Comme ça les autres garçons ne pourraient pas me voir pleurer.

39

Laurel

Je me faisais du souci à cause de Dennis Shartell, qui m'avait pourtant inspiré confiance au début. Il croyait Andy coupable. Même s'il ne le disait pas explicitement, j'en avais l'intuition. Avant l'audience de garde à vue, il m'avait déclaré qu'Andy serait plus en sécurité s'il restait en détention jusqu'au jugement, car les gens étaient en colère – comme l'avait prévu le responsable des admissions.

J'ai protesté :

— Sûrement pas ! Il faut le tirer de là.

Il a haussé les épaules, comme pour dire « advienne que pourra ! ».

La juge, une jeune femme qui me rappelait Sara, était compatissante et semblait prendre à cœur le principe d'innocence tant que la faute n'a pas été prouvée. Elle a fini par libérer Andy, à condition qu'il soit sous contrôle électronique. Il portait donc, à la cheville, un petit boîtier sur une bande de plastique noir.

— Il faudra que j'aille au lycée comme ça ? a-t-il demandé dans la salle d'audience.

La juge :

— Madame Lockwood, je suggère qu'Andy ne soit pas scolarisé pendant cette période. Nous pouvons garantir sa sécurité en détention, mais pas en société.

J'ai acquiescé d'un signe de tête en réfléchissant déjà aux cours particuliers et à la scolarité à domicile. Une injustice flagrante, mais je devais affronter la réalité. Le carburant s'était répandu sur ses vêtements d'une manière ou d'une autre ; j'y croyais maintenant. Avec l'aide de Marcus, j'avais renoncé à l'hypothèse d'un complot ou d'une erreur du laboratoire. Mais lui et moi nous avions la conviction qu'Andy était incapable de planifier et de réaliser un incendie volontaire. Malheureusement, l'avocat de mon fils n'avait pas la même certitude.

La juge s'est adressée à Andy :

— Tu es prié de te lever, ainsi que maître Shartell.

Ils ont obtempéré.

— Andy, tu es accusé d'avoir incendié une église, un crime prémédité et délibéré, avec tentative de meurtre sur quarante-deux personnes. Comprends-tu ce que signifient ces accusations ?

J'étais au courant des accusations portées contre Andy, mais je n'ai pas supporté d'entendre la juge les formuler à haute et intelligible voix. Bien qu'assise, j'ai failli m'évanouir. Je n'osais pas imaginer ce qu'éprouvait Andy.

Dennis lui a chuchoté quelque chose ; il a articulé « oui, madame », mais je doute qu'il ait su ce que signifiait ce « oui ».

— Ton audience préliminaire se tiendra d'ici à quinze jours, lui a expliqué la juge. A ce moment, la décision sera prise de te traduire, ou non, devant une cour supérieure.

— Devant une cour supérieure ?

Marcus, vers qui je m'étais tournée, regardait fixement devant lui, en passant sa langue sur ses lèvres sèches ; j'ai vu un muscle de sa mâchoire tressaillir.

Il a murmuré :

— Devant un tribunal pour adultes... Ils envisagent de le juger comme un adulte.

A cet instant, pour la première fois de ma vie, je me suis réellement évanouie.

Plus tard dans l'après-midi, j'ai eu une longue conversation téléphonique avec Dennis Shartell. Il m'a expliqué qu'en raison de « la gravité des charges » – une formule que j'avais prise en détestation –, Andy serait probablement déféré à un tribunal pour adultes. Il pourrait ou non être libéré sous caution. J'ai déclaré à Dennis que j'étais prête à payer, quel que soit le montant.

— Elle pourrait atteindre des millions de dollars, a-t-il précisé. Mais, étant donné la gravité des charges, il faut vous préparer, Laurel... On peut considérer Andy comme une menace pour l'ordre public et refuser de le libérer. Un meurtre commis à l'occasion d'un incendie volontaire est l'équivalent d'un meurtre prémédité. S'il est jugé comme un adulte, il peut plaider coupable en ce qui concerne l'incendie ; en l'occurrence, les poursuites pour meurtre seront peut-être abandonnées.

— Et s'il n'était *pas* coupable ?

— Nous aurons le temps d'en reparler ! m'a répondu Shartell, après avoir hésité si longtemps que la communication semblait avoir été interrompue.

J'ai immédiatement réagi :

— M'avez-vous bien comprise, Dennis ? Je vous demande de vous battre pour qu'Andy ne soit pas traduit devant une instance supérieure. (S'il était considéré comme un adulte et jugé coupable, il n'y avait plus rien à espérer.) Quelle chance a-t-il de rester dans le domaine de la délinquance juvénile ?

— Une certaine, à mon avis. On hésite toujours à traduire de jeunes délinquants devant des tribunaux pour adultes. S'il n'y a pas d'autres indices et si de nouveaux témoins crédibles ne se présentent pas, c'est jouable.

Maggie, Marcus et moi avons fait notre possible pour fêter le retour d'Andy à la maison ce soir-là. Indifférente aux équipes de télévision qui rôdaient autour de la maison, j'ai mis en mode silence la sonnerie de tous les téléphones, sauf celle de mon portable. On a fait livrer une pizza, et Marcus a choisi un gâteau glacé. On a dîné dans le salon, mais personne n'avait vraiment faim, à part Andy. Depuis mon évanouissement, j'avais des vertiges, et Maggie avait blêmi quand je lui avais parlé, dans ma chambre, de l'imminente audience préliminaire.

Les yeux hagards, elle s'était indignée, en agitant les bras.

— On pourrait le traduire devant un tribunal pour adultes ? Mais il n'a que quinze ans ! avait-elle ajouté, scandalisée. Cette affaire a pris des proportions ridicules. Son avocat n'est qu'un abruti, non ? Je ne sais pas comment on a pu trouver de l'essence sur le pantalon d'Andy, mais une chose est sûre : il ne peut pas avoir fait *ça* !

Sa réaction m'avait déconcertée et j'avais tenté de la rassurer en lui disant que l'avocat se débrouillerait pour que son frère soit jugé en tant que jeune délinquant.

Je regrettais d'avoir donné tant d'informations à Maggie. Je ne l'aurais jamais crue si fragile ! Ces derniers jours, je l'avais plusieurs fois surprise en larmes. Quand je lui demandais ce qui la perturbait, elle me répondait « rien », selon son habitude, mais je savais qu'elle était folle d'inquiétude au sujet d'Andy, comme nous tous. Désormais, les détails scabreux resteraient entre Marcus et moi, elle n'avait pas à savoir.

Assis dans le séjour, nous avons grignoté nos parts de pizza en parlant de tout... sauf de l'expérience d'Andy en détention, de ce qui s'était passé le matin même au tribunal, et de la suite des événements. Pour l'instant, je le sentais en sécurité.

Je commençais à découper le gâteau qu'un seul d'entre nous serait capable de manger quand le portable de Marcus a sonné. Il est sorti pour répondre.

— On dirait mon anniversaire, a plaisanté Andy quand je lui ai tendu la première part.

— Exact, Panda, a approuvé Maggie, taquine. Comme ça on n'aura plus besoin de fêter ton vrai anniversaire.

Ses yeux rougis m'ont émue. A quel moment avait-elle pu s'autoriser à pleurer, elle qui se donnait tant de mal pour sauver la face, par égard pour son frère ?

— Si ! Il faudra le fêter quand même, a insisté Andy.

Marcus est apparu sur le pas de la porte et m'a fait signe de le rejoindre dans la cuisine. J'ai tendu le couteau de cuisine à Maggie.

Dès que ma voix a été hors de portée des enfants, j'ai questionné mon beau-frère.

— On a découvert ce matin, dans la décharge, deux bidons de plastique contenant de l'essence, m'a-t-il appris. Peut-être ceux qui ont été utilisés pour mettre le feu à l'église, car ils contiennent un mélange d'essence et de gazole.

J'ai retenu mon souffle, en espérant que le véritable pyromane avait été assez négligent pour laisser ses empreintes digitales derrière lui.

— Il y a des empreintes ?

Marcus a ébauché un sourire.

— L'analyse est en cours. Un vrai miracle d'avoir retrouvé ces bidons ! S'ils portent quelques bonnes empreintes, Andy est tiré d'affaire.

40

Laurel

1996-1997

Après avoir raccroché en souriant d'un air presque incrédule, Jamie a paru soulagé.

— Il arrive, Laurel. Il sera là demain !

J'ai dit « c'est bien » en l'enlaçant ; j'éprouvais pourtant des sentiments mitigés au sujet de l'arrivée de Marcus. Miss Emma était morte la veille, après un long combat contre le cancer, et j'approuvais sa venue, même si je ne l'avais pas vu (et ne lui avais pas davantage adressé la parole) depuis son installation à Ashville, quatre ans plus tôt. En dehors du fait qu'il était devenu pompier et sobre, nous ne savions pas grand-chose de lui. Il envoyait de temps à autre des mails à Jamie et des cartes d'anniversaire ainsi que des cadeaux de Noël aux enfants. A part cela, il avait coupé les ponts avec sa famille, et je m'en étais sincèrement réjouie. Jamie avait craint qu'il ne vienne pas assister au service funèbre. D'après lui, Marcus avait pris ses distances à cause de son animosité à l'égard de leur mère et peut-être de lui-même. Jamais il n'avait songé que cette attitude puisse avoir un rapport quelconque avec moi.

Marcus est arrivé à Sea Tender le lendemain, dans l'après-midi. Les quatre années écoulées avaient musclé sa silhouette svelte, mûri son visage en le ciselant, et donné plus d'éclat au bleu de ses yeux. J'ai immédiatement perçu que ce n'était pas un changement superficiel. L'homme qui serrait Jamie dans ses bras était sûr de lui. Les deux frères sont restés ainsi une bonne minute, avant de relâcher leur étreinte, les yeux brillants.

— Tu m'as manqué, frangin, a dit Marcus.

Puis il a posé son regard sur moi en souriant et je lui ai tendu les bras, mais notre étreinte a duré quelques secondes seulement. Je n'ai pas reconnu son odeur ! Il embaumait le shampooing et le savon. Plus les moindres effluves d'alcool ou de tabac.

— Vous m'avez tous manqué, a-t-il ajouté.

Je lui ai répondu gauchement qu'il nous avait manqué lui aussi. Pas moyen de le regarder droit dans les yeux sans un trouble auquel je ne m'attendais pas, et que je souhaitais encore moins éprouver.

Marcus s'est penché jusqu'au moment où ses yeux ont été au même niveau que ceux de la petite Maggie, âgée de sept ans.

— Tu te souviens de moi, Mags ?

— Hum !

Marcus s'est redressé en riant.

— C'est vrai que je n'ai pas été le meilleur des oncles quand tu étais petite.

Il m'a regardée.

— Où est Andy ? J'aimerais bien le voir

Je craignais la première rencontre de Marcus avec Andy : à mes yeux leur ressemblance était plus éloquente qu'un test ADN.

— Il fait la sieste.

J'ai passé un bras autour de la taille de Jamie, de manière à prendre appui sur lui. Depuis quatre ans, je me battais pour vivre en paix, et je voulais éviter tout dérapage.

Mes six mois de cure m'avaient métamorphosée. J'avais pleuré toutes les larmes de mon corps, des larmes de honte et de remords, mais aussi de détermination farouche. Dès mon retour à la maison, je m'étais embarquée dans une grande aventure, afin d'apprendre à connaître ma fille de trois ans dont je n'avais pas su m'occuper et pour qui j'étais une étrangère. Au début, Maggie s'accrochait à son père et me scrutait à la dérobée. Je ne ressemblais pas à la mère qu'elle avait connue, et mon odeur était différente. Sans doute associait-elle à moi l'odeur de l'alcool comme le parfum de leur maman pour d'autres enfants.

Le soir de mon retour, Jamie et moi l'avions assise entre nous pour lui faire la lecture. Elle s'appuyait sur son père et ma voix s'est brisée quand est venu mon tour de lire. Son regard intrigué se posait sur moi et non sur les images tandis que le menton de Jamie reposait sur le sommet de son crâne. Parfois, l'amour est presque palpable ; c'était le cas de l'amour entre mon mari et ma fille, que je sentais vibrer dans la pièce. J'en étais exclue, et bien que ma relation avec Maggie se soit développée au fil des ans, je savais que nous n'aurions jamais, entre nous, l'intimité que Jamie avait forgée avec elle.

Tout en aimant ma petite fille d'un amour neuf et riche, je me préparais au retour de mon fils. J'ai appris tout ce que j'ai pu au sujet des enfants présentant le syndrome d'alcoolisation fœtale. Les informations étaient rares, mais je me suis lancée dans des recherches approfondies et j'ai prêché en faveur de grossesses saines et sans alcool, comme d'anciens fumeurs partent en croisade contre le tabac.

Sara m'avait dit ce qu'on peut attendre d'un enfant d'un an. Steve et elle venaient de divorcer et elle élevait Keith toute seule. J'étais navrée qu'elle soit privée de son mari au moment précis où je retrouvais le mien. Nous l'avions attirée dans notre sillage et je réalisais avec joie que j'avais suffisamment d'amour et d'énergie en moi pour en faire profiter Keith et elle, à côté de ma propre famille.

Quand Marcus est revenu pour les obsèques de Miss Emma, j'ai éprouvé pour lui une attirance indéniable. Une attirance un peu embarrassante, même si je n'avais plus peur de mes sentiments. Pendant mes quatre années de sobriété, j'avais pris la mesure de mes forces. J'avais un mari en or : combien d'hommes seraient restés fidèles à la femme malade, froide et dépressive que j'étais devenue après la naissance de Maggie ? J'avais deux merveilleux enfants auxquels je me consacrais. Chaque fois que je voyais Sara, qui habitait maintenant un des vieux mobile homes de Surf City, je réalisais que mon mariage était un bien précieux auquel je m'accrocherais quoi qu'il arrive.

Jamie était tout sourire au cours des premiers jours qui ont suivi le retour de son frère. Son visage s'illuminait en sa présence, et le lien qui les unissait faisait plaisir à voir. Le décès de sa mère attristait sûrement Jamie, mais sa joie de retrouver son frère – maintenant sobre, respectable et prospère – modérait son chagrin.

Les deux enfants se sont entichés de Marcus. Il jouait au ballon avec eux sur la plage et se laissait enfouir dans le sable jusqu'au menton. Parfois il se bagarrait avec Andy ; j'étais alors anxieuse, mais Jamie souriait. Lui qui n'était pas d'un tempérament bagarreur admirait les rapports ludiques de son frère avec nos enfants.

— Marcus devrait devenir père, m'a dit Jamie un soir au lit. Il est génial avec les gosses.

— Il lui faudrait d'abord une femme.

— Oui, mais j'ai l'impression qu'il manque de chance dans ce domaine. Il n'a que des relations sans lendemain, d'après ce qu'il m'a raconté.

— A vingt-huit ans, il a tout le temps devant lui.

Jamie a soupiré.

— Si seulement ma mère l'avait vu comme il est aujourd'hui !

J'ai eu une pensée pour Miss Emma : son amour pour ses fils avait buté sur le fait que Marcus, à ses yeux, ne pourrait jamais égaler son frère. J'ai gardé cette pensée pour moi, car ce n'était pas le moment de critiquer ma belle-mère.

— Je vais essayer de le persuader de revenir ici, a repris Jamie.

L'idée de voir Andy grandir sous nos yeux à l'image de Marcus m'a fait frémir. Marcus savait-il qu'il était le père d'Andy ? Je n'en étais pas absolument sûre. Mais qui pourrait en douter en les observant côte à côte ?

— Tu crois qu'il accepterait ? Est-ce que ça serait bon pour lui de revenir à Topsail, où il a eu tant de problèmes avec l'alcool ?

— Je n'en sais rien. Topsail risque de lui rappeler de mauvais souvenirs, mais il a beaucoup changé. J'ai du mal à me rappeler comment il était... En tout cas, je peux au moins lui poser la question. Ça serait formidable pour les enfants d'avoir leur oncle ici !

— Oui, certainement.

Et j'ai pensé que ça serait formidable aussi pour Jamie de retrouver son frère.

Le lendemain soir, Jamie a parlé à son frère. Nous dînions sur le pont. Le soleil commençait à se coucher de l'autre côté de Sea Tender. D'ici à quelques semaines les moustiques nous empêcheraient de prendre nos repas dehors, mais c'était encore l'une de ces soirées magiques de juin. Il faisait chaud sans excès. La mer, d'un bleu opaque, oscillait doucement. Comment Marcus pourrait-il résister à la tentation de rester ?

Il a avalé une gorgée de thé glacé, avec l'air de peser le pour et le contre.

— Je ne sais pas, a-t-il murmuré en reposant son verre sur la table. J'aime les montagnes, mais pas autant que la vie sur l'eau... Et ça serait bien de vous voir tout le temps. C'est très tentant...

Après avoir regardé son frère, il a souri à Maggie et à Andy, qui dépiautait son poisson avec ses doigts.

— Alors, je ne vois pas ce qui te retient, a dit Jamie. Il y a une offre d'emploi à la brigade de pompiers de Hampstead.

— Viens vivre ici ! Viens vivre ici !

Maggie trépignait sur son banc. J'ai posé une main sur son épaule ; son enthousiasme m'amusait.

— Tu fais tanguer le bateau, ma chérie.

— Je vais réfléchir, Mags, a promis Marcus.

Plus tard, dans la soirée, Jamie est allé mettre les enfants au lit pendant que je m'activais à la cuisine. Marcus m'a rejointe et s'est mis à éponger les plans de travail. C'était la première fois depuis son arrivée, cinq jours plus tôt, que nous étions seuls ensemble.

Il a chuchoté :

— Qu'en dirais-tu si je revenais m'installer ici ?

J'ai regardé fixement la mousse savonneuse de l'évier.

— Jamie y tient, et les enfants seraient fous de joie.

— Mais toi, Laurel ? Tu en penses quoi ? Tu te sentirais à l'aise ?

— J'aimerais que tu fasses de nouveau partie de la famille, lui ai-je dit, comme si je n'avais jamais éprouvé autre chose que de l'amitié à son égard.

— Ça ne risque pas de te poser un problème ?

Je ne voulais plus l'entendre prononcer un seul mot, de peur qu'il fasse allusion à Andy.

— Ça ira, ai-je conclu, comme si je ne partageais pas ses inquiétudes.

— Je me reproche de...

J'ai posé mes doigts sur ses lèvres, puis retiré ma main aussi promptement que je l'avais levée.

— Ne parlons plus du passé, je t'en prie, Marcus.

Il m'a dévisagée si longuement que j'ai fini par tourner la tête.

— Bien, a-t-il dit, tu n'as aucun souci à te faire.

Marcus est devenu un point d'ancrage de notre vie sur l'île. Il s'était installé dans la plus invraisemblable des propriétés que Jamie et lui avaient héritées de leur père : l'une des tours de l'Opération Bumblebee. Il avait restauré et remodelé cette tour de deux étages en un rien de temps, et peint l'extérieur d'un vert écumeux, souligné de blanc.

On le respectait à la brigade des pompiers ; les deux frères aimaient travailler épaule contre épaule. Je respectais Marcus moi aussi : étant donné le mal que je m'étais donné pour renoncer à l'alcool dans le cadre d'une cure de désintoxication, je l'admirais d'avoir réussi à s'en tirer simplement avec l'aide des Alcooliques Anonymes.

Pour ma part, je n'étais pas à plaindre. J'aimais mon mari, tout en appréciant la présence de Marcus, à condition qu'il tienne sa promesse de ne plus évoquer le passé. J'aimais son enthousiasme et son dynamisme, et je classais automatiquement dans la rubrique *beau-frère* tout ce qui m'attirait en lui.

Une fois Andy à la maternelle, j'ai trouvé un emploi à mi-temps chez un dermatologue. Je consacrais le reste de mon énergie à des projets liés à l'alcoolisation fœtale : site Internet, newsletter, et conférences occasionnelles dans un cadre médical ou éducatif. Maggie et Andy adoraient mes brèves absences, car Marcus venait alors habiter à la maison. Jamie et lui organisaient toutes sortes de jeux et les nourrissaient de pizzas et autres nourritures prohibées quand j'étais là.

Un an environ après son retour à Topsail Island, j'ai eu une surprise, à mon retour d'une conférence. Marcus m'attendait à l'aérogare de Wilmington ; je lui ai demandé où était mon mari.

— Je lui ai proposé mes services, m'a-t-il répondu. Jamie avait envie de faire la grasse matinée et les enfants aussi.

Il a traîné mon sac de voyage à roulettes derrière lui, et on s'est dirigés vers la sortie.

Comme on traversait le parking pour rejoindre sa camionnette, je l'ai questionné :

— Vous avez passé un bon week-end ?

— Excellent. Mais hier, je les ai abandonnés pour m'acheter un nouveau bateau.

— Un nouveau bateau ? L'ancien ne te satisfaisait plus ?

Je me suis assise en riant sur le siège passager et j'ai baissé la vitre pour laisser entrer un peu de la chaleur poisseuse de juin. J'arrivais de New York et il devait faire une dizaine de degrés de plus à Wilmington.

— Non, il était… *ancien.*

Une fois sortis du parking, on a parlé du film qu'ils avaient regardé la veille et de toutes les fois où ils avaient laissé Andy gagner au jeu de CandyLand.

— Maggie est un amour, a ajouté Marcus en regardant par-dessus son épaule pour changer de file. Elle laisserait gagner Andy à chaque coup si elle pouvait.

Je lui ai confié que ça me causait du souci ; il m'a dit de ne pas m'en faire.

— Je crains qu'elle n'ait la même... empathie que son père, ai-je précisé.

Il a compris et murmuré :

— Oh, j'espère que non !

Après avoir réfléchi un moment à sa réaction, j'ai constaté qu'il gardait le silence.

— Tu penses à ton bateau ? Comment vas-tu l'appeler ?

Il a passé sa langue sur ses lèvres, en faisant jouer ses mains sur son volant. Il ne semblait pas m'avoir entendue.

— Je peux te poser une question ? a-t-il murmuré.

Tout mais pas ça ! Je croyais comprendre pourquoi il m'attendait à l'aérogare. La question que j'avais tant redoutée au sujet de la paternité d'Andy allait venir sur le tapis.

J'ai vu la pomme d'Adam de Marcus tressauter sous sa peau bronzée.

— A mon retour ici, je pensais que ça irait...

— Qu'entends-tu par là ? ai-je demandé prudemment.

— Je croyais maîtriser mes sentiments à ton égard. Je ne m'étais pas attendue à ça.

— Tu veux dire que...

Il m'a fusillée du regard.

— Pas un mot, s'il te plaît ! Laisse-moi parler une minute. D'accord ?

— Non, je...

— Plus je te vois, plus mes sentiments se précisent. Rien à voir avec le passé, tu comprends ? Il s'agit d'ici et maintenant. A l'époque, nous étions des malades.

Maintenant, nous sommes des êtres sains, et je t'admire, Laurel. La manière dont tu t'occupes d'Andy, ta croisade contre l'alcoolisation fœtale, et ...

— Marcus, je t'en prie... Je suis touchée par tes compliments et je t'admire moi aussi. Nous avons su l'un et l'autre reprendre notre vie en main. Ce n'est pas le moment de tout gâcher !

— Je t'aime.

— Ne dis plus jamais ça !

J'ai regardé par la vitre, de peur de lire son expression sur son visage.

— J'ai résisté toute l'année et je suis à bout, Laurel. J'ai besoin de savoir si j'ai une chance. C'est tout ce que je te demande. Si tu me réponds non, je me tairai définitivement ! Mais si j'ai la moindre chance...

Marcus a hoché la tête.

— Je n'imagine pas une liaison entre nous, bien sûr. Je pense à nous deux, au grand jour. Tu divorcerais de Jamie...

Tout en gardant les yeux rivés sur le bas-côté de la route, j'ai senti que Marcus m'observait.

— J'aime mon frère et je suis navré à l'idée de lui nuire, mais je ne peux plus te cacher mon amour. Chaque fois que je fréquente une femme, je voudrais qu'elle soit toi...

J'ai tourné mon visage vers Marcus.

— Arrête ! Jamais je ne divorcerai de Jamie. Il m'a soutenue à travers tant de...

— Donc, tu éprouves des sentiments à mon égard ! S'il n'y avait pas Jamie, tu...

— Je t'aime comme un beau-frère.

— Difficile à croire.

— Pourquoi ?

— Je surprends quelquefois ta manière de me regarder.

Avais-je été si transparente ? Je me suis expliquée d'une voix calme :

— J'aime Jamie, Marcus. Nous avons fondé une famille. Respecte cela, je t'en prie, et ne ... (J'ai soupiré de lassitude.) C'était si merveilleux de t'avoir ici. Ne gâche pas notre bonheur à tous !

— Tu as raison, a-t-il admis au bout d'un moment. Tout à fait raison. Pardon, Laurel ; il fallait que je te pose cette question.

— Maintenant, tu sais.

— Je sais...

Un lourd silence a plané entre nous.

— Tu vas te trouver une épouse, ai-je conclu. Une femme libre, qui sera follement amoureuse de toi.

— Oui, tu as raison, m'a-t-il répondu d'un ton lugubre. Je suivrai tes conseils.

Et moi, comment supporterais-je de le voir toucher et aimer une autre ?

Le lendemain, lundi, était jour de congé à la fois pour Marcus et pour Jamie. Le soleil venait de se lever à l'horizon et notre chambre baignait dans une lueur rose, quand le téléphone a sonné. Jamie a décroché le combiné posé sur sa table de nuit.

— Oui... D'accord... a-t-il marmonné au bout de quelques minutes d'une voix somnolente

Il a raccroché et je lui ai demandé si c'était la caserne des pompiers. Qui d'autre aurait pu nous appeler si tôt ? Il a basculé ses jambes de l'autre côté du lit pour se lever.

— Non, c'est Marcus, m'a-t-il annoncé. Je le retrouve sur la jetée pour essayer son nouveau bateau.

— Tout de suite ? C'est notre seul jour de grasse matinée.

— Tu as raison, mais regarde dehors !

Il m'a désigné d'un grand geste le soleil levant et s'est penché pour m'embrasser.

— Rendors-toi ! Je pars sans réveiller les enfants.

Quelques heures plus tard, Marcus m'appelait du commissariat de police de Surf City. Il sanglotait et je le comprenais à peine. Un accident était survenu sur le bateau : une baleine l'avait soulevé dans les airs, les jetant à la mer, Jamie et lui. Après avoir cherché longuement son frère dans l'eau, il avait dû renoncer.

J'ai raccroché, tremblante. En présence des enfants, j'ai tenté de dissimuler ma panique. Sara, que j'ai ensuite appelée pour les garder, semblait presque aussi bouleversée que moi. Elle a fait irruption dans la maison, en larmes, avec le petit Keith, âgé de six ans. Ensuite, elle m'a serrée dans ses bras, tandis que les trois enfants essayaient de comprendre ce qui se passait.

J'ai foncé en voiture au commissariat, et j'ai regardé Marcus dans les yeux. Les yeux d'un homme qui m'avait demandé, la veille, si j'étais prête à quitter mon mari pour lui. Je le connaissais bien – assez bien pour deviner que l'histoire qu'il m'avait racontée était un mensonge.

41

Laurel

L'audience préliminaire devait avoir lieu mercredi – dans deux jours à peine, beaucoup trop tôt à mon gré. Cette audience pourrait signifier la fin de la liberté d'Andy, « étant donné la gravité des charges ». Shartell semblait de plus en plus sûr qu'il serait déféré à un tribunal pour adultes et de moins en moins sûr qu'une caution raisonnable serait acceptée. Andy pourrait donc rester en prison jusqu'à son procès, c'est-à-dire des mois, sinon des années, et être condamné à la prison à vie, sans liberté conditionnelle.

Shartell m'avait conseillé de ne pas m'inquiéter, car mon fils ne risquait pas la peine de mort. Quel imbécile ! Selon lui, je devais appréhender « uniquement » que mon fils, atteint du syndrome d'alcoolisation fœtale, soit condamné à perpétuité. J'aurais mieux fait de m'adresser à quelqu'un d'autre, dès que j'avais commencé à douter de mon avocat.

A mon avis, il fallait insister, lors de l'audience préliminaire, sur le fait qu'Andy ne devait pas être déféré à un tribunal pour adultes en raison du SAF. J'ai donc essayé de donner à Shartell toutes les précisions possibles au sujet de ce syndrome ; mais son esprit me paraissait aussi hermétique que si mes explications s'étaient adressées à Andy.

— C'est un argument sans grande valeur, m'a-t-il affirmé. Il avait autrefois un certain poids pour la défense, mais, de nos jours, le premier venu prétend que sa mère buvait avant sa naissance ! Andy a un QI normal, il n'est pas fou, et il sait distinguer le bien du mal. Voilà ce qui intéresse le juge.

Cet homme me poussait à bout. Chaque fois que je lui parlais, je bouillais d'angoisse. J'ai rugi :

— De quel côté êtes-vous ? Vous ne m'écoutez pas. Comprenez-vous que je ne cherche pas à le justifier ? J'affirme simplement qu'il ne doit pas être jugé par un tribunal pour adultes. Il a beau être un adolescent et avoir un QI normal – mais dans la moyenne inférieure – il pense comme un enfant. Je m'y connais en matière de syndrome d'alcoolisation fœtale. Je prends la parole en public sur...

Shartell m'a interrompue.

— Vous êtes sa mère. Vos appréciations n'ont aucun poids !

Quelques années auparavant, je m'étais réveillée une nuit et j'avais vu Jamie assis au bord de mon lit. J'avais dû rêver – cela m'était déjà arrivé – mais sa présence me semblait tout à fait réelle. Il était là, en jean et tee-shirt bleu, avec son tatouage « empathic » plus vrai que nature. Je n'avais pas peur. J'étais heureuse de le voir, et il me parlait sans remuer les lèvres. J'ai entendu : *Tu es une battante, Laurie. Une vraie championne.*

J'avais souvent repensé à ce rêve, ou ce pseudo-rêve. Chaque fois que j'affrontais une épreuve, je me souvenais de ces mots qu'il n'avait jamais prononcés de son vivant, mais que je l'imaginais en train de dire.

J'avais eu, en effet, plus que ma part d'épreuves. Celle que j'affrontais maintenant était la plus terrible de mon existence, et j'allais me battre de toutes mes forces pour éviter la prison à Andy.

Puisque « mes appréciations » n'avaient aucun poids, je m'adresserais à quelqu'un qui serait pris au sérieux ; quelqu'un habitué à témoigner, devant les tribunaux, au sujet de personnes atteintes du SAF. J'étais gonflée à bloc. Sur Internet, j'ai trouvé – grâce à mon réseau de « parents SAF » – le nom d'un neurologue de Raleigh. J'ai appelé son cabinet et obtenu un rendez-vous pour le lendemain. A ce stade, il me conseillait de venir seule, avec le dossier des résultats médicaux et psychologiques d'Andy. Si mon fils était effectivement mis en jugement, il procéderait à une évaluation complète. En attendant, il me fournirait des arguments (à partager avec Shartell) qui devraient permettre d'écarter Andy des tribunaux pour adultes. Je pleurais de soulagement quand j'ai raccroché. Ce neurologue était optimiste et son optimisme m'aidait à espérer.

Je me suis organisée pour qu'Andy passe la journée du lendemain avec la mère de l'un de ses camarades de natation. Ben avait insisté pour qu'Andy reste dans l'équipe et j'appréciais sa volonté d'affronter les éventuelles conséquences de ce choix. Andy ne comprenait pas pourquoi il n'allait pas en classe ; le priver de son entraînement, qu'il appréciait tant, l'aurait perturbé encore plus.

En le bordant dans son lit, ce soir-là, je lui ai expliqué comment se déroulerait la journée suivante.

— Andy, je dois m'absenter demain…

— Tu vas faire une conférence sur l'alcoolisation fœtale ?

— Non, pas cette fois-ci. (Je lui ai souri.) Je passe simplement la journée à Raleigh, et tu iras chez Tyler, avec sa maman...

— Il y sera ?

— Il sera en classe, donc tu emporteras tes livres et...

— Je peux emporter mon iPod ?

— Oui, mais je voudrais que tu fasses un peu de lecture et les maths dont on a discuté. J'ai noté ça sur ton cahier ; j'en parlerai à la maman de Tyler pour que tu n'oublies pas.

— Je déjeunerai ?

— La maman de Tyler te fera déjeuner. Après l'école, elle vous emmènera, Tyler et toi, à l'entraînement de natation. Maggie viendra te chercher après.

— Tyler n'est pas un bon nageur.

— Non ?

— Pourtant, Ben est bon explicateur.

— Ben donne de bonnes explications, ai-je rectifié.

— Il dit que si je travaille dur je peux devenir un excellent nageur.

— Je pense que tu es déjà excellent.

— Non, maman. Je suis un excellent nageur pour l'équipe des Pirates. Mais il veut dire que je peux devenir un vrai champion.

J'ai passé une main dans ses cheveux bouclés.

— Voilà une magnifique aspiration !

Mon petit garçon ensommeillé s'est frotté les yeux du dos de la main.

— C'est quoi, une aspiration ?

— C'est un but, un programme. Comme ton programme des choses à faire chaque jour.

— Hum...

Il a fermé les yeux.

— Je t'aime, Andy.

Il respirait déjà régulièrement, un vague sourire aux lèvres. Je l'ai observé quelques minutes en refoulant mes larmes, puis je me suis penchée et j'ai chuchoté à son oreille :

— Tu es un battant, mon chéri. Déjà un vrai champion...

42

Marcus

Le bateau est trop petit pour un temps aussi violent sur l'océan. Je m'en rends compte dès que nous arrivons au large, après avoir traversé le bras de mer. Un monstrueux bateau jaune, de la taille et de la forme d'un bus scolaire, nous dépasse. Nous nous élevons très haut dans son sillage, puis nous plongeons vers le bas, et nous sommes inondés. L'espace d'un instant, j'ai peur, mais quand Jamie se met à rire en passant par-dessus sa tête son tee-shirt humide, je me détends et je joins mon rire au sien. J'accélère et la poupe de mon bateau s'élève tandis que nous fonçons sur les flots.

« Regarde ! » crie Jamie, les yeux écarquillés, un doigt pointé vers l'est. Je tourne la tête et je vois un groupe de baleines noir de jais, côte à côte, en train de cracher de l'eau en même temps, comme sur un dessin d'enfant.

« Que Dieu soit avec nous ! » s'écrie alors Jamie.

J'ai émergé de mon rêve en suffoquant, comme toujours, bien que j'aie réussi à me réveiller avant l'épisode le plus pénible. Mon cœur tambourinait sous mes côtes. Depuis près de dix ans, ce rêve me hantait. Je me suis levé pour le chasser de mon esprit.

Etais-je condamné à le subir jusqu'à la fin de mes jours ? Mon cœur n'y résisterait pas...

Dans la salle de bains, je me suis passé de l'eau sur le visage. Si je retournais immédiatement au lit, mon rêve virerait au cauchemar. Pas question !

J'ai allumé mon ordinateur et j'ai joué au solitaire mais j'avais l'esprit troublé. Toutes les cartes se mélangeaient sous mon regard. J'ai fermé les yeux.

L'issue de cette journée aurait pu être différente. J'aurais pu suggérer de rester sur le bras de mer, au lieu d'aller au large ; proposer l'après-midi au lieu du matin ; acheter le bateau une semaine avant ou après. Ce n'était pas la première fois que je frôlais la folie à force de suppositions.

La veille de l'accident, j'étais allé chercher Laurel à l'aéroport pour lui poser la question qui me hantait depuis des mois. Y avait-il une chance pour nous ? Elle m'avait donné sa réponse et j'étais décidé à en tirer les conséquences. Il le fallait. Je l'ai ramenée à Sea Tender, et Jamie est apparu avant que j'aie démarré.

— Salut !

Il s'est assis sur le siège passager. Il avait les cheveux humides, après une douche ou une baignade. Il m'a demandé si on pourrait passer un moment seuls ensemble, plus tard ce jour-là.

Une proposition insolite, qui aurait dû m'intriguer, mais je tenais par-dessus tout à éviter un tête-à-tête avec lui immédiatement après ma conversation avec Laurel.

— Plutôt demain, ai-je suggéré. Tu as un jour de congé, n'est-ce pas ?

— D'accord. On s'appelle le matin.

— Tu pourrais m'aider à inaugurer mon nouveau bateau.

— Pourquoi pas ?

Il a tourné les yeux vers Sea Tender et il est sorti de ma camionnette.

Quand je l'ai appelé, le lendemain à l'aube, je pensais qu'il rechignerait à se lever si tôt, car il était amateur de grasses matinées. Il m'a semblé impatient de m'accompagner à bord, ce qui aurait dû me mettre la puce à l'oreille.

On s'est retrouvés à l'embarcadère et j'ai senti qu'il y avait un problème dans l'air. Jamie arborait un sourire forcé. Les mains dans les poches, il a admiré le bateau, en me posant des questions dont il n'écoutait pas les réponses. Etait-ce l'heure matinale ? Il me paraissait quelque peu somnolent.

J'ai sauté à bord avec une thermos de café et deux tasses en plastique ; il m'a suivi et je lui ai expliqué mon choix :

— Une embarcation assez petite pour être facile à manœuvrer, mais assez grande pour nous tous.

En réalité, je m'étais imaginé emmenant Laurel et les enfants pendant que Jamie travaillait. Quel frère détestable je faisais !

Assis sur le siège moelleux, à la barre, je lui ai tendu la thermos, tandis qu'il s'installait à l'avant, sur le siège du passager.

— Un café ?

Il a refusé d'un hochement de tête, avec ce même sourire bizarre.

— Ça va, Jamie ?

— Quelques soucis, a-t-il admis en haussant les épaules. Allez ! Fais-moi profiter de ton nouveau bateau...

— Un tour sur l'océan ?

— Bonne idée !

Je me suis éloigné de la jetée. J'avais déjà navigué sur le bras de mer et sur l'Intercoastal Waterway, et je voulais voir ce que donnait mon bateau au large.

Jamie a ajusté ses lunettes de soleil.

— Tu l'as déjà baptisé ?

Fou que j'étais, j'avais songé à l'appeler... *Laurel.*

— Peut-être *Maggie,* ai-je menti.

— Elle serait sûrement ravie qu'un bateau porte son nom !

Quelques minutes plus tard, nous voguions sur le bras de mer. Comme toujours, je me sentais excité face au large. Une telle immensité... On aurait juré que la courbure de la terre était visible. Comment avais-je pu survivre quatre ans à la montagne ?

Au moment où nous passions du bras de mer à l'océan, un imposant navire a surgi du néant. Il nous a dépassés avec un sinistre hurlement de sirène. Je me suis agrippé à la barre en m'engageant dans son sillage.

J'ai crié « Bon Dieu ! » quand nous avons remonté la première vague.

— Tiens bon ! m'a lancé Jamie, persuadé que j'avais besoin de ses conseils.

Une fois au sommet de la vague, nous sommes retombés comme une pierre de l'autre côté, et la suivante arrivait déjà, sans nous laisser le temps de souffler. Elle m'a arraché mes lunettes de soleil et a failli submerger notre bateau. Toujours agrippé à la barre, j'ai entendu Jamie crier « holà ! » comme s'il montait un taureau en train de ruer.

Encore deux vagues, et le pire était derrière nous. J'ai vu Jamie, un sourire aux lèvres, retirer son tee-shirt trempé. Il a enlevé ensuite ses lunettes et regardé autour de lui en quête, je suppose, de quelque chose pour les essuyer.

— Je n'y voyais plus rien, m'a-t-il dit en riant.

— Moi non plus ! (Je riais à mon tour.) Et j'ai perdu mes foutues lunettes de soleil.

Il a calé les siennes sur le haut de son crâne et tordu son tee-shirt au-dessus du bastingage.

— Ton bateau a bien réagi, a-t-il ajouté.

— J'ai cru une minute que j'allais le perdre !

Nous avons vogué vers l'océan et j'ai accéléré. Au bout d'un moment, Jamie a nettoyé ses lunettes de soleil avec son tee-shirt humide et les a remises sur son nez ; puis il a pointé un doigt vers le sud.

— C'est une baleine ?

Il avait crié pour que je l'entende malgré le vacarme du moteur. J'étais surpris, car la surface de l'eau était calme.

— Où ça ?

— Elle a plongé.

A mon tour, j'ai crié :

— Ça m'étonnerait ! Ce n'est pas la saison.

— Tu as raison, mais ça en avait bien l'air.

Nous foncions et je me suis exclamé :

— Pas une secousse ! Ce bateau est génial.

De la dynamite ! On avait l'impression de voler.

Jamie m'a fait signe.

— La revoilà ! On est pratiquement au-dessus d'elle.

Cette fois, je l'ai vue. Impossible de ne pas la remarquer ! Elle ouvrait une brèche juste au sud : une montagne de plusieurs tonnes, surgissant des profondeurs et y replongeant.

— Bonté divine !

J'ai ralenti et nous avons scruté la mer.

— En juin, c'est incroyable !

On apercevait des baleines en décembre ou janvier au moment de leur départ vers le sud, et au printemps quand elles revenaient du nord. Mais comment était-ce possible fin juin ?

J'ai entendu l'impact de la baleine et vu un jet d'eau s'élever, à moins de vingt mètres de nous. Ensuite, l'énorme queue est restée dans les airs comme un grand oiseau aux ailes déployées. Elle a frappé la surface de l'eau quand la baleine a replongé. J'ai arrêté le moteur ; le bateau a simplement dérivé.

— A ton avis, elle est seule ? a chuchoté Jamie.

— Pas la moindre idée. J'aurais dû emporter mon appareil photo. Personne ne nous croira !

La baleine, pointée vers le ciel, a surgi une seconde fois sous nos yeux.

— La même, tu crois ? m'a demandé Jamie

— Je ne sais pas, mais elle est énorme.

Elle était en effet énorme et d'une proximité inquiétante... J'avais déjà vu des baleines de près. D'assez près pour effleurer leur dos avec un filet depuis un bateau, mais celle-ci était différente : nous étions minuscules à côté d'elle et j'imaginais sans peine Jonas installé dans son ventre.

— Comment ne pas ressentir la présence de Dieu quand on voit ça ? a remarqué Jamie.

Je ne lui ai pas répondu : je puisais toute mon énergie auprès des Alcooliques Anonymes et nous n'avions sans doute pas le même Dieu, mon frère et moi.

La baleine a disparu. On a attendu quelques minutes en tournant la tête de droite à gauche ; elle n'a plus donné signe de vie.

J'ai voulu remettre les gaz, mais Jamie m'a retenu.

— Attends ! Restons encore un moment.

— Je crois qu'elle est partie.

— Oui, mais je voudrais te parler.

J'ai renoncé à accélérer. Laurel lui avait-elle par hasard touché un mot de notre conversation ?

— Je prendrais volontiers un peu de café maintenant, a ajouté Jamie.

Je lui ai tendu la thermos et une tasse, et je l'ai regardé verser ; sa main tremblait, mais les miennes aussi, après notre spectaculaire rencontre avec Moby Dick.

Il a avalé une gorgée de café et soupiré :

— Vieux frère, c'est difficile à dire...

J'ai essuyé mes mains moites sur mon short.

— De quoi s'agit-il ?

— J'ai pris une décision difficile.

Ses lunettes de soleil masquaient ses yeux, mais je sentais qu'il mc regardait fixement.

— Une décision égoïste, très égoïste, et je vais avoir besoin de ton aide, frangin.

Je me suis détendu : il n'était sûrement pas question de Laurel et moi.

— Tu peux compter sur moi, Jamie.

Il a regardé du côté où nous avions aperçu la baleine pour la dernière fois et il m'a dit qu'il allait demander le divorce à Laurel.

Les muscles autour de mon cœur se sont contractés si fort que j'ai passé une main sur ma cage thoracique.

— Qu'est-ce que tu racontes ?

— Je comprends que tu sois choqué, a dit Jamie. Tu dois me prendre pour un fou. Un homme prêt à gâcher une vie conjugale parfaite...

— Exactement ! Peu de gens ont une vie de famille comme la tienne...

Il a glissé son pouce et son index sous ses lunettes ; je n'aurais su dire s'il cherchait à essuyer des larmes.

— J'aime Laurel comme une amie, et c'est ainsi depuis longtemps. Quand elle était en cure de désintoxication, mes sentiments ont évolué. Je me rends compte que ce n'est pas juste. Elle n'est pas responsable de ce qui s'est passé, et j'ai longtemps espéré que mes anciens sentiments renaîtraient, mais...

— Comment peux-tu ne pas l'aimer ?

Mon frère avait perdu la raison : il voulait quitter sa femme. Mais n'était-ce pas ce que je souhaitais à peine vingt-quatre heures avant ? Non, j'avais souhaité que Laurel lui demande le divorce, qu'elle prenne l'initiative de la rupture et ne soit pas sa victime.

Jamie a secoué la tête.

— Je ne sais pas comment lui annoncer ma décision. Comment lui faire le moins de mal possible...

— S'il s'agit d'une question, ma réponse tient en trois mots : tu vas l'anéantir !

J'aurais voulu ajouter qu'elle m'avait éconduit à cause de sa fidélité à son égard, et l'obliger à ouvrir les yeux. Il a insisté :

— Je regrette de te faire porter un tel poids, Marcus, mais je tenais à te mettre au courant le premier parce que les enfants et elle vont avoir besoin de toi. Vous êtes si proches... Ils auront besoin de ton soutien un certain temps.

Quelques mouettes volaient au-dessus de nos têtes. L'une d'elles est descendue en piqué et s'est remise à planer avec un petit poisson dans son bec, sans aucun effort apparent.

— Je n'y crois pas, ai-je maugréé. Tu lui annonces la nouvelle, et ensuite... tu t'en vas ? Tu pars en Californie pour commencer une vie nouvelle ?

— Tu divagues ?

— Non, j'essaie juste de comprendre.

— Bien sûr ! (Il a soupiré et j'ai vu sa veine jugulaire battre sous la peau humide de sa gorge.) Tu veux la vérité ? J'aime quelqu'un d'autre.

J'aurais voulu distinguer ses yeux sous les verres sombres de ses lunettes.

— Tu as trompé Laurel ?

— C'est un vilain mot.

J'ai ricané :

— Tu en connais un meilleur ?

— Ce n'est pas ce que tu crois.

— Alors, dis-moi ce que c'est !

Les bras croisés sur ma poitrine, je me considérais soudain comme le plus noble des deux vauriens embarqués sur ce bateau.

— Je n'aurais pas dû t'en parler, a chuchoté Jamie.

Il n'était pas question qu'il se taise ; je voulais *tout* savoir.

— C'est vrai que je suis choqué, Jamie. Je ne te reconnais plus. Tu n'es plus la même personne. Maintenant, explique-toi !

— J'aime Sara.

Ses mots sont restés en suspens quelques secondes avant que j'en comprenne toute la signification.

— Bravo ! Tu as choisi la meilleure amie de ta femme.

— Ça ne s'est pas passé de cette manière.

Il a ramassé son tee-shirt pour s'éponger le front.

— J'ai vécu avec Sara et Steve autrefois, quand Maggie était petite. Tu te souviens ? Je suis tombé amoureux de Sara. Il y a eu un déclic entre nous, et Laurel était une telle épave, alors que Sara... Steve et elle ne s'entendaient pas très bien, Steve s'absentait souvent... Nous avions besoin l'un de l'autre, Sara et moi...

— Alors, tu trompes Laurel depuis des années ?

— Non. Pas physiquement, en tout cas. Quand Laurel a été enceinte d'Andy, je suis revenu à Sea Tender et j'ai décidé de rompre avec Sara. Mais il y a un monde entre la raison et les sentiments. Sara a été formidable !

Jamie a ébauché un sourire, j'aurais voulu le gifler pour arracher cette grimace de ses lèvres.

— Sara m'a toujours dit que la décision m'appartenait. Ces derniers mois, j'ai réalisé que je vivais dans le mensonge en faisant semblant d'aimer Laurel, en lui affirmant que je l'aime. Vivre dans le mensonge n'a jamais été la solution...

— Espèce de salaud ! Tu vas abandonner tes gosses ?

— Pour rien au monde ! On a l'intention de rester dans les parages, soit sur l'île, soit à l'intérieur des terres. On pense à Hampstead. Comme ça je ne m'éloignerai pas trop d'Andy et Maggie, mais Laurel ne tombera pas sur moi chaque fois qu'elle ira chez l'épicier. Je subviendrai toujours à leurs besoins... et à ceux de Laurel.

L'envie de le frapper me démangeait. Quand on était gosses, il était toujours le plus fort. Il avait l'avantage de l'âge et des muscles. Maintenant, avec la colère qui grondait en moi, je me sentais capable de le terrasser si j'essayais.

— Marcus, a-t-il articulé de cette voix sereine qu'il faisait retentir dans sa chapelle le dimanche matin, regarde-moi !

J'ai obéi, les lèvres serrées à la limite de la douleur. Il a ajouté :

— J'ai un autre enfant sur lequel je dois veiller...

— Qu'est-ce que tu me chantes ?

Keith... Six ans maintenant. Un bel enfant aux grands yeux bruns et aux boucles sombres.

— Keith, a précisé Jamie, comme si je n'avais pas deviné. Je donne à Sara un peu d'argent pour lui depuis sa naissance, mais elle mérite plus que quelques dollars par mois.

J'ai dévisagé l'inconnu qui était sur mon bateau.

— Je ne te connais plus, Jamie ! Tu as incité Sara à aider Laurel. Tu les as poussées à devenir amies... Ta femme... Ta maîtresse... Combien de fois les as-tu eues en même temps dans ta maison ?

— Tu vas la fermer, Marcus ?

Il se mettait en colère contre moi et j'en étais ravi ! Je détestais son éternelle sérénité.

— Et ton bâtard... Tu t'imagines que Maggie, Andy et lui vont devenir de bons copains ? Une grande famille unie, à l'exception de Laurel !

Jamie a écrasé la tasse vide dans sa main, puis l'a jetée par-dessus bord.

— Et toi, Marcus, tu t'es regardé dans la glace ? Tu as couché avec ma femme...

J'ai sans doute hoché la tête, car il s'est penché vers moi.

— Ne cherche pas à nier ! Tu me crois né de la dernière pluie ? Tu as couché avec elle, tu l'as mise enceinte, et tu l'as poussée à boire. Andy est handicapé par *ta* faute.

Je me suis jeté sur lui en lui flanquant un grand coup sur la mâchoire. Sa tête a pivoté d'un côté, mais il a vite réagi. Après avoir empoigné mon bras, il m'a poussé dans le fond du bateau ; je me suis débattu avec une force que j'ignorais. J'ai plié mes jambes, posé mes pieds nus sur son torse, et je l'ai envoyé valser de l'autre côté du bateau. Il s'est écrasé en gémissant à l'arrière de l'un des sièges.

J'ai été pris de vertiges, au fond du bateau. Le ciel tournoyait au-dessus de ma tête. Quand j'ai tenté de m'agenouiller, j'ai eu l'impression d'être propulsé dans les airs. Jamie s'est dirigé vers moi, mais il a senti lui aussi le mouvement du bateau.

— Que se passe-t-il... ?

Les jambes écartées et les bras tendus à l'horizontale, il essayait de retrouver son équilibre.

J'ai cherché des yeux un bateau qui aurait pu provoquer cette vague exceptionnelle. C'est alors que j'ai aperçu l'énorme queue de la baleine au-dessus du plat-bord. Sans avoir le temps de m'agripper à l'un des sièges, je me suis envolé.

Jamie a crié quand nous avons été éjectés. Il est tombé la tête la première et j'ai entendu son crâne heurter la proue. J'étais dans les profondeurs ; je me demandais où se trouvait la surface de l'eau, et si l'ombre au-dessus de ma tête était celle du bateau ou de la baleine.

J'ai retrouvé la surface et inspiré une bouffée d'air. Le sel me picotait les yeux. Le bateau était déjà à plusieurs mètres de moi ; ma colère contre Jamie s'était muée en un combat pour survivre. J'ai nagé jusqu'au bateau, puis je me suis accroché à la petite échelle fixée à la proue, tout en scrutant les vagues dans l'espoir d'apercevoir mon frère.

J'ai hurlé « Jamie ! », en guettant le son de sa voix. Quelques mouettes ont déchiré le silence de leurs cris, mais je n'ai rien entendu d'autre. Je suis remonté sur mon embarcation pour mieux voir, et j'ai encore crié « Jamie ! » je ne sais combien de fois. Le choc que j'avais entendu résonnait dans ma tête. J'ai replongé à sa recherche, les yeux ouverts, et j'ai nagé sous l'eau jusqu'à ce que mes muscles m'abandonnent, puis j'ai fait la planche, en larmes et haletant à chaque inspiration aqueuse. Quand je suis remonté à bord, j'ai scruté une fois encore l'océan. Mon frère n'avait pas disparu, c'était *impossible.* D'une seconde à l'autre, il allait surgir des flots en riant ; il m'avait joué ce tour parce que j'avais été assez stupide pour l'agresser. Je ne pouvais pas partir, car partir aurait signifié que je l'abandonnais.

Je l'ai appelé tant de fois qu'à la fin c'est à peine si je murmurais son nom. Je voulais mon frère à tout prix.

Même après avoir fait demi-tour, quand je naviguais sur le bras de mer en sanglotant, je n'aurais pas été étonné qu'il m'accueille sur la jetée. Il me dirait que j'avais bien mérité ce cruel canular et il me reprocherait mon hypocrisie.

Evidemment, il n'était pas là pour m'accueillir. Le véritable cauchemar a commencé quand j'ai averti la police : une baleine avait soulevé notre bateau et nous avait jetés par-dessus bord. En juin, alors que les baleines étaient censées être quelque part au nord de la Nouvelle-Angleterre ! Un phénomène improbable. Il m'arrivait parfois de me demander si j'avais réellement vu cette grande queue battante. Je n'ai parlé à personne de notre dispute et de notre conversation, mais j'avais des égratignures à l'épaule, des bleus au cou. Faut-il s'étonner que j'aie échoué au test du détecteur de mensonges que j'avais bêtement accepté de passer ?

Les gens qui connaissaient notre famille depuis des années se souvenaient de l'ancienne rivalité entre Jamie et moi. Ils auraient voulu savoir si nous nous étions bagarrés sur le bateau. Ils se rappelaient mon alcoolisme. Avais-je bu pendant notre sortie en mer ? Aucune preuve n'ayant été retenue contre moi, on m'a finalement relâché. Les pompiers, qui m'appréciaient et m'estimaient presque autant que Jamie autrefois, ont pris mon parti ; mais Laurel, la seule qui comptait pour moi, ne m'a pas cru.

43

Maggie

— Quel courage tu as d'aller rendre visite à Keith ! m'a dit Amber, affalée sur le siège passager de ma voiture, les pieds contre le tableau de bord.

Je l'avais prévenue que si l'*airbag* éclatait, en cas de collusion, elle se retrouverait avec deux jambes cassées et que ses genoux heurteraient son nez ; elle m'avait répondu que je m'en faisais trop. Effectivement, j'étais inquiète. C'était plus fort que moi. L'incendie m'avait appris que les choses peuvent mal tourner en un rien de temps. On croit exercer un contrôle sur son existence, et on se réveille tout à coup en sursaut.

Je lui ai demandé :

— Pourquoi penses-tu que j'ai du courage ?

— J'ai entendu dire que les services de grands brûlés sont effroyables.

Amber avait toujours été une poule mouillée. Quand on apportait au New Hanover Hospital les cartes réalisées par les élèves de l'école primaire, elle restait dans le hall pendant que nous allions dans les chambres des patients. La plupart étaient là parce qu'ils avaient respiré des fumées toxiques ou à la suite de brûlures légères ; donc rien de très grave. J'estimais qu'il était de mon devoir de leur remettre personnellement ces cartes. Puisque j'étais en parfaite santé, je ne pouvais pas faire moins. Ce jour-là, j'étais sortie du lycée sans avoir à me cacher, car ma conseillère pédagogique considérait une visite à Keith comme une « activité d'intérêt général », du même ordre que l'organisation d'une collecte. Je m'étais mise en quatre pour celle-ci, mais à aucun prix je n'en reparlerais à Dawn.

J'ai dit à Amber que je m'en voulais de ne pas être encore allée voir Keith. Depuis une bonne semaine, je trimballais avec moi les cartes qui lui étaient destinées.

Amber était convoquée pour des entretiens au département de gestion de l'UNC, à Chapel Hill, où elle étudierait l'automne suivant. J'avais proposé de l'y emmener ; ses parents viendraient la chercher en fin de semaine. Je tenais à donner les cartes à Keith, mais aussi à lui parler. Il prétendait avoir vu Andy marcher autour de l'église juste avant l'incendie, ce qui n'avait aucun sens. Je voulais savoir exactement ce qu'il racontait à la police, afin de mettre en pièces ce tissu d'absurdités. Puisque ma mère avait fait appel au plus nul des avocats, c'était à moi de tirer Andy de ce pétrin. Pendant que j'étais à Chapel Hill, maman irait parler à un neurologue de Raleigh, spécialiste du SAF. L'audience préliminaire avait lieu le lendemain, et même si elle m'assurait que tout irait bien, je la sentais très anxieuse.

— Les parents de Travis ont eu un choc en apprenant que j'irais à l'UNC, a ricané Amber.

Les parents de son copain estimaient, en effet, qu'ils s'étaient engagés trop vite.

— Ça ne les regarde pas. Travis est un adulte.

— Exact !

Je me fichais pas mal de la saga d'Amber et Travis, mais j'étais coincée pour deux heures et demie, à entendre tous les détails dénués d'intérêt de cette histoire, racontés par mon ex-meilleure amie – alors que je ne pouvais rien lui dire au sujet de Ben. Elle n'aurait pas compris. Elle risquait même d'en parler sur Facebook ! Amber n'avait pas la moindre idée de ce qu'est un *vrai* problème.

Bon Dieu, j'étais terriblement jalouse qu'Amber et Travis puissent s'exhiber en public sans se gêner ! C'était si injuste... Et Ben me manquait. On se téléphonait, mais je voulais être avec lui. On avait prévu de se retrouver vendredi soir à l'extrémité nord de l'île, là où étaient les vestiges de l'ancienne chapelle de papa. Tant pis s'il pleuvait, j'irais quand même. Chaque fois que je m'imaginais avec Ben, mon cœur battait plus vite.

Amber s'est blottie dans son sweatshirt UNC. Et quand on est arrivées au périphérique, elle a dit :

— Je suis ravie d'être sur le continent ce soir.

— Pourquoi ?

— Mais d'où tu sors ? (Elle a chassé une poussière d'un de ses orteils aux ongles roses.) On annonce une violente tempête. Ça va souffler grave sur la côte. J'en verrai quelque chose à l'UNC, mais pas autant que sur l'île.

Etait-ce pour cela qu'il faisait si sombre ? Quand j'ai retiré mes lunettes, les nuages ressemblaient à des tas de cendres. La tempête pourrait peut-être faire louper l'audience du lendemain. Une très forte tempête les obligerait à fermer le tribunal pour la journée. Si l'audience était remise à plus tard, on pourrait engager un meilleur avocat, éventuellement.

Après avoir déposé Amber, j'ai passé trois quarts d'heure à chercher l'hôpital et le parking du centre des brûlés. J'avais oublié le sac-cadeau des cartes postales sur la banquette arrière, et j'étais presque dans l'ascenseur quand je m'en suis aperçue. Je suis retournée les chercher dans ma voiture ; il commençait déjà à pleuvoir. Pas de temps à perdre, car je n'avais aucune envie de conduire sous la tempête ! J'ai enfin rejoint le centre des brûlés. Il y avait un groupe d'infirmières devant un grand bureau. Je leur ai demandé de m'indiquer la chambre de Keith.

L'une d'elles – un peu boulotte, blonde et à peu près de l'âge de ma mère – a regardé sur l'écran d'un ordinateur, puis elle m'a dit :

— Ma petite, ce n'est plus l'heure des visites.

J'ai sursauté en l'entendant m'appeler « ma petite » : ce n'était pas le moment de me faire penser à Dawn !

— Pourtant, j'ai vu sur Internet que les visites à l'hôpital sont autorisées de six à dix heures.

— Nous avons des horaires particuliers au centre des brûlés, a objecté l'infirmière en se levant. Mais vous venez rendre visite... à Keith Weston, d'après ce que vous dites.

— Oui, j'ai fait toute la route depuis Topsail Island.

— Oh, mon Dieu ! Eh bien, allez-y. Sa maman n'est pas venue aujourd'hui, et un peu de compagnie lui fera du bien. (Elle a fait un geste en direction du couloir.) Deuxième porte à droite.

Debout sur le seuil, j'ai eu brusquement peur d'entrer dans la chambre de Keith. Je l'apercevais dans le lit le plus proche de la porte, en train de regarder la télévision accrochée au plafond. J'ai eu l'impression que deux longs tubes de linge blanc étaient posés à ses côtés, et puis j'ai réalisé que c'étaient ses bras et ses mains, complètement recouverts de bandages. A cause de l'incendie ! Une infime partie de ses conséquences. J'ai senti mes genoux flageoler et je me suis appuyée au chambranle. Amber avait eu tort : je n'étais pas courageuse. J'avais envie de foncer dans le couloir et de sortir de l'hôpital.

Mais je n'avais pas le droit de reculer. Je suis entrée d'un pas chancelant.

— Salut, Keith !

Je connaissais Keith depuis toujours. J'avais même une photo de moi, à trois ans, sur laquelle je le tenais dans mes bras. Pendant des années, j'avais cru qu'il s'agissait d'Andy, mais ma mère m'avait dit que mon petit frère n'avait pas vécu avec nous avant l'âge de un an. J'en avais onze quand elle m'a avoué qu'elle avait bu pendant sa grossesse, et que c'était la raison de son handicap. J'étais si furieuse contre elle que j'ai essayé de la frapper. Elle a retenu ma main – à sa façon bien à elle – en me disant qu'elle comprenait ma colère. Elle avait été très en colère contre elle-même après ce qu'elle avait fait et elle ne cherchait pas à se disculper, mais elle espérait que j'arriverais à lui accorder mon pardon. Je ne suis pas encore sûre d'y être arrivée.

Keith s'est tourné vers moi et j'ai remarqué les bandages qui couvraient un côté entier de son visage. Pour un peu, j'aurais pleuré. Il avait l'air plutôt déboussolé et il me dévisageait comme s'il ne m'avait pas reconnue.

J'ai marché jusqu'au lit et dit :

— Je suis Maggie.

— Je sais. Qu'est-ce que tu fais ici ? Tu viens t'encanailler ?

M'encanailler ? Je n'y comprenais rien. Je lui ai tendu le sac-cadeau bleu.

— Les élèves de l'école primaire de Douglas ont réalisé un certain nombre de cartes et de dessins pour toi.

Bien sûr, il ne pouvait pas faire un geste. J'ai regardé ses bras et remarqué de minces tiges métalliques, sortant du bandage autour de sa main gauche. Je commençais à avoir mal au cœur. Je me suis assise et je lui ai demandé :

— Veux-tu que je te lise les cartes ?

— Ça soulage ta conscience d'être là ? La gosse de riche rendant visite à un pauvre garçon hospitalisé...

Son attitude m'a perturbée. Quel était son problème ? Il avait traité Andy de gosse de riche au *lock-in*, et maintenant il en faisait autant avec moi.

— Qu'est-ce que tu racontes, Keith ? Pourquoi tu nous traites de gosses de riche, Andy et moi ?

— Parce que c'est la réalité, non ? Surtout si on vous compare à ma mère et moi. Vous avez du fric et de la chance !

S'agissait-il d'une allusion au fait qu'Andy avait échappé à l'incendie sans trop de dommages, alors qu'il était allongé sur un lit d'hôpital et enveloppé de bandages ?

— Je sais que nous avons de la chance...

Tout en parlant j'ai jeté un coup d'œil à une carte météo sur l'écran de la télévision, puis je l'ai regardé à nouveau.

— Keith, dis-moi ce que tu as raconté à la police. Tu aurais vu Andy dehors avant l'incendie ?

Je ne sais pas s'il a toussé ou s'il a ri, mais il lui a fallu une minute pour retrouver son souffle, et il a marmonné :

— Ça y est, j'ai pigé ! Tu n'es pas venue rendre visite au pauvre Keith et lui apporter des conneries faites par des marmots. Tu es ici pour me convaincre que ton cher petit frère est innocent.

— C'est faux ! Je voulais t'entendre dire ce que tu crois avoir vu.

— J'ai un scoop pour toi, Maggie. Andy n'est pas uniquement *ton* frère.

— Comment ça ?

— Il est aussi *mon* frère.

Les analgésiques lui troublaient peut-être les idées...

— Tu l'as vraiment vu à l'extérieur de l'église, Keith ?

— Est-ce que tu as entendu ce que je viens de te dire ?

Il cherchait à s'asseoir sans y parvenir. Fallait-il l'aider ou non ? Il a fini par claironner :

— Andy est mon frère et tu es ma sœur.

Je me suis levée.

— Keith, je vais demander à une infirmière de venir te voir.

— Tu crois que j'ai perdu la boule ? Que je dis des conneries ?

— Je ne comprends pas ce que tu racontes...

— Ton père a baisé ma mère.

— Quoi ?

— Tu as bien entendu ! Il a baisé ma mère, et je suis né neuf mois après. Donc, je suis ton demi-frère. Mon côté de la famille vit dans un mobile home et mange des pâtes, tandis que vous vous nourrissez de steak, toi et Andy-le-héros.

— Je ne te crois pas.

— Va demander à ton oncle. Il est au courant !

J'ai reculé d'un pas ; de nouveau, mes genoux flageolaient.

— Ça va pas la tête ? Mon père n'aurait jamais fait ça !

Il a émis encore une fois ce son bizarre, moitié toux, moitié rire.

— Tu devais pas le connaître si bien que ça, sœurette.

— Je le connaissais mieux que n'importe qui.

Je me revoyais, petite fille, assise à côté de lui sur la terrasse, et passant mes mains sur le tatouage de son bras.

— Tu essaies juste de m'agacer !

— De t'agacer ? On dirait plutôt que tu viens de recevoir un coup de pied dans le ventre. C'est quoi, ton problème ? Tu refuses d'avoir un deuxième frère ?

Je l'ai regardé attentivement et j'ai eu l'impression d'être devant un miroir : cheveux sombres ondulés, immenses yeux bruns, cils noirs et épais. La pièce devenait un long tunnel noir dont les murs se refermaient sur moi. J'ai encore reculé d'un pas et je me suis agrippée au chambranle de la porte.

— Demande à ton oncle, a répété Keith. Il pourra te donner tous les détails croustillants.

Je lui ai tourné le dos et je me suis enfuie en titubant sur mes jambes caoutchouteuses. Sa voix m'a poursuivie jusqu'à l'ascenseur.

— La prochaine fois, apporte-moi un peu de ton pognon, sœurette !

Les mains plaquées sur les oreilles, j'ai enfoncé le bouton de l'ascenseur avec mon coude.

44

Maggie

J'ai composé son numéro en conduisant à cent à l'heure sous la pluie.

— C'est toi, Mags ? a fait oncle Marcus.

— J'ai besoin de te parler. (La friture, en fond sonore, me gênait.) Tu es à la caserne ?

— Oui. Et toi au lycée ?

— Je reviens de Chapel Hill.

J'ai dû ralentir parce que la voiture, devant moi, se traînait ; puis j'ai ajouté que j'avais parlé à Keith. Silence total.

J'ai gémi :

— Mon Dieu ! Tu ne vas pas me dire que c'est vrai !

— Voyons, Maggie... calme-toi ! A quelle distance es-tu ? On peut se voir ?

— J'ai encore deux heures de route. Parle-moi tout de suite, il le faut.

— Hum... non, pas au téléphone. Il est bientôt quatorze heures. Appelle-moi quand tu seras près de chez toi et j'essaierai de me libérer. D'accord ?

— Est-ce que Keith est mon demi-frère ?

— Maggie ! On ne peut pas en parler maintenant. Mets la radio ou un CD pour te changer les idées. Il pleut là où tu es ?

Les essuie-glaces allaient et venaient sur mon pare-brise. J'ai répondu « Oui ».

— Conduis prudemment, Mags, et rappelle-moi plus tard. Je t'aime.

J'ai lancé mon portable sur le siège passager et j'ai crié, crié, crié, jusqu'à en avoir mal à la gorge.

La tortue, devant moi, ralentissait de plus en plus. Il fallait que je la dépasse, sinon j'allais péter les plombs. J'ai jeté un coup d'œil dans mon rétroviseur. Pas de voitures derrière moi. Dès que j'ai commencé à déboîter sur la gauche, quelqu'un a klaxonné. Je me suis rabattue précipitamment et j'ai aperçu une Saab noire dans mon rétroviseur. D'où sortait-elle ? J'ai levé le pied pour rouler moi aussi comme une tortue, et j'ai senti une décharge d'adrénaline courir le long de mes bras jusqu'au bout de mes doigts. Je devais être plus prudente ! J'avais frôlé le drame, et, si je mourais, qui aiderait mon frère ?

J'ai repris mon portable : je voulais joindre Ben pour lui parler de la réaction de Keith, mais je suis tombée sur sa boîte vocale : « Ici Ben Trippett, si vous cherchez à me joindre, veuillez me laisser un message. » Que lui dire pour ne pas l'inquiéter ? En tout cas, j'adorais entendre sa voix ; je n'arrêtais pas de composer son numéro pour avoir le plaisir de l'entendre. Je n'avais pas l'intention de lui répéter les paroles de Keith avant de connaître toute la vérité, mais, d'après le silence d'oncle Marcus, je me doutais qu'il n'avait pas totalement menti.

J'ai doublé la tortue dès que j'ai pu le faire sans risque et j'ai mis la radio comme me l'avait suggéré oncle Marcus. A cette distance de Surf City, ma station favorite n'était pas accessible ; alors j'ai appuyé sur le bouton *scan*, et j'ai écouté d'une oreille distraite des bribes de pop music et de discussions bibliques pendant une bonne heure.

J'ai chuchoté en pensant à mon père, le seul être parfait que j'aie connu : « Papa, fais que ce soit un mensonge ! »

Oncle Marcus a proposé qu'on se retrouve à Sears Landing. Je suis arrivée la première et j'ai pris un siège au fond du restaurant. Je voulais m'asseoir le plus loin possible de la porte et de la cuisine, parce que je m'attendais à éclater en sanglots. Une pluie battante tombait sur Topsail Island et le vent se levait. Le ciel était si bas que les nuages touchaient presque la surface de la mer.

Oncle Marcus a fini par arriver, trempé. Il avait pris un coup de vieux et semblait accablé. Comme je ne trouvais pas la force de me lever, il s'est penché et m'a embrassée sur la joue.

Il m'a demandé :

— Ça va ?

D'un ton sarcastique, je lui ai répondu :

— Génial !

Il s'est assis en diagonale par rapport à moi.

— Ouais, je m'en doute... (Il a posé ses avant-bras sur la table.) Si tu me racontais ce que t'a dit Keith ?

— Il m'a dit être mon demi-frère et celui d'Andy ! Et que papa et Sara ont...

Je me suis interrompue, parce que je ne pouvais même pas y penser.

— Peut-être qu'il me raconte ça juste pour me provoquer. Il est furieux d'être couvert de brûlures, et il y a de quoi !

Oncle Marcus jouait avec la salière, en la déplaçant sur la table du bout des doigts. J'aurais voulu rester patiente, mais il m'agaçait. Et puis la serveuse est arrivée : une ancienne de mon lycée, Georgia Ann, qui avait terminé ses études voilà quelques années.

Elle a ouvert son petit bloc-notes.

— Salut, Marcus et Maggie. A quand la remise de diplôme, Maggie ?

— Bientôt.

Je savais que ce rendez-vous au restaurant était une mauvaise idée, mais il pleuvait trop pour qu'on se retrouve sur la plage, et on ne pouvait pas se parler tranquillement à la caserne des pompiers.

— Je prendrai un hot-dog avec des rondelles d'oignon et un thé glacé, a annoncé immédiatement oncle Marcus, comme s'il était affamé. Et toi, Maggie ?

— Je n'ai pas faim.

Il a commandé un thé sucré pour moi ; Georgia Ann a fini par s'éloigner.

Oncle Marcus s'est remis à tripoter la salière.

— J'ai décidé de tout de dire… parce que, si je commence… il n'est pas question de dissimuler quoi que ce soit…

Bien calé dans son siège, il a regardé au plafond.

— Seulement, ta mère doit apprendre tout cela la première.

— Elle n'est pas au courant ?

Il a fait non de la tête.

— J'avais l'intention d'attendre au moins jusqu'à l'audience de demain pour lui parler. Elle a assez de soucis en tête… Elle est à Raleigh ?

— Elle doit être en train de rentrer maintenant.

— Et Andy ?

— Son équipe a un entraînement exceptionnel aujourd'hui. Quelqu'un l'a emmené et j'irai le chercher plus tard. Mais tu ne vas pas me laisser comme ça !

Je devenais de plus en plus nerveuse. Marcus a encore déplacé une ou deux fois la salière d'avant en arrière, et il a dit simplement :

— Oui, tu as raison. Je suis le seul à savoir tout ce qui s'est passé, Mags. Je ne voulais surtout pas que Keith l'apprenne, et toi non plus.

— Alors, Keith est au courant et personne d'autre ?

Georgia Ann a apporté nos thés et posé deux pailles sur la table.

— Le hot-dog dans un instant !

Oncle Marcus a attendu qu'elle s'éloigne avant de reprendre.

— En fait, Keith ne sait pas tout.

Mon oncle a déballé sa paille et l'a plongée dans son thé ; je n'ai pas touché au mien. Il a chuchoté :

— Tu connais les circonstances de la mort de ton père, n'est-ce pas ?

— La baleine...

— Oui. Et tu as certainement entendu des personnes âgées émettre l'hypothèse que j'avais quelque chose à voir avec cet accident.

J'ai secoué tête.

— Pourtant, certaines personnes m'ont soupçonné.

— C'est pour ça que le révérend Bill est si bizarre avec toi ?

— Oui, en partie. Et il n'aimait pas Jamie à cause de ses convictions religieuses.

— Ce n'est pas une raison pour que les gens s'imaginent que tu as quelque chose à voir avec la mort de papa !

Il a agité sa paille de haut en bas dans son thé.

— D'abord, ce n'était pas la saison où les baleines passent près des côtes. D'autre part, il nous arrivait de nous disputer, Jamie et moi, quand nous étions jeunes. Donc, certaines personnes en ont déduit que... que j'aurais pu le tuer.

— C'est dingue !

— Evidemment que c'est dingue ! Pourtant, on s'est bagarrés sur le bateau et personne ne le sait. Personne, à part toi et moi.

Georgia Ann a surgi avec le hot-dog et ses rondelles d'oignon ; leur odeur m'a donné la nausée.

— Autre chose ?

— Tout va bien.

— N'hésitez pas à m'appeler !

Oncle Marcus a avalé son thé pendant qu'elle s'éloignait.

— Sur le bateau, Jamie m'a annoncé qu'il était amoureux de Sara et qu'il voulait divorcer de ta mère pour l'épouser.

— Impossible !

— Désolé, Mags, c'est ce qu'il m'a dit. Et il a ajouté qu'il était le père de Keith.

Marcus a croqué un oignon qui dépassait du hot-dog. J'ai essayé de garder mon calme pendant qu'il mastiquait. Après avoir dégluti, il a repris :

— Je n'ai jamais parlé à personne de ma conversation avec Jamie ; je pensais que son secret disparaîtrait avec lui. Il versait une sorte de pension à Sara pour son fils, mais elle ne pouvait plus rien attendre de lui après sa mort, évidemment. J'aurais préféré ne pas être au courant, mais puisque je l'étais, je ne pouvais pas rester sans rien faire. Keith avait six ans à l'époque ; il était le fils de Jamie, mon neveu... J'ai décidé d'ouvrir un compte à son nom, avec quarante mille dollars de ma poche.

— Arrête !

— J'ai aussi écrit à Sara une lettre, que je lui ai donnée avec un chèque. J'avais écrit quelque chose comme : « Voici de l'argent pour les études de Keith à l'université. Je sais que Jamie avait une grande affection pour lui et toi, et qu'il voulait vous aider financièrement. » C'était une manière de lui faire comprendre que je savais, que je me doutais de son chagrin – un chagrin qu'elle devait garder secret – et que j'étais navré pour elle.

— Et pour maman, alors ?

— J'étais navré pour ta mère aussi, mais elle ignorait la vérité. Pour sa part, elle pleurait un mari aimant ; alors que Sara était censée n'avoir perdu qu'une relation amicale.

— Comment peux-tu avoir autant de sympathie pour Sara ? Elle était la meilleure amie de ma mère et elle a…

Je hurlais presque, mais je n'ai pas pu terminer ma phrase.

— Oui, Mags, c'est difficile à comprendre. Au début, je me suis senti assez furieux, moi aussi, pour me battre avec ton père. Mais les gens ont droit à l'erreur… et leurs sentiments peuvent changer au fil du temps.

J'ai pensé à Ben. Impossible d'imaginer que mes sentiments pour lui changeraient un jour !

Je me suis mise à jouer avec le papier pelure qui enveloppait ma paille. Ensuite, j'en ai fait une boulette que j'ai pressée entre mes doigts et je me suis exclamée :

— Tout cela ne m'explique pas pourquoi Keith parle brusquement de cette histoire !

— Sara avait gardé ma lettre… au milieu de ses documents bancaires, et Keith est tombé dessus par hasard. Justement le matin du *lock-in* ! Voilà pourquoi il a été si désagréable avec Andy ce soir-là.

— Il m'a traitée moi aussi de gosse de riche quand je lui ai rendu visite à l'hôpital.

— Tu es riche, en effet. Jamie vous a laissé un héritage confortable ; et son assurance-vie vous a été bien utile à ta mère, ton frère et toi, pendant pas mal d'années. Sara et Keith avaient très peu de ressources, et même si j'étais furieux contre mon frère, je ne pouvais pas laisser son fils dans le besoin.

J'ai regardé le bras de mer par la fenêtre ; la pluie avait cessé pour l'instant.

— Je ne comprends pas que papa ait fait ça. Moi qui le croyais parfait ! Il a trompé sa femme… et toute sa famille avec.

— Jamie était pourtant un homme de grande valeur, Mags. Un excellent père, très exigeant vis-à-vis de lui-même. Je ne l'ai presque jamais entendu jurer… à l'âge adulte. Il a soutenu ta mère quand elle était enceinte d'Andy, même si elle n'était pas facile à vivre… et moi non plus, d'ailleurs. On était voisins, à l'époque, et on buvait ensemble, ta mère et moi. On avait une très mauvaise influence l'un sur l'autre.

J'avais beau savoir que mon oncle et ma mère étaient d'anciens alcooliques, je ne pouvais pas les imaginer en train de boire. Et encore moins en train de boire ensemble ! Ma mère était glaciale avec son beau-frère.

Bizarrement, j'ai commencé à y voir plus clair. J'ai chuchoté :

— Est-ce que ma mère faisait partie des gens qui pensaient que… tu aurais pu tuer papa ?

— Oui… (Mon oncle a hésité.) J'avais beaucoup de tendresse pour ta maman, et elle le savait. Elle a pensé que c'était peut-être ce qui m'avait incité à… me débarrasser de ton père.

— Oncle Marcus, c'est absurde !

— Totalement.

Il a avalé une bouchée de hot-dog, suivie d'une gorgée de thé.

— La morale de cette histoire est donc que nous sommes tous faillibles. Chacun de nous dérape au moins une fois dans sa vie !

Je me suis dit que certains d'entre nous étaient *plus* faillibles que d'autres. Oncle Marcus m'a alors questionnée :

— Es-tu au courant de la dépression de ta mère ?

— D'après ce qu'elle m'a dit, elle croyait se soigner en buvant.

— Quand tu es venue au monde, ta mère a été victime de ce que l'on appelle une « dépression post-partum ». Un dérèglement hormonal qui survient parfois après une naissance. Il était évident qu'elle n'arrivait pas à assumer son rôle de mère... Ton père a essayé de l'aider, mais elle refusait de consulter un psy, et elle a voulu... Ils ont décidé de se séparer temporairement.

— Ils se sont séparés ? Première nouvelle.

— Jamie s'est installé chez Sara et Steve, son mari à l'époque. Steve s'absentait souvent pour des raisons professionnelles, et je présume que ton père et Sara... se sont réconfortés mutuellement.

— Beurk !

Marcus a couvert de sa paume ma main posée sur la table.

— Ma chérie, essaie de raisonner en adulte, je t'en prie.

Les yeux écarquillés, j'ai promis de faire de mon mieux et je lui ai demandé où j'étais quand mon père vivait avec Sara.

— Tu étais avec lui, m'a répondu mon oncle. Ta mère n'avait pas la force de s'occuper d'un enfant, et Sara a aidé ton père. J'étais scandalisé quand il m'a appris ce qui s'était passé, mais je pense qu'ils avaient vraiment besoin l'un de l'autre.

— Il allait nous abandonner, Andy et moi !

Avant même de savoir que je pleurais, j'ai senti une larme couler le long de ma joue. Marcus a plaqué encore une fois sa main sur la mienne.

— Non, il voulait être là pour *tous* ses enfants. Tu étais sa petite fille chérie, Maggie. Il était extrêmement proche de toi... Il t'adorait. Pendant tes trois premières années, il a été à la fois ton père et ta mère.

Des tas de choses s'expliquaient...

— Je me sens encore si attachée à papa, ai-je admis. Je pense beaucoup à lui et j'ai des souvenirs d'enfance très précis à son sujet, alors que maman... c'est comme si elle n'avait pas été là.

— En effet, elle n'était pas là, mais ne lui jette pas la pierre à elle non plus. Elle est devenue une excellente mère pour Andy et toi dès qu'elle a cessé de boire. A quoi bon blâmer Laurel, Sara ou ton père maintenant ? Le passé est le passé, et chacun a fait son possible pour aller de l'avant.

— Si Keith me l'a dit, il risque de faire pareil avec maman. Et tu m'as dit qu'elle ne se doute de rien.

Elle ne supporterait pas d'apprendre la vérité ! J'avais toujours cru que mon père était parfait ; quant à ma mère, elle aurait juré qu'il marchait sur l'eau.

— Voilà pourquoi j'ai l'intention de lui parler, a déclaré Marcus, mais seulement après l'audience de demain. Pour l'instant, garde ce que je t'ai dit pour toi !

— Et si Keith l'appelle ?

— Je crois qu'il ne peut pas encore se servir du téléphone.

Je me suis rappelé ses bras bandés et les tiges métalliques.

Le bip d'oncle Marcus s'est alors déclenché. Il a bondi en emballant le reste de son hot-dog dans une serviette en papier, et il a laissé un billet de dix dollars sur la table.

— Je dois filer, Mags. Ça va aller ?

J'ai acquiescé d'un signe de tête, puis je me suis levée à mon tour : je n'avais aucune envie d'échanger des banalités avec Georgia Ann.

Au moment où je sortais, mon portable a tinté sur ma hanche. Un texto de Ben :

« Dispute avec D. Hors d'L. Sois cool. Je t'M, B. »

45

Laurel

Il tombait des cordes quand j'ai quitté Raleigh ; je savais qu'un trajet pénible m'attendait. Il était quatre heures passé et je venais de raccrocher au nez de Dennis Shartell. C'était la première fois de ma vie que j'agissais ainsi, mais j'avais pris mon avocat en grippe. Il m'inspirait presque de la haine, un sentiment guère recommandable, surtout quand il s'agit de l'homme qui tient la vie de votre fils entre ses mains. Premièrement, il avait attendu deux heures pour me rappeler, tout en sachant que je cherchais une personne susceptible de nous aider au cours de l'audience du lendemain. Deuxièmement, même après avoir entendu le récit de ma longue entrevue avec le neurologue, il persistait à juger inutile de lui parler personnellement.

— Je vous ai déjà dit, madame Lockwood, que c'est une tactique de défense dont on a abusé. Elle ne sert plus à rien.

Je lui avais répondu en hurlant dans mon portable :

— En ce qui concerne Andy, on n'en a pas abusé. Vous ne l'avez absolument pas utilisée.

— Au moment du procès, le témoignage d'un neurologue pourra nous aider à plaider non coupable.

— Mais il s'agira alors d'un tribunal pour adultes !

Sur ces mots, j'avais raccroché, au bord des larmes et sur le point d'insulter Shartell. Il n'avait toujours pas compris qu'Andy ne pourrait survivre en prison, en aucun cas.

Je pleurais encore, vingt minutes plus tard, quand mon portable a sonné. Shartell me rappelait peut-être, après avoir réfléchi ; je n'osais trop y croire, mais j'ai répondu au micro :

— Un instant, s'il vous plaît.

Mon téléphone posé sur mes genoux, je me suis rabattue, sous la pluie battante, sur le bas-côté de la 1-40. Une fois à l'arrêt, j'ai repris mon téléphone, en espérant que ma voix ne trahirait pas ma détresse.

— Allô !

— Laurel, c'est Dawn.

Elle avait une voix étrange qui m'a inquiétée. J'ai craint que le pire ne soit arrivé à Keith et qu'elle m'appelle de la part de Sara. La pluie tambourinait bruyamment sur le toit de ma voiture ; j'ai augmenté le volume sonore de mon téléphone.

— Rien de grave, Dawn ?

— Ça dépend de ce que tu entends par là. Où es-tu ? J'entends un bruit bizarre !

— C'est la pluie. Je reviens de Raleigh. Que se passe-t-il ?

— Je t'appelle pour te dire de quoi ta fille est capable.

— Maggie ? ai-je demandé, comme si j'étais la mère de plus d'une fille.

— Elle a une liaison avec Ben. Il me trompe avec elle.

J'ai répété :

— *Maggie ?*

— Ça dure depuis qu'ils s'occupent ensemble de l'entraînement des jeunes nageurs.

— Dawn, comment peux-tu imaginer...

— Ben m'a tout avoué. Il prétend qu'il essaie de rompre avec elle, mais je trouve qu'il prend son temps.

— Maggie ne fréquente aucun garçon !

— C'est beaucoup plus qu'une simple fréquentation, Laurel !

J'ai gardé le silence en me souvenant du jour où j'avais vu Maggie réconforter Ben dans la salle des urgences.

— Il a… Quel âge a-t-il ?

— Vingt-huit ans. Onze ans de différence !

— C'est lui qui a pris l'initiative ?

Bouleversée, j'éprouvais un besoin irrépressible de protéger ma fille : jusque-là je n'avais protégé qu'Andy, sans me préoccuper de Maggie. A mon émotion succédait une véritable rage. Comment Ben avait-il osé ?

— L'initiative ! Je me moque de savoir qui a pris l'initiative, a grondé Dawn. Mon amant couche avec ta fille adolescente, et en plus ils fument de l'herbe !

— Je ne te crois pas !

La drogue était totalement proscrite dans notre famille, Maggie le savait. Mes deux enfants savaient que j'étais intransigeante sur ce point.

— Tu pratiques la politique de l'autruche, Laurel.

— Désolée, Dawn, je dois raccrocher.

D'une main tremblante, j'ai appelé Maggie sur son portable. Elle m'a tout de suite demandé si j'étais satisfaite de mon entrevue avec l'avocat.

— Maggie, je ne t'appelle pas à ce sujet. Dawn vient de me téléphoner.

Le silence de Maggie m'a révélé tout ce que je voulais savoir. Submergée de désespoir, j'ai chuchoté :

— Alors, c'est vrai ?

— Laisse-moi t'expliquer, maman. Ce qu'elle t'a raconté n'a pas dû te faire très bonne impression.

— En effet ! Tu m'as menti toute l'année. « Maman, je n'ai pas envie de sortir... Je préfère me concentrer sur les études... » Comment as-tu osé te payer ma tête ?

— Si je t'avais dit la vérité, tu ne m'aurais pas autorisée à le voir.

— Evidemment ! Un homme de vingt-huit ans, qui vit en concubinage avec Dawn...

— Dawn n'est pas sa compagne. Et pourquoi donnes-tu tant d'importance à son âge ?

— Parce qu'il y a une différence énorme entre dix-sept et vingt-huit ans.

— Comme tu m'as toujours répété combien j'étais mûre, je ne vois pas ce qu'il peut y avoir de choquant dans notre différence d'âge. Je l'aime, et personne ne m'a jamais donné autant de bonheur dans ma vie.

— Si tu avais un minimum de lucidité, tu réaliserais qu'il profite de toi ! Il vit avec Dawn et il te fréquente en cachette. Où est ton avenir là-dedans ?

— Dawn et lui ne font que cohabiter.

— D'après elle, il s'agit d'autre chose.

— Elle se trompe !

— Tout le monde sait qu'ils vivent en couple, bon sang !

— Il ne l'aime pas ! Elle nous sert d'alibi.

— Maggie ! (J'étais indignée.) Si c'est vrai, comment oses-tu manipuler quelqu'un de cette manière ?

— Ils ne vivent *pas* en couple.

— Maggie...

— Tu ne vas pas tout gâcher !

— Gâcher quoi ? Tu t'imagines qu'il va quitter Dawn pour tes beaux yeux ?

— Combien de fois je devrai te répéter qu'il n'est pas avec Dawn ?

— Quel genre d'avenir attends-tu de lui ?

Elle a crié :

— Un long avenir !

— A ta place, je n'y compterais pas. S'il trompe Dawn, il te trompera aussi.

— Tu m'écoutes ou pas ? Si Dawn croit qu'il l'aime, elle se fait des illusions.

— C'est toi, Maggie, qui te fais des illusions. Il lui a dit qu'il a l'intention de rompre avec toi.

— Elle n'a rien compris ! Je vais raccrocher.

— Maggie !

— On en reparlera plus tard.

— Non, maintenant ! Il faut en parler *maintenant*, parce que je veux que tu l'appelles pour lui dire que tout est fini entre vous.

— Voilà que, tout à coup, tu te mêles de mes affaires, alors que tu m'as ignorée pendant dix-sept ans, a ricané Maggie.

— Maggie !

Le cœur brisé, je me suis dit qu'elle était perturbée et qu'elle cherchait à me blesser ; j'ai ajouté :

— Si tu ne l'appelles pas, c'est moi qui m'en charge.

— Non !

— Il a dû collectionner les aventures. (Je pensais tout haut.) Mais enfin, tu te rends compte ? Il pourrait avoir une maladie vénérienne, après tout. Et si tu tombais enceinte...

— Maman, fais-moi confiance. Je ne suis pas idiote.

— Tiens donc !

La pluie était devenue si bruyante que j'ai dû boucher mon autre oreille avec un doigt, et j'ai insisté :

— Tu es d'une idiotie stupéfiante. Tu te fies à un homme qui a une liaison secrète avec une jeune fille de dix ans plus jeune !

— Parce que je suis différente de *toi* ! Je fais confiance aux gens. Tu ne fais confiance à personne ; même pas à Marcus. Tu vas rester seule jusqu'à la fin de tes jours, et je ne veux pas de ça pour moi.

J'ai mordu à l'hameçon.

— Il m'est arrivé de faire confiance. J'avais une confiance totale en ton père.

— Puisqu'on parle de ça, maman, ce n'était pas malin de ta part.

— Maggie, pourquoi dis-tu cela ?

— Pourquoi ? Parce qu'il te trompait !

— C'est absurde. N'essaie pas d'inverser les rôles.

— Il s'agit bien de toi. Tu penses que j'ai tort de me fier à Ben et tu parles de papa comme s'il avait été un saint. Eh bien, tu te fourres le doigt dans l'œil. Papa n'était pas un saint. Il était amoureux de Sara.

Comment Maggie avait-elle eu une pareille idée ?

— *Sara ?* Elle m'a beaucoup aidée quand tu étais petite. Tu t'en souviens ?

— Keith est le fils de papa.

C'était grotesque. J'ai failli éclater de rire ; en même temps, je me suis inquiétée de ce que ma fille me tienne des propos aussi déments.

— Maggie, où es-tu ? Je vais demander à Marcus de venir te rejoindre.

— Maman, c'est oncle Marcus qui m'a tout dit. Papa lui a fait des aveux sur le bateau, le jour où il s'est noyé. Il se préparait à te quitter pour aller vivre avec Sara et Keith.

C'était impossible ! J'avais l'impression que ma tête allait éclater.

— Même si tu dis vrai, pourquoi Marcus t'aurait-il raconté tout ça ?

— Parce que Keith est au courant ; il m'a parlé le premier.

— Quoi ?

— Oncle Marcus n'a jamais voulu t'en parler ! Tu es glaciale avec lui parce que tu le soupçonnes d'avoir un rapport avec la mort de papa, alors qu'il a toujours fait son possible pour te protéger. Il a ouvert un compte pour les études de Keith, après la mort de papa, et Keith a trouvé je ne sais quels papiers compromettants. Donc, il connaît maintenant la vérité. Oncle Marcus voulait attendre que l'audience ait eu lieu pour t'en parler.

L'habitacle de ma voiture se resserrait autour de moi, tandis que la pluie doublait l'épaisseur de la vitre. Une lame de couteau a transpercé mon cœur et s'est retournée dans ma plaie.

Maggie sanglotait.

— Pardon, maman. Je n'avais pas l'intention de te cracher le morceau de cette manière. Ce n'était pas le moment, mais tu m'as poussée à bout avec Ben. Je t'en supplie, accepte au moins l'idée que nous sommes ensemble, lui et moi. Dawn est jalouse, c'est tout. Ne t'imagine pas qu'il la trompe. Il l'a prévenue depuis longtemps qu'il souhaitait une simple amitié. Elle est furieuse parce que...

— Maggie... (L'écouter était au-dessus de mes forces.) Je rentre à la maison. La journée a été très éprouvante.

— Pourquoi ? Qu'a dit le neurologue ?

— On en parlera à mon retour, dans quelques heures. Il pleut ici, le vent souffle, et j'aimerais éviter la partie la plus violente de la tempête, si possible.

Je parlais avec un calme apparent, bien que la lame du couteau plonge de plus en plus profondément dans mon cœur.

— Maman, dis-moi que tu me comprends, m'a suppliée Maggie. On est ensemble, Ben et moi, pour de bonnes raisons ! Je l'aime, tu sais.

— On en reparlera quand je serai rentrée. Et n'oublie pas d'aller chercher Andy à son entraînement.

— Comme si ça m'était déjà arrivé ! a répliqué Maggie avant de raccrocher.

J'ai refermé mon téléphone et pressé mon front contre le volant. Il ne m'était jamais venu à l'idée que Jamie ne m'appartenait plus. Je le prenais pour un homme solide et stable ; je croyais à son amour. Nous avions eu quelques années de bonheur quand j'étais redevenue sobre. Ces tendres instants avec les enfants, ou à deux, n'avaient-ils été merveilleux que dans mon imagination ? Tous ces « je t'aime » s'adressaient-ils en réalité à Sara plutôt qu'à moi ?

Sara...

Pourquoi Jamie n'aurait-il pas craqué pour elle ? Elle était jolie, gentille, et son aide lui avait été précieuse. Son mari s'absentait souvent et il était loin d'elle sur le plan affectif, même quand il était à la maison. Alors que moi, j'avais été pendant des années une ivrogne négligée et difficile, très difficile à aimer.

Quant à Marcus... Avait-il réellement cherché à me cacher la triste vérité pendant toutes ces années où je me montrais si froide avec lui ? J'aurais voulu l'appeler pour distinguer le vrai du faux dans ce que m'avait dit ma fille, sous l'empire de la colère. Mais je devais rentrer chez moi et il n'était pas question de conduire en parlant – surtout de choses pareilles – sous une pluie diluvienne.

J'ai mis le contact et repris ma route.

46

Maggie

Andy a couru vers moi sous la pluie quand je suis sortie de ma voiture, devant le centre de loisirs. Il m'a crié, en guise de salut, qu'il faisait des progrès en papillon.

Je lui ai répondu en ouvrant mon parapluie :

— C'est très bien, Andy. Attends-moi une minute dans la voiture ! Je voudrais parler à Ben.

J'ai foncé dans l'immeuble et je suis descendue à la piscine. Ben parlait aux parents de l'un des enfants de son équipe. Son bras décrivait un cercle dans l'air pour faire une démonstration. Il était génial... Jamais je ne pourrais me passer de lui ! Je suis allée l'attendre sur le plus bas des gradins.

Dès qu'il m'a vue, il s'est excusé, et quand il a été assez proche de moi pour m'entendre, j'ai chuchoté :

— Dawn a parlé à ma mère.

— Nom de Dieu !

Il s'est assis à côté de moi.

— Ça ne m'étonne pas d'elle. Ta mère a piqué une crise, je parie.

— Oui, mais ce n'est pas tout.

J'avais appelé oncle Marcus pour lui annoncer que j'avais *tout* dit à ma mère, mais il n'avait pas décroché.

Inutile de lui laisser un texto : il était totalement handicapé dans ce domaine. Et puis, je n'osais pas lui raconter *tout* ce qui s'était passé. J'avais été odieuse avec ma mère, et je me sentais mi-coupable, mi-ravie de l'avoir blessée. J'avais l'empathie d'un serpent à sonnettes !

— Tu ne vas pas me croire, Ben ! Il faut que je te parle.

J'ai vu une autre mère se diriger vers nous et j'ai demandé à Ben de me rappeler plus tard.

Il s'est levé. En tournant le dos à la femme qui attendait un peu plus loin, il a dit à voix basse :

— J'essaierai.

Je me suis levée à mon tour.

— Ben, ma mère m'a dit que Dawn croit que tu as l'intention de rompre avec moi.

Il a secoué la tête.

— Tu connais Dawn ! Elle fait son possible pour semer la zizanie entre nous. Si tu veux, on en reparlera plus tard.

Dehors, une rafale de vent a failli me jeter à terre. Je me suis agrippée à mon parapluie que le vent m'arrachait des mains. J'étais trempée en arrivant à ma voiture, et Andy a plaisanté :

— On dirait que tu es tombée dans la piscine.

Exactement la sensation que j'avais ! Je tremblais de froid quand j'ai mis le contact.

— Tu m'as apporté mon iPod ? m'a demandé Andy.

— Pardon, j'ai oublié.

— Le problème avec le papillon, c'est qu'il faut respirer correctement.

J'ai démarré en marmonnant :

— Comme toujours en natation !

Ma réponse était un peu brusque, mais il n'a pas eu l'air de s'en apercevoir.

— Je voudrais être un champion, Maggie.

— Andy, tu n'as pas toujours besoin d'être le meilleur !

— Si !

— Pourquoi ?

— Pour être heureux.

Je me suis sentie obligée de rire.

— Ta vie est assez simple, non ?

Savait-il que l'audience avait lieu le lendemain ? Apparemment, il n'était pas soucieux.

— C'est bien de faire beaucoup d'efforts, Andy, mais quand on devient adulte, il faut apprendre à perdre de bonne grâce.

— Qu'est-ce que ça veut dire ?

— Tu sais, quand Ben te demande de féliciter le vainqueur...

Je prenais plaisir à m'entendre prononcer ce prénom.

— Je déteste ça !

— C'est ce qu'on appelle « perdre de bonne grâce ».

— Il vaut mieux gagner, non ?

— Je suppose.

Incapable de prolonger cette conversation, j'ai soupiré.

— Ce soir, je dois me charger du dîner, parce que maman rentrera tard. (J'étais angoissée à l'idée de la revoir !) Dis-moi ce que tu aimerais manger.

— Une pizza !

— Je crois qu'il y en a une dans le congélateur. Je la réchaufferai pendant que tu te changes.

Je glissais la pizza dans le four quand le téléphone a sonné. D'après la présentation du numéro, c'était oncle Marcus ; il allait me détester quand il saurait, mais j'ai décroché.

Il m'a tout de suite demandé si ma mère était rentrée. Je lui ai dit « non, pas encore » et j'ai ajouté :

— Elle m'a appelée et je lui ai tout dit. Elle m'avait mise très en colère !

Je me suis mordu les lèvres en attendant sa réaction.

Plus choqué que furieux, il m'a dit :

— Oh, *Maggie*, pourquoi ?

— Elle me faisait des reproches, et puis elle m'a déclaré que papa était la seule personne digne de confiance qu'elle ait connue – ou quelque chose dans ce style. Alors, ça m'a échappé ! Je sais que j'ai eu tort, mais c'était plus fort que moi.

Marcus gardait le silence et j'ai attendu, le visage fermé, qu'il se fâche contre moi. Il a fini par me demander :

— Sais-tu comment s'est passé son rendez-vous chez le neurologue ? Elle m'a laissé un message, mais je pense que son téléphone n'a plus de batterie.

— Elle m'a juste dit que c'était une terrible journée.

— Seigneur !

— Ça se passera bien quand même ? Demain, je veux dire...

— A condition qu'Andy ne soit pas déféré à un tribunal pour adultes !

— Mais... (Mes idées s'embrouillaient.) Maman m'a dit que c'était peu probable.

— Elle t'a dit ça aujourd'hui ?

J'ai cherché à me souvenir de notre conversation téléphonique.

— Non, c'était le jour où Andy est rentré à la maison, après son incarcération. Je m'inquiétais et elle m'a dit de me calmer, parce que ça n'arriverait pas.

Oncle Marcus était de nouveau silencieux. Je lui ai demandé si ça pouvait arriver.

— Mags, m'a-t-il répondu, je pense qu'elle cherchait simplement à te rassurer. Si elle t'a dit que c'était une terrible journée, je suppose qu'elle n'a pas eu de chance avec le neurologue, ou bien avec l'avocat. Et si tel est le cas, Andy risque fort de se retrouver devant un tribunal pour adultes.

— Mais alors... Quand aurait lieu son jugement ? Il pourrait rester à la maison en attendant le verdict, oui ou non ?

Andy était descendu et je l'ai regardé entrer dans le salon, où il a allumé la télé.

— Mags, je sais que ta maman ne veut pas te paniquer, mais voici ce qui va se passer. S'il était déféré à un tribunal pour adultes, Andy serait immédiatement mis sous les verrous, et...

Le dos tourné au salon, j'ai chuchoté :

— Qu'est-ce que tu veux dire par « serait immédiatement mis sous les verrous » ?

— Je veux dire que demain, après l'audience, on le mettrait en prison. Comme il y a très peu de chance qu'il obtienne une libération conditionnelle, il devrait rester en détention jusqu'à son jugement. La mise en jugement d'une affaire risque de prendre un an, voire plus. Et s'il est jugé coupable, il pourrait finir ses jours en prison.

Je suis restée pétrifiée.

— Voilà pourquoi ta mère s'est décarcassée pour trouver un expert médical digne de ce nom. Elle s'est fait un souci monstre et tu as été vraiment cruelle à son égard aujourd'hui, Maggie. Elle n'avait pas besoin de ça, en plus du reste.

— Je n'arrive pas à y croire.

— A croire quoi ?

— Tout !

Dans le séjour, j'apercevais le crâne d'Andy, assis sur le canapé. Je ne m'étais pas doutée un seul instant que sa vie pourrait basculer d'un jour à l'autre.

J'ai murmuré :

— Oncle Marcus, je suis navrée. Je n'avais pas réalisé à quel point c'était grave...

— C'est pire que tu ne crois, Maggie. J'appelais justement pour en parler à ta mère.

— Je me demande comment ça pourrait être pire...

— Eh bien, tu vas le savoir ! Les bidons vides de la décharge... l'un d'eux portait des empreintes d'Andy.

47

Laurel

Sur le chemin du retour, j'ai dû m'arrêter une fois de plus parce que la pluie m'aveuglait. Ma voiture n'était pas la seule à rouler avec ses clignotants de sécurité, mais je parie qu'aucun autre conducteur ne se trouvait dans un chaos affectif semblable au mien. Je n'avais pas réussi à trouver l'aide nécessaire pour mon fils, et ma fille m'avait menti pendant toute une année, alors que je croyais la connaître. Je repensais à toutes les fois où Ben Trippett m'avait informée des progrès d'Andy, certainement en ricanant sous cape parce qu'il se payait ma tête.

Et puis il y avait cette douleur quasi viscérale à l'idée que mon Jamie bien-aimé avait mené une double vie. Mon mari m'avait trompée et je n'avais rien vu. Pourquoi avais-je passé ma vie à *perdre* les gens que j'aimais ? Mes parents. Mon oncle et ma tante. Jamie. Et maintenant, le souvenir que je gardais de mon mari... Et Sara ! Comment avait-elle pu ? Marcus lui-même m'avait trompée sous prétexte de me protéger – un acte d'une noblesse prodigieuse, étant donné la violence avec laquelle je lui avais reproché la mort de Jamie. Rien ne correspondait à l'idée que je m'étais forgée. Andy, le seul être dont je ne doutais pas, me serait arraché le lendemain car il était trop naïf et vulnérable face à un monde qu'il ne pouvait vraiment comprendre. J'ai éclaté en sanglots. La pluie s'est un peu calmée, mais je suis restée au bord de la route à essayer de me maîtriser, alors que les autres voitures redémarraient.

Quand je suis arrivée à la maison, la tempête faisait rage. Le ciel était étrangement sombre en ce début de soirée et les grondements de tonnerre me rappelaient le moment où le toit de l'église s'était effondré dans l'incendie. Les troncs minces des arbres, dans mon jardin, se courbaient vers le sol. En les apercevant dans le faisceau de mes phares, j'ai réalisé qu'il n'y avait pas d'autres lumières dans le voisinage : une panne de courant, probablement.

La porte du garage a pourtant fonctionné. La voiture de Maggie n'était pas là. Je suis entrée dans la maison, de plus en plus déconcertée. Quelque chose ne tournait pas rond.

— Maggie ? Andy ?

Le vent faisait vibrer les vitres, mais j'ai tout de même entendu le bourdonnement du réfrigérateur. Le courant marchait ! J'ai actionné le commutateur de la cuisine et la pièce s'est éclairée. Une pizza intacte était posée sur le plan de travail en granit. Où étaient-ils ?

J'ai parcouru la maison tout en les appelant. La police serait-elle venue chercher Andy ? Mais pourquoi ? Et où était passée Maggie ?

Assise sur le canapé du séjour, j'ai composé le numéro de son portable. Pas de réponse. Elle craignait vraisemblablement de me parler après notre conversation éprouvante. J'ai cherché à joindre Andy ; je suis tombée sur sa boîte vocale.

« Salut ! Ici Andy. Laissez... laissez-moi un message après le bip sonore. » Il nous avait fallu une heure pour parvenir à enregistrer correctement ces quelques mots.

« Andy, c'est maman. Rappelle-moi tout de suite ! » Après lui avoir laissé ce message, j'ai fait une nouvelle tentative pour joindre Maggie, et je lui ai laissé un message à elle aussi : « Où êtes-vous, Andy et toi ? Suis à la maison ; très inquiète ! »

J'ai enfin appelé Marcus sur son portable et je lui ai demandé immédiatement s'il savait où étaient mes enfants.

— J'ai parlé à Maggie il y a environ une heure, m'a-t-il répondu. Elle était à la maison avec Andy. Ils se faisaient réchauffer une pizza.

— Eh bien, je viens tout juste de rentrer. Tout est éteint, la maison est vide, il y a une pizza intacte sur le comptoir, et la voiture de Maggie n'est pas dans le garage ! Elle était furieuse contre moi. On s'est disputées au téléphone.

J'ai passé ma main sur le tissu vert du canapé, en hésitant à en dire plus.

— Alors tu ne sais pas... au sujet des bidons de carburant, a dit Marcus.

— Lesquels ?

— Ceux qu'on a retrouvés à la décharge. Laurel... au moins l'un des deux portait les empreintes d'Andy.

J'ai bondi en l'air.

— Non ! Marcus, c'est impossible ! Je n'y comprends plus rien.

— J'arrive !

— Tu penses que la police est venue le chercher ?

— J'en doute. Avec cette tempête, ils doivent avoir d'autres chats à fouetter ; mais je vais les appeler pour m'en assurer.

— Oui, fais ça. S'il te plaît.

Après avoir raccroché, j'ai voulu me faire un café. J'avais oublié d'ajouter le café moulu, et je me suis retrouvée avec une verseuse pleine d'eau trouble. Secouée de sanglots, j'ai fait une deuxième tentative – sans oublier le café – mais au moment où les premières gouttes sombres tombaient dans la verseuse, il y a eu une panne de courant.

Dans le noir, j'ai réussi à mettre la main sur mes lampes-tempête et mes lampes torches. Après avoir allumé les premières, je les ai posées sur les tables et le manteau de la cheminée du salon.

Si la police avait arrêté Andy, Marcus parviendrait-il à le faire libérer une seconde fois ? Y avait-il encore de l'espoir, maintenant que l'on avait découvert ses empreintes sur un bidon ? Allait-on incarcérer Andy dès ce soir, et le garder sous les verrous pour toujours, après l'audience du lendemain ?

Marcus est arrivé à neuf heures. Quand je l'ai entendu claquer sa portière, je me suis précipitée vers la porte d'entrée, impatiente de lui parler. Il s'est littéralement engouffré dans la maison, comme poussé par le vent.

Il a juré entre ses dents en se cognant contre la petite table de l'entrée.

— Ma camionnette s'est transformée en hydroglisseur pendant la moitié du trajet !

Après m'avoir aidée à refermer la porte, il m'a dit que nous devions ressortir pour rentrer les meubles du patio dans le garage. Moi qui ai habituellement les idées claires quand une tempête éclate, je ne savais même plus de quels meubles il s'agissait.

Je lui ai demandé si Andy était entre les mains de la police.

— Non, m'a-t-il répondu, mais je m'inquiète pour demain, Laurel. Avant la découverte de ces bidons, je pensais que nous avions une chance...

Pour la centième fois j'ai répété que je n'y comprenais rien. Il a insisté :

— Commençons par mettre les meubles du patio à l'abri, et réfléchissons ensuite à ce que nous pouvons faire.

— Je me fiche de ces meubles, et tant pis si la maison s'effondre ! Je veux savoir où sont mes enfants.

Devant mon obstination, il m'a dit :

— Reste ici, je m'occupe de tout.

Marcus avait raison. L'année passée, une tempête avait propulsé la poubelle des voisins contre une fenêtre de façade. Je l'ai suivi dehors, et nous avons déplacé ensemble les chaises et la table du patio. Ma poubelle s'était déjà envolée je ne sais où.

Le vent hurlait ; j'ai pleuré en silence et j'avais à peine retrouvé mes esprits quand on est rentrés.

— Réfléchissons ensemble, m'a proposé Marcus, tandis que je rallumais l'une des lampes-tempête. Comment les empreintes d'Andy ont-elles pu aboutir sur ce bidon ?

— C'est un complot. Je ne vois pas d'autre possibilité. Keith, furieux, a peut-être...

Je me suis interrompue, les mains pressées contre mes tempes. Tout ce que m'avait dit Maggie me revenait en mémoire. Je me suis adossée à la pierre de la cheminée et j'ai chuchoté d'une voix brisée :

— Marcus... Je suis au courant. Maggie m'a tout dit au sujet de Keith. Jamie et Sara... C'est vrai ?

Il s'est laissé tomber sur le canapé.

— Maggie n'aurait pas dû te parler de cette manière. Je voulais attendre un meilleur moment.

Je me suis affalée à mon tour sur un siège, en m'interdisant de m'apitoyer sur moi-même. Priorité à Andy ! Je me suis exclamée :

— Partons à leur recherche !

— On ne verra pas à un mètre.

Une fois de plus, Marcus avait raison. Je me suis frictionné les bras, en regardant la lumière de la lampe-tempête vaciller sur le manteau de la cheminée.

— A ton avis, Marcus, est-ce que c'est un coup monté par Keith contre Andy ?

— Dans ce cas, on en revient, une fois de plus, à la même question : pourquoi Keith s'est-il fait piéger par l'incendie s'il l'a déclenché lui-même.

Tout à coup, j'ai bondi vers le téléphone sans fil, posé sur la table basse.

— *Ben* ! Maggie et Andy pourraient être avec lui !

— Avec Ben ? Pourquoi ?

— Eh bien, aujourd'hui j'ai appris une autre nouvelle effarante. Dawn m'a appelée pour m'annoncer que Ben et Maggie se fréquentent depuis un an...

Marcus a ouvert de grands yeux.

— Se fréquentent... intimement, tu veux dire ?

— Oui, c'est ça ! Quand j'en ai parlé à Maggie pour lui dire ce que j'en pensais, elle s'est déchaînée et elle m'a...

— Ben ? a répété Marcus incrédule. Je l'ai aperçu l'autre jour avec Dawn, ils roucoulaient comme deux amoureux. Et il est proche de la trentaine, nom d'un chien !

— Je sais, et je voudrais l'étrangler.

— Je te comprends.

Je me suis rassise, bien décidée à agir.

— Tu connais son numéro ?

Pas de tonalité sur mon téléphone. Le courant, évidemment. Marcus a tiré son portable de sa ceinture.

— Les portables sont foireux, aujourd'hui. Une seule barre s'affiche.

Il a fini par obtenir la boîte vocale de Ben et il a grommelé en hochant la tête :

— Ben, c'est Marcus. Appelle-moi !

Je me suis laissée aller à nouveau sur mon siège, découragée.

— Tout est de ma faute, Marcus. Maggie et Ben... J'ai été une mauvaise mère pour Maggie. Une mère absente ! Je lui ai demandé de s'occuper d'Andy avec moi, sans me soucier de ses besoins. Jamie l'a élevée jusqu'à sa mort, et ensuite elle a été livrée à elle-même. Je la laissais se débrouiller par ses propres moyens.

— Elle avait l'air de bien s'en tirer.

— Comment imaginer qu'elle fréquentait Ben ? Et depuis si longtemps !

Marcus s'est levé, puis il a fait des allers et retours entre l'escalier et moi.

— Bordel ! Je vais lui casser la gueule !

— Ils pourraient être là-bas, non ? Je veux dire *chez Ben.*

— Peu probable, étant donné que c'est chez Dawn.

Je me suis massé le front. Un début de migraine, à moins qu'elle ne se soit déclarée depuis plusieurs heures déjà, sans que je m'en aperçoive.

— Cette histoire de bidons paraît absurde. (Je me suis massé le front avec plus d'énergie.) Mais si Maggie avait une vie secrète, pourquoi pas Andy aussi ? Pense à ces jeunes qui mitraillent les élèves de leur lycée ; je suis sûre que leur mère ne les aurait pas soupçonnés une seconde capables d'une telle atrocité.

J'ai laissé tomber mes mains sur les accoudoirs du fauteuil.

— Marcus, j'avais remarqué quelque chose sur ses baskets. J'ai supposé que c'était un peu d'essence de son briquet. Tu te souviens qu'il l'avait caché dans sa chaussette à l'aéroport ? Malgré tout le temps et l'attention que je lui ai consacrés, je me suis peut-être fourvoyée avec lui... Tu crois qu'il aurait pu me dissimuler un aspect de sa personnalité ?

A cet instant, ma vie me semblait une longue suite de mystifications.

Marcus a cessé de faire les cent pas.

— Ne te mets pas à douter de lui, Laurel. Tu n'as pas le droit !

J'ai levé les mains, paumes en l'air.

— Mais quelle explication trouver ? Il avait besoin de se donner de l'importance, d'être admiré... Il rêvait d'être un héros, et il...

— Comment peux-tu te faire des idées pareilles ?

Mon regard s'est posé sur l'homme dont je doutais depuis dix ans.

— Parce que, ai-je murmuré, je viens de prendre conscience, aujourd'hui, que je ne sais absolument rien des gens que j'aime.

48

Maggie

Le hasard a voulu que la tempête éclate cette nuit-là. Je me suis garée dans une petite rue de l'extrémité nord de l'île. La pluie martelait comme des ongles le toit de ma voiture. Pas la moindre lueur dans les maisons : les gens, avertis des intempéries, avaient évité la plage. L'obscurité et le vide jouaient en ma faveur.

— Où on est ? m'a demandé Andy, étonné que je ne bouge pas.

— Près de Sea Tender. Tu sais, nous sommes passés plusieurs fois tout près, en voiture.

— La maison ronde où je vivais quand j'étais bébé ?

— Oui, cette maison-là. On va y dormir ; ça sera sympa.

— Génial !

Andy a scruté les ténèbres.

— Elle est où ?

— Il faut marcher un peu.

La pluie ne semblait pas décidée à se calmer dans un bref délai. J'ai donc empoigné la torche et un fourre-tout où j'avais entassé quelques vêtements pour chacun de nous, ainsi que l'iPod d'Andy.

— On va devoir se mouiller…

J'ai ouvert la portière en tenant fermement la poignée pour éviter que le vent ne me l'arrache des mains. L'océan rugissait à mes oreilles comme si je m'étais garée directement sur la plage.

J'ai crié :

— Attention en sortant !

Trop tard, la portière d'Andy avait été entraînée par le vent, et il est tombé à plat ventre, au bord de la route. Il s'est relevé en riant ; sans se douter le moins du monde de ce qui l'attendait le lendemain…

La pluie m'aveuglait presque quand j'ai fait le tour de ma voiture pour l'aider à refermer la portière. Comme un être vivant, le vent s'acharnait à la repousser vers nous. J'étais effrayée par cette présence étrange. Tout ce que je faisais m'effrayait, mais je n'avais pas le choix, et ce ne serait pas mon premier acte de folie. Si seulement maman m'avait expliqué la gravité de la situation, je serais intervenue plus tôt. J'aurais inventé je ne sais quoi. Une meilleure solution ! Le lendemain, Andy était convoqué à une audience à laquelle il ne comprendrait rien, et qui pourrait entraîner une incarcération définitive. Je ferais tout ce qui était en mon pouvoir pour éviter cette injustice. Je n'avais pas réfléchi au-delà de l'audience, mais si Andy était introuvable au moment de celle-ci, on ne pourrait pas le mettre en prison. La seule chose qui comptait pour moi !

— Tu peux porter les provisions ?

Je lui ai tendu un sac de papier kraft que j'avais rempli de pain, de beurre de cacahouètes, et de fruits. Il y avait une caisse pleine de bouteilles d'eau minérale dans la maison. Assez de vivres pour la nuit et la journée du lendemain

Quand Andy a pris le sac, je lui ai crié de bien fermer le haut pour que son contenu ne soit pas trempé. J'ai jeté le fourre-tout sur mon épaule et nous nous sommes dirigés vers Sea Tender.

— Je n'y vois rien, a dit mon frère.

— On arrive bientôt.

Je distinguais à peine les maisons les unes des autres, car je gardais les yeux à moitié fermés à cause du vent.

Comme on avait dépassé l'étroite promenade en planches menant à notre maison, on a dû revenir sur nos pas. Je me suis tournée vers Andy, une fois sur les planches :

— Viens vite et reste à côté de moi !

On a atteint la petite dune, devant la maison. Même dans l'obscurité, j'apercevais les vagues partant à l'assaut de la plage. J'ai braqué la lampe vers le sable au-dessous de Sea Tender. J'ai remarqué un changement, mais il m'a fallu un moment pour réaliser que la lueur argentée, visible dans le faisceau de ma torche, était de l'eau bouillonnante, que j'avais prise pour du sable. L'océan grondait autour des pilotis de la villa, en projetant de l'écume sur la terrasse. Je n'avais jamais vu l'eau monter si haut sur cette plage ; ce n'était pas une raison pour communiquer mon inquiétude à Andy.

Il a grogné :

— La pluie elle mord !

— Parce que le vent est chargé de sable. Allons, viens !

Le sable me piquait le visage et les mains. J'ai sauté du haut de la dune.

— Ce sac...

Le vent m'a empêchée d'entendre la suite, et je n'ai pas cherché à en savoir plus. Je ne cessais de me répéter que la villa avait survécu à des dizaines d'ouragans et de tempêtes, et qu'elle survivrait à celle-là.

Après avoir retrouvé le parpaing, je l'ai placé au pied de l'escalier et j'ai crié :

— Andy, je grimpe la première et je t'aide !

A ma troisième tentative, j'ai réussi à hisser le fourre-tout, bien lourd, sur la petite terrasse ; puis je me suis hissée à mon tour sur le parpaing et sur les marches.

— Pas besoin de ton aide ! a claironné Andy.

— Bon, donne-moi le sac de provisions.

J'ai saisi le haut du sac trempé, et, avant que je l'aie agrippé solidement, le vent me l'a arraché des mains, en dispersant son contenu sur le sable humide.

— T'inquiète pas, Maggie, je vais tout ramasser !

Andy s'est démené sur le sable, tandis que le vent projetait la miche de pain dans les airs comme une plume.

— Je redescends dans une seconde, Panda !

J'ai tourné la clé dans la serrure et jeté le fourre-tout dans la maison ; puis j'ai sauté pour rejoindre Andy et on a récupéré le plus possible de nourriture.

Quand on a été tous les deux sur la terrasse, il m'a demandé d'éclairer l'écriteau à l'aide de ma lampe torche, puis il a articulé :

— In-ter-dit au pu-blic.

— Oui, Andy, interdit au public. Quand nous étions enfants, l'ouragan Fran a détruit une grande partie de l'île.

— Je sais ! Je l'ai appris en classe, et interdit au public ça veut dire qu'il faut pas entrer, mais on va quand même y aller.

— Exact !

J'ai poussé la porte et je me suis glissée sous l'écriteau.

— Est-ce qu'on fait une bêtise ? m'a demandé Andy en en pénétrant dans le salon.

Ses tennis crissaient sur le sol et il s'amusait à les faire crisser encore plus fort.

J'ai pris sur le plan de travail de la cuisine une seconde lampe torche que j'ai tendue à Andy.

— Pour répondre à ta question... Certaines personnes penseront qu'on fait une bêtise, mais ce n'est pas mon avis.

— Et maman, elle en penserait quoi ?

Il allumait et éteignait alternativement la torche, braquée sur mon visage.

— Arrête, Andy ! Tu m'éblouis.

— Pardon. Est-ce que maman pensera que c'est mal ?

— On en reparlera... Il y a des tas de bougies dans cette pièce. Commençons par les allumer !

J'ai tendu une boîte d'allumettes à mon frère.

— Je peux utiliser mon briquet ?

Il a plongé une main dans sa poche, et ma lampe torche a éclairé un briquet vert

— Tu l'as encore ? Je croyais qu'on te l'avait confisqué à l'aéroport.

— C'est un autre briquet.

Mon petit frère avait de la suite dans les idées, après tout.

— Pourquoi, Andy ? Tu fumes encore ?

Je croyais avoir senti une odeur de fumée sur lui quelques jours plus tôt ; mais depuis la nuit de l'incendie, il me semblait que la terre entière empestait la fumée.

— Ne le dis pas à maman !

— D'accord, mais ça te fait trop de mal, Panda. Tu devrais arrêter.

— J'ai menti à maman, tu sais.

— Ça m'est arrivé à moi aussi...

— Je lui ai dit que je n'avale pas la fumée, et c'est pas vrai.

J'ai allumé l'une des bougies.

— Excellent pour ton asthme !

— J'aime faire sortir la fumée par mes narines.

— Tu fumes où ?

J'étais intriguée, car il était presque toujours sous surveillance. S'il fumait à la maison, nous l'aurions senti ; et il ne pouvait sûrement pas se le permettre en classe.

— Je fume avec mes copains, les jours où tu ne viens pas me chercher.

Je l'imaginais sans mal attendant le bus avec d'autres gamins du lycée. Des gamins qu'il considérait comme des copains, mais qui lui piquaient probablement des cigarettes et se moquaient de lui dans son dos.

Il a passé sa lampe torche par l'une des fenêtres du salon en me montrant la terrasse arrière.

— S'il y avait un incendie dans cette maison, je pourrais sauter par cette fenêtre sur les planches.

— Oui, et dans la cuisine il y a aussi une porte par laquelle on pourrait sortir sur la terrasse. C'est une terrasse, pas des planches !

Andy a semblé gêné par ma remarque.

— J'avais bien compris, ai-je précisé. Et les terrasses sont en planches, donc techniquement tu avais raison.

— On a une grande terrasse chez nous.

— Oui, en effet.

— On rentre bientôt chez nous ?

J'ai déposé nos vivres sur le comptoir.

— On reste ici ce soir, et on prendra une décision demain.

Après avoir ouvert le sachet de pain, j'ai proposé à Andy une tartine au beurre de cacahouètes, qu'il a acceptée. J'aurais dû trouver un moyen d'emporter la pizza avec nous. Que penserait maman quand elle verrait cette pizza intacte ?

A la lumière de la bougie, j'ai étalé du beurre de cacahouètes sur deux tranches de pain et j'en ai tendu une à mon frère. On s'est assis sur le canapé, face à la fenêtre sombre, pour manger nos tartines et boire de l'eau au goulot de nos bouteilles.

— L'océan est tout près, Andy.

Il faisait si sombre et on était si haut que je ne pouvais apercevoir l'écume blanche des vagues.

— Je sais ! Je suis pas un crétin.

— Bien dit, Panda.

On a mastiqué en silence pendant un bon moment. J'imaginais l'angoisse de ma mère quand elle réaliserait, en rentrant à la maison, qu'Andy n'était pas là. Je lui avais tout balancé au sujet de papa alors qu'elle venait de passer une sale journée. Après avoir conduit sous le vent et la pluie en s'inquiétant pour les événements du lendemain, elle allait découvrir que ses enfants avaient disparu. Dans ma tête, une voix me disait de la rassurer sur notre sort, une autre me conseillait de me tenir tranquille. Mon tatouage me brûlait la cuisse chaque fois que je pensais à elle.

Après avoir fini de manger, j'ai annoncé à Andy mon intention de téléphoner à maman. J'ai sorti son iPod du fourre-tout et je le lui ai tendu, puis j'ai pris mon portable. Pas une seule barre ne s'affichait. Bizarre, car d'habitude la réception était normale dans la villa. La tempête, évidemment. Et si Ben avait cherché à m'appeler ? Ce n'était pas le moment de penser à lui ; j'étais déjà assez perturbée.

Le téléphone d'Andy était sur le plan de travail. Pas de réseau non plus. J'imaginais maman de plus en plus affolée. Je n'aurais jamais dû lui parler de papa ! Il y avait quelque chose d'abject en moi... J'avais voulu inverser les rôles, pour qu'elle se calme au sujet de Ben.

— Andy, je sors dehors, parce que je n'obtiens pas le réseau à l'intérieur.

Il n'a même pas levé les yeux de son i-Pod.

Sur la terrasse, j'ai dû empoigner la rambarde pour garder mon équilibre face au vent. Même si j'obtenais le réseau – ce dont je doutais – je ne parviendrais sûrement pas à entendre ma mère. Je devais aller l'appeler de la voiture.

De retour dans la cuisine, j'ai déchiré le fourre-tout pour y passer la tête, comme dans un poncho.

— Je reviens dans quelques minutes, Andy.

Avant de repartir j'ai vérifié que toutes les bougies, dispersées dans le salon, brûlaient sans risque. Il ne fallait surtout pas qu'Andy se retrouve encore une fois au milieu d'un incendie !

Dans ma voiture, n'obtenant toujours pas de réseau, j'ai démarré. Il y avait de l'eau sur la route. J'ai conduit très lentement, de peur de déraper et de m'enliser dans le sable. Si quelque chose m'arrivait, que deviendrait Andy, seul à Sea Tender ? Mon Dieu, je devais cesser d'avoir des idées noires !

Toutes les lumières semblaient éteintes dans les maisons voisines ; une panne de courant générale. J'ai dû rouler jusqu'à la villa Capriani, une grande résidence en copropriété, pour enfin avoir du réseau. Trois messages paniqués de ma mère m'attendaient. Sa voix tremblait et je me suis dit que je faisais bien de l'appeler. A peine garée dans le parking presque désert de la villa, j'ai composé le numéro de son portable.

— Maggie, où es-tu ?

Sa voix m'a bouleversée. J'aurais dû l'appeler plus tôt, au moins laisser un petit mot à la maison.

— Je voulais juste te dire que nous allons bien, Andy et moi. Tu n'as absolument rien à craindre pour nous !

— Où êtes-vous, Maggie ? Vous faites quoi ?

— Je ne peux pas t'en dire plus. Je voulais seulement te tranquilliser.

— Elle refuse de répondre, a dit ma mère à quelqu'un.

Un policier ? Je lui ai demandé qui était avec elle.

— Maggie ? (Oncle Marcus me parlait maintenant au téléphone.) Que se passe-t-il ? Tu es avec Ben ?

— *Non.*

Ma parole, mon oncle était au courant, lui aussi, de ma relation avec Ben !

— Oncle Marcus, je voulais juste dire à maman de ne pas s'inquiéter.

— Pourquoi as-tu fait ça ? Rentre à la maison ! Tu es en train d'aggraver les choses, petite.

— Je ne vois pas comment ça pourrait être pire ! Tu imagines Andy dans une cellule, sans possibilité de libération conditionnelle ? Andy, attendant pendant un an son procès, comme tu l'as dit toi-même ? Harcelé, battu, et peut-être violé par d'autres prisonniers ?

Ma voix s'est brisée à cette idée.

— Et incapable de comprendre ce qui lui arrive !

— Je sais, Mags, a admis oncle Marcus. Mais tu ferais bien de te calmer. Demain, le juge aura peut-être la sagesse de ne pas l'incarcérer et peut-être même de le laisser dans le système de détention juvénile.

— Tu crois ça ? Ce n'est pas ce que tu m'as dit il y a quelques heures. Surtout depuis qu'on a trouvé ses empreintes sur ce bidon.

— S'il ne se présente pas à l'audience, ça sera encore plus grave pour lui.

— Je raccroche !

J'ai éteint aussitôt mon téléphone pour ne pas l'entendre sonner quand ils essaieraient de me rappeler. J'aurais voulu savoir si ma mère et mon oncle croyaient Andy coupable, eux aussi. Etais-je la seule à savoir qu'il était innocent ?

J'ai repris la route de la maison, angoissée. Je conduisais de plus en plus vite, en pensant aux bougies allumées. Quel soulagement de voir que Sea Tender tenait toujours debout ! Après avoir garé ma voiture sur New River Inlet Road cette fois, j'ai couru jusqu'à la villa. Andy, qui avait mis ses oreillettes, m'a à peine remarquée quand j'ai fait irruption dans le salon.

Je lui ai proposé de jouer avec moi à Concentration, un jeu de société dont les vieilles cartes poisseuses étaient rangées dans un tiroir de la cuisine. On les a disposées entre nous, sur le canapé ; mes mains tremblaient quand mon tour est venu de retourner une paire. Maintenant que j'avais mis mon frère à l'abri, que je l'avais nourri, et que j'avais prévenu ma mère, je commençais à paniquer... Qu'est-ce que j'avais fait là ?

— Gagné ! a vociféré Andy quand nous avons compté nos paires.

Pour une fois, je lui ai envié sa faculté de ne pas se compliquer la vie.

On a joué encore un peu, puis j'ai soufflé la bougie sur le rebord de la fenêtre, et on a regardé la pluie et l'eau de mer cogner les vitres. La villa vibrait, sans doute à cause de l'eau qui tourbillonnait autour des pilotis. Mes nerfs allaient craquer d'une seconde à l'autre.

Andy a envoyé promener ses chaussures et posé ses pieds sur le rebord de la fenêtre.

— J'aimerais voir l'océan...

Je me suis penchée pour apercevoir l'écume.

— Ça ne t'ennuie pas de te mouiller encore ?

— On retourne dans la voiture ?

— Non, mais il pleut moins fort pour l'instant. Allons nous asseoir sur la terrasse pour regarder !

Andy m'a suivie dehors. Il ne pleuvait pas trop, mais le vent s'engouffrait sous nos chemises et rugissait dans nos oreilles. Assise, comme j'en avais l'habitude, au bord de la terrasse humide, j'ai laissé pendre mes jambes, en m'agrippant au dernier barreau de la balustrade. Les vibrations étaient beaucoup plus violentes à l'extérieur, et la terrasse bougeait comme si quelqu'un la traversait en courant.

J'ai fait signe à Andy de s'installer près de moi, sur les planches.

— D'ici, on peut voir l'océan !

D'après la mousse écumeuse, de très hautes vagues devaient se fracasser follement les unes contre les autres. L'obscurité était redoutable, car elle m'empêchait de distinguer l'endroit exact qu'elles atteignaient sur la plage. Je sentais des gouttelettes sur mes pieds nus, tandis que l'eau s'enroulait autour des pilotis.

— On pourrait pêcher d'ici, m'a déclaré Andy. Si on manque de nourriture, on attrapera des poissons !

— Oui, pourquoi pas ?

Mon frère n'avait pas tort. J'ai passé mon bras libre autour de ses épaules. Un autre gamin de quinze ans m'aurait probablement repoussée, mais Andy ne semblait pas contrarié. Si j'avais osé, je l'aurais serré de toutes mes forces dans mes deux bras. J'en voulais à ma mère de lui consacrer cent pour cent de son amour et de son attention, en me privant de ma part ; mais ce n'était pas la faute d'Andy si elle l'aimait tant. Je n'avais jamais éprouvé la moindre hostilité à son égard.

Je l'ai questionné :

— Andy, tu te souviens un peu de papa ?

— Je montais sur ses épaules.

Il y avait, dans la chambre d'Andy, une photo encadrée de notre père, le portant sur ses épaules. A mon avis, il se souvenait de la photo et non de papa.

— Quand je viens m'asseoir ici, je sens parfois son esprit...

— Comme un fantôme ?

— Pas exactement. C'est difficile à expliquer. Tu te souviens de Piddie ?

Piddie, son poisson rouge. Nous l'avions trouvé le ventre en l'air, dans son bocal, quelques mois auparavant.

— Oui, il était joli.

— Il ne t'arrive jamais de sentir sa présence ? D'avoir l'impression qu'il est là, tout en sachant qu'il n'y est pas ?

— Non, il est mort.

— Exact ! J'essayais de t'expliquer ce que je veux dire quand je parle de l'esprit de papa, mais tu ne peux pas comprendre. (J'ai laissé retomber mon bras.) Il me semble parfois qu'il est là...

— Mais il est *mort* !

Andy semblait si troublé que j'ai eu envie de rire.

— Je sais, Panda. Ne t'inquiète pas

Avec ce vent et cette pluie fine, j'étais frigorifiée ; mais il n'était pas question pour moi de rentrer dans la maison. Si la terrasse se mettait vraiment à tanguer, il faudrait peut-être partir.

— Mes copains pensent que je vais aller en prison, a dit brusquement Andy.

— Tu n'iras pas !

— J'ai peur que si, parce que j'ai menti aux policiers. J'ai menti à tout le monde.

Je me suis sentie mal.

— Qu'est-ce que tu racontes, Andy ? Quand est-ce que tu as menti ?

— J'ai dit que je n'étais pas sorti pendant le *lock-in*. En vrai, je suis sorti.

— Tu es sorti ? Pourquoi ?

— Pour voir si les insectes crevaient. Je voulais savoir si le *spray* avait marché, mais il faisait trop noir.

J'ai fermé les yeux. Je savais de quoi il parlait. Je savais tout.

— Andy, je ne te laisserai pas aller en prison. C'est promis !

— Si tu mens, tu vas en enfer ?

— Si je mens, je vais en enfer.

Un frisson m'a parcourue de la tête aux pieds.

— Comment tu feras, Maggie, pour empêcher les policiers de me mettre en prison ?

— Je me débrouillerai !

— Mais comment ?

J'ai remis un bras autour des épaules de mon frère, en chuchotant :

— Je leur raconterai ce qui s'est *vraiment* passé ce soir-là.

49

Laurel

Il faisait froid et humide dans ma maison, comme si le mauvais temps s'était infiltré à travers les fenêtres. Je me suis blottie sous un plaid, tandis que Marcus attisait le feu qu'il avait allumé.

Il s'est assis sur le canapé, à mes pieds.

— Au moins, tu sais que Maggie l'a mis à l'abri ! Est-ce que tu comptes appeler Shartell ?

— Certainement pas ! Mais je me demande ce que je ferai demain matin quand nous devrons nous présenter à l'audience.

L'idée de faire disparaître Andy ce soir-là pouvait sembler insensée, mais une partie de moi-même comprenait ma fille. Aussi longtemps qu'Andy serait avec elle, il n'aurait pas peur et il serait en liberté.

— Nous improviserons, le moment venu, a dit Marcus.

J'ai levé la tête pour le regarder en face.

— Merci d'avoir dit *nous*. Tu as toujours eu cette attitude quand il était question d'Andy. Pardonne-moi de t'avoir rendu la vie si difficile !

— Je comprenais tes raisons.

Marcus s'est déplacé sur le canapé.

— Je ne sais pas exactement ce que t'a raconté Maggie, mais nous avons eu, Jamie et moi, une violente bagarre à bord. J'étais indigné par sa liaison avec Sara ; quand je lui ai adressé des reproches, il m'a répondu que j'étais mal placé pour lui donner des leçons de morale. Il avait deviné que j'étais le père d'Andy et...

— Il avait deviné ? Je n'étais même pas certaine que tu l'aies deviné *toi.*

J'ai éprouvé un immense soulagement à l'idée qu'il n'y avait plus de secret. Mais il avait fallu tant d'années...

— Je m'en suis douté tout de suite, Laurel. Dès l'instant où tu m'as annoncé que tu étais enceinte !

A la lumière de la lampe-tempête, j'ai surpris un sourire sur les lèvres de Marcus.

— Jamie s'en doutait probablement lui aussi. C'était un secret gros comme une maison, et trop lourd pour tenir avec nous sur mon bateau.

Je me suis souvenue des contusions sur le corps de Marcus et des soupçons de la police, mais je ne pouvais pas imaginer un affrontement physique entre les deux frères.

— Tu veux dire que vous vous êtes bagarrés... à coups de poing ?

— Bien sûr ! C'était la cause de toutes mes écorchures, mais je n'ai parlé que de la baleine aux flics. Je ne pouvais pas leur en dire plus sans préciser les raisons de notre altercation.

— Il y a vraiment eu une baleine, Marcus ?

— Oui, nous l'avons observée un moment, puis elle a disparu. Pendant que nous étions en train... pendant notre empoignade, le bateau a été brusquement soulevé dans les airs, et on a été projetés à l'extérieur. Jamie s'est cogné la tête contre la proue ; je n'ai pas menti sur tous ces points.

— Tu aurais dû me dire toute la vérité. Si j'avais su, j'aurais été moins déplaisante avec toi.

— Peut-être mais à quel prix ? Je ne voulais pas gâcher le souvenir que tu gardes de Jamie. Et qui aurait cru que ça finirait par se savoir ?

— Keith est réellement le fils de Jamie ?

— Jamie me l'a dit. Ensuite, j'ai été frappé par leur ressemblance. Pas toi ?

J'ai pensé à la chevelure sombre de Keith et à son corps déjà en train de devenir fort et trapu.

— Mon cœur est lourd. (J'ai frictionné mon sternum.) C'est si douloureux depuis que Maggie m'a parlé...

Marcus a posé une main sur mon pied, à travers le plaid.

— Je suis désolé pour toi, Laurel.

Après avoir inspiré profondément, j'ai encore questionné Marcus.

— D'après Maggie, tu as ouvert un compte pour les études de Keith à l'université ?

— Oui, et c'est ce qui lui a permis de découvrir le pot aux roses. Je trouvais trop injuste qu'il soit tellement défavorisé par rapport aux autres enfants de Jamie.

— Oh !

Je venais de me souvenir du jour où j'avais voulu payer l'hôtel de Sara.

— C'est toi qui règles la note d'hôtel de Sara ?

Il a acquiescé, et j'ai laissé ma tête tomber en arrière sur le canapé.

— Je me sens si humiliée, ai-je soufflé. Sara... Moi qui la prenais pour ma meilleure amie !

— C'est ta meilleure amie.

— Alors, comment a-t-elle pu me faire ça ?

Marcus a serré mon pied.

— Et nous, comment avons-nous pu faire ça à Jamie ?

Marcus m'a réveillée en me secouant l'épaule, et j'ai ressenti une douleur fulgurante dans le cou, après avoir dormi dans une mauvaise position sur le canapé. Comment avais-je pu m'endormir ?

A peine assise, je me suis tournée vers l'escalier.

— Ils sont revenus ?

Marcus a secoué la tête.

— Non. Il est un peu plus de cinq heures du matin et la tempête s'est apaisée. Je vais essayer de passer chez Ben et Dawn. Je ne peux pas rester ici une seconde de plus, en me disant que Ben sait peut-être où ils sont.

J'ai jeté le plaid sur le dossier du canapé et je me suis levée, les jambes flageolantes, en déclarant à Marcus que je l'accompagnais.

J'avais l'impression d'être à bord d'un bateau plutôt que dans une camionnette quand on a quitté ma rue. Les phares de Marcus illuminaient la route, mais on ne pouvait avoir aucune idée de la profondeur de l'eau. De grandes gerbes éclaboussaient les flancs de notre véhicule, bien qu'il roule lentement. Le vent et la pluie avaient cessé, mais en dehors du faisceau de nos phares, l'île était plongée dans une obscurité insondable. On aurait dit que le ciel n'était qu'à quelques dizaines de centimètres de nous.

— Je n'ai jamais vu une nuit aussi sombre, a dit Marcus.

Il conduisait le dos droit, et très près du volant. Je le sentais aussi tendu que moi.

On était seuls sur la route, mais il nous a fallu une demi-heure pour parcourir la dizaine de kilomètres qui nous séparaient de Surf City. Marcus est descendu à plusieurs reprises de la camionnette : il voulait s'assurer, à l'aide de sa lampe torche, que l'eau n'était pas trop profonde ou tumultueuse pour nous laisser passer. Une fois sur la route de la plage, près de la maison de Dawn, il a ralenti pour nous permettre de distinguer, dans l'obscurité, les habitations les unes des autres.

Je lui ai désigné une villa à peine visible.

— Je crois que c'est là !

— On dirait la voiture de Dawn, non ?

En suivant des yeux le faisceau des phares, j'ai vu qu'elle était garée face à la voiture de Ben.

— Pourquoi se sont-ils garés dans la rue ?

Marcus s'est engagé dans l'allée et la lumière de ses phares m'a apporté une réponse : le parking, en contrebas de la maison, était sous des dizaines de centimètres d'eau.

Il a éteint son moteur.

— Ma parole, cette tempête a dû faire de sacrés dégâts sur les plages !

Chacun de nous avec une lampe torche, on est sortis de la camionnette. Marcus a posé une main sur mon dos, quand on s'est dirigés vers la villa. En haut des marches, il a frappé à la porte avec énergie, et il a attendu quelques secondes avant d'essayer de l'ouvrir.

— Verrouillée, m'a-t-il dit, en frappant sans relâche.

Puis il a crié « Ben ! » ; j'ai aperçu un soupçon de lumière derrière l'une des fenêtres, et, une seconde après, Ben ouvrait la porte, une lampe électrique à la main.

— Un incendie ?

En m'apercevant, il a ajouté :

— C'est quoi le problème ?

— Laisse-nous entrer, a dit Marcus.

Je l'ai suivi à l'intérieur et j'ai tout de suite demandé à Ben s'il savait où se trouvaient mes enfants.

— Ils ne sont pas à la maison ?

Ben portait un short marron, déboutonné à la taille, rien de plus. Je ne devais surtout pas imaginer Maggie en train de le toucher, de toucher son torse nu.

— Non, ils ne sont pas à la maison, a répondu Marcus. Maggie a emmené son frère pour lui éviter l'audience qui a lieu demain.

— Merde, a grommelé Ben en passant une main dans ses cheveux.

Je le haïssais soudain, sa virilité m'était insupportable. J'ai braqué ma lampe torche sur son épaule nue.

— Comment as-tu osé abuser de ma fille ? Elle est encore au lycée !

Il a à peine bronché.

— Ce n'est pas le moment, est intervenu Marcus en replaçant sa main sur mon dos. Est-ce que Maggie t'a fait part de ses intentions, Ben ?

— Qui est là, Benny ?

Dawn entrait dans la pièce, revêtue d'un court peignoir ; elle s'est arrêtée net en nous voyant, et je lui ai annoncé la disparition de Maggie et Andy.

Elle a semblé effarée.

— Ils ont disparu ? On les aurait... kidnappés ?

— Maggie a emmené Andy je ne sais où pour qu'il ne se présente pas à l'audience demain.

Dawn s'est adressée à Ben.

— Tu es au courant de quelque chose ?

Il a secoué la tête en évitant mon regard.

— Non !

— Je crois savoir où ils sont. (Dawn a tourné les yeux vers Ben.) Toi aussi tu le sais !

— Où ? Oh non ! Tu penses à... Sea Tender ?

Marcus et moi avons articulé à l'unisson : « Sea Tender ? » Et j'ai ajouté :

— Mais l'accès est interdit au public !

— C'est là que Ben retrouvait Maggie, a dit Dawn d'un air écœuré.

— Espèce de salaud ! a rugi Marcus, hors de lui.

Il a flanqué un coup de poing dans la mâchoire de Ben, qui a failli rouler à terre. J'ai retenu son bras, de peur qu'il ne s'acharne. Maintenant que je savais où étaient mes enfants, je n'avais qu'une idée en tête : aller les chercher, les serrer contre mon cœur.

— Allons-y, Marcus !

Une main sur sa mâchoire, Ben tentait de se remettre d'aplomb.

— Je tenais à elle ! Ce n'est pas comme si je n'avais éprouvé aucun sentiment...

— Tais-toi ! a glapi Dawn.

Marcus a levé le poing avec lequel il avait frappé Ben.

— Tu ne t'en tireras pas comme ça, Trippett. Je te réglerai ton compte tôt ou tard !

Sur ces mots, il a ouvert la porte.

— Sea Tender... Comment Maggie a-t-elle eu une idée pareille ?

Nous roulions dans l'obscurité. J'aurais voulu que Marcus conduise plus vite, mais je savais qu'il ne pouvait pas se le permettre.

— C'est un endroit dangereux, a-t-il marmonné. L'accès a été interdit au public pour de bonnes raisons, et on aurait dû démolir la villa depuis longtemps.

J'ai croisé mes mains sur mes genoux.

— Moi qui pensais que Maggie avait la tête sur les épaules ! Je m'imaginais qu'elle pouvait se passer de mes conseils... de mon « maternage »... Je ne la connais pas, Marcus.

Marcus a lâché le volant d'une main pour chercher la mienne.

— Mais si, tu la connais... (Il a serré doucement ma main.) Tu sais qu'elle ferait tout pour Andy. Comme toi !

50

Andy

Comme je n'y voyais rien, j'ai cligné plusieurs fois des paupières pour être sûr que mes yeux étaient vraiment ouverts. J'ai cru que j'allais vomir. Mon cerveau roulait dans ma tête. Ça m'était déjà arrivé en bateau. J'avais la permission d'aller sur le bras de mer, mais pas sur l'océan. Un jour, j'étais allé en bateau sur l'océan avec Emily, et mon cerveau n'arrêtait pas de rouler dans ma tête. J'avais vomi trois fois et presque une quatrième. Maman m'avait dit de ne plus jamais retourner en bateau sur l'océan. D'ailleurs elle n'aime pas les bateaux.

Cette fois, je savais bien que je n'étais pas sur un bateau. J'étais dans la maison où j'habitais quand j'étais bébé. J'étais sur le canapé et il faisait nuit ; mais je pouvais apercevoir certaines choses et il faisait plutôt froid. C'était bruyant. J'entendais des bruits secs et des craquements. J'avais peur de vomir si je m'asseyais. J'ai quand même fini par m'asseoir et il n'y avait plus de vitres aux fenêtres. Le ciel était rose au-dessus de la mer. Je ne voyais pas Maggie, mais je l'entendais m'appeler.

Tout à coup, j'ai glissé du canapé et mon cerveau s'est mis à rouler de plus en plus fort. Je ne savais même plus où était la salle de bains. Et puis Maggie m'avait dit que les toilettes ne marchaient pas. Je tenais à peine debout, et j'ai agrippé un truc en bois. A ce moment, j'ai vu que je n'étais plus dans la villa, mais sur une sorte de bateau. Des gros morceaux de bois et des tas de choses flottaient autour de moi. J'avais les pieds dans l'eau, pourtant la plage était loin. J'ai oublié que j'avais envie de vomir et je me suis demandé comment faire pour nous sauver nos vies, parce que je savais qu'on était dans le pétrin et qu'il n'y avait pas moyen de sortir par la fenêtre comme pendant l'incendie.

J'ai hurlé :

— Maggie !

Pendant que je courais pour essayer de la retrouver, le plancher a rebondi et il s'est fendu sous mes pieds.

51

Laurel

Quand on est sortis de Sea Gull Lane pour s'engager dans la prolongation de New River Inlet Road, le ciel noir comme du charbon était devenu gris perle, aux premières lueurs de l'aube. La camionnette de Marcus roulait lentement dans trente centimètres d'eau. Entre les villas en front de mer, je pouvais distinguer une traînée rose au-dessus de l'horizon. J'ai alors aperçu la première villa dont l'accès était condamné, derrière celles qui bordaient la rue, et j'ai entendu Marcus inspirer profondément.

Je lui ai demandé ce qui se passait, il a secoué la tête.

Lorsque j'ai baissé ma vitre, j'ai tout de suite compris le motif de sa réaction. Là où aurait dû se trouver la deuxième maison condamnée, il n'y avait plus qu'une montagne de décombres. A l'horizon, un éclat de soleil scintillait comme du verre ou du métal.

Mon cœur s'est emballé et j'ai murmuré « Oh non ! » dans un souffle.

— C'est la voiture de Maggie ?

Marcus a freiné si brutalement que je me suis envolée de quelques centimètres avant que ma ceinture de sécurité ne me retienne. Garé de l'autre côté de la rue, le seul autre véhicule en vue était... la Jetta blanche de Maggie.

— Ils sont peut-être dedans.

Après avoir sauté de la camionnette, j'ai pataugé avec de l'eau jusqu'aux genoux, et j'ai dirigé ma lampe-torche vers les vitres de la Jetta. Vide !

— Rien ? m'a demandé Marcus depuis sa place.

— Rien.

J'ai regagné la camionnette.

— Mais Dawn doit avoir raison ; sinon Maggie ne se serait pas garée ici, à un pâté de maisons de Sea Tender.

En poursuivant notre chemin, nous avons dépassé une autre des maisons condamnées, réduite elle aussi à un amas de ruine. Sea Tender et mes enfants avaient-ils eu la chance d'échapper à la catastrophe ?

J'ai ouvert la portière.

— Je n'en peux plus ; laisse-moi sortir !

— Laurel... a dit Marcus.

Je n'ai pu entendre la suite de sa phrase, car j'avais perdu l'équilibre et j'étais tombée dans l'eau. Je me suis relevée en vitesse, puis, sans prendre la peine de refermer la portière, j'ai pataugé vers l'espace entre deux maisons du front de mer. Je tenais absolument à aller sur la plage, en espérant que Dieu avait pris mes deux petits sous sa protection.

Marcus m'a rejointe sans je m'en rende compte ou presque et nous avons marché d'un pas lourd, dans l'eau entre les deux maisons.

— Où est la petite dune ?

Complètement désorientée, je sondais la grisaille du regard. L'eau ne dépassait pas nos chevilles, mais la légère élévation de sable, qui marquait la limite entre les maisons en front de mer et celles de la plage, n'était plus visible.

— On dirait qu'elle a disparu, a dit Marcus.

Comme l'eau ne nous gênait plus, nous nous sommes mis à courir. En voyant ce que j'ai vu, j'ai failli flancher, et j'ai dû me retenir à un pan de la chemise de Marcus.

— Oh, mon Dieu !

— Ah non ! a murmuré Marcus d'un ton si neutre que j'ai eu envie de le secouer.

Face à nous, la plage avait l'air d'un champ de bataille. Pas une des maisons dont l'accès était condamné ne tenait encore debout ; il ne restait que des amoncellements de débris, sur des hectares de terrain, mais de nombreux pilotis émergeaient encore des gravats, comme des totems se détachant sur le ciel de plus en plus clair. Sea Tender avait été la dernière maison de la rangée ; il fallait que je l'atteigne. Tout en me sentant faible et nauséeuse, j'ai recommencé à courir.

— Fais attention ! m'a crié Marcus de je ne sais où, mais pas très loin de moi. Il y a du verre partout.

Les maisons en ruine étaient difficilement distinguables les unes des autres, et la panique m'a saisie quand je suis arrivée au dernier tas de décombres. Je cherchais désespérément quelque chose de familier sur cette plage étrange et méconnaissable. L'explosion de planches, de vitres et de métal, que j'avais sous les yeux, ne pouvait pas être Sea Tender.

— Maggie ! Andy ! appelait Marcus en faisant le tour de l'imposante masse de débris.

Les mains sur mon visage, j'étais comme pétrifiée à l'idée de voir un bras ou une jambe surgir des ruines. Comme je scrutais entre mes doigts l'océan jonché de débris et d'un calme trompeur, des éclats de violet et de pêche – au-dessus de l'horizon – ont brusquement attiré mon attention.

J'ai tendu un doigt vers le soleil levant.

— Marcus, regarde !

Il s'est redressé.

— Où ? Qu'est-ce que tu regardes ?

— Là-bas !

J'ai rejeté d'un coup de pied mes chaussures trempées et j'ai foncé dans l'eau glaciale.

— Laurel, reste ici !

Marcus a bondi vers moi pour me retenir, puis il a vu lui aussi. Sur quelques débris flottants, loin, très loin, se tenaient deux minuscules silhouettes.

Mes enfants…

52

Maggie

Au début, j'ai pensé qu'on pourrait nager, mais au moment où on se préparait à sauter de l'épave, j'ai passé un bras autour de la taille d'Andy.

— On est trop loin, tu sais. On ne pourra pas y arriver !

Le courant nous éloignait de la plage plus vite que je ne croyais, en nous aspirant vers un soleil orange éblouissant. La plage, étincelante comme de l'or, semblait très lointaine.

Pour la quatrième ou la cinquième fois, on a perdu l'équilibre et on est tombés à genoux. J'ai à nouveau scruté la plage. Que pouvait-on faire, sinon nager ?

Il fallait réfléchir... Je ne savais pas exactement sur quelle partie de la maison on était. Une surface, plus grande au début, était devenue une sorte de radeau de fortune, comme celui d'Huckleberry Finn, avec un morceau de bibliothèque encastrée dépassant d'un côté. Peut-être le plancher du salon ; mais une seule chose était sûre : notre radeau se désintégrait petit à petit, rendant nos chances de survie de plus en plus faibles. Il ne flotterait pas éternellement.

— On peut nager, a dit Andy. En ce moment, ce serait la pause, comme à la piscine.

— Oui, mais l'eau est beaucoup plus froide ici, et il n'y a pas de courant à la piscine. Tu vois comme on est entraînés vers le large ? C'est ce qui arriverait si on essayait de nager.

J'étais épouvantée. En voulant sauver mon petit frère, j'allais peut-être provoquer sa mort !

Une autre partie de notre radeau grinçant s'est cassée et j'ai serré Andy de toutes mes forces contre moi. Le morceau du plancher avec la bibliothèque a dérivé, et je l'ai vu sombrer. C'était le sort qui nous attendait.

— On va se noyer ? a dit Andy.

La plage, colorée de rose, semblait plus lointaine à chaque seconde. J'ai pris mon frère par les épaules en le regardant droit dans les yeux.

— Ecoute-moi ! On va essayer de nager, mais il faudra rester ensemble autant que possible. Ne me perds pas de vue et je ne te perdrai pas de vue non plus. Et puis on ne peut pas nager droit vers la plage. Il faudra nager parallèlement à la plage. Tu comprends ?

— Parallèlement, qu'est-ce que ça veut dire ? m'a demandé Andy, effaré.

J'étais en train de lui transmettre mon angoisse.

Un sanglot m'a échappé, qui nous a surpris autant l'un que l'autre ; mais j'ai chassé mes larmes du revers de la main.

— Ça veut dire que nous allons nager dans cette direction.

Tout en parlant, je lui indiquais le nord. Il m'a demandé d'une toute petite voix :

— Alors, comment on fera pour arriver à la plage ?

Je l'ai serré dans mes bras.

— Panda, fais moi confiance. On va nager un petit moment dans cette direction et, ensuite, on pourra se diriger vers la plage. Mais tu dois rester calme. Surtout, pas de panique !

Sa lèvre inférieure s'est mise à trembler.

— Toi, tu n'es pas calme.

— Tu sais comment ménager tes forces pendant une compétition, Andy ?

Il a acquiescé d'un signe de tête, bien que je ne l'aie jamais vu le faire.

— Cette fois-ci, tu devras vraiment régler ton rythme, Andy ! Ne te lance pas à fond de train, d'accord ? Nage lentement et régulièrement dans cette direction – je lui ai de nouveau indiqué le nord – et on y arrivera.

Le regard d'Andy s'était détourné, et j'ai brusquement aperçu le soleil tout entier reflété dans ses yeux marron. Il a tendu un doigt en criant :

— Regarde !

Je me suis retournée juste à temps pour voir un mur d'eau se diriger vers nous, s'élevant d'une mer absolument paisible. J'ai agrippé le bras d'Andy et poussé un cri tandis que la vague nous engloutissait. Elle nous a arrachés de notre fragile radeau, sans que je parvienne à retenir mon frère.

J'ai culbuté sous l'eau tel un gymnaste dans les airs. Je retenais mon souffle, les yeux ouverts, à la recherche d'Andy dans le tourbillon écumant. La vague me faisait tourner en vrille et je ne le voyais pas. La panique m'a saisie et j'ai donné des coups dans l'eau, pour la repousser comme un rideau.

J'ai crié « Andy ! » ; l'eau a pénétré dans ma bouche et mes poumons.

Lentement, je suis remontée jusqu'à la crête de la vague, avec l'impression que quelqu'un me tirait vers le haut. J'ai eu mal dans les poumons en inspirant l'air toujours d'un rose extraordinaire, et quand j'ai coulé, j'ai abandonné la partie. La mer pouvait s'emparer de moi…

53

Laurel

J'ai crié à Marcus :

— Je ne les vois plus !

Je ne pouvais pas le voir lui non plus, mais je savais qu'il explorait les jardins des maisons en front de mer, en quête d'un bateau ou d'un radeau.

— Quoi ? Qu'est-ce que tu dis ?

Tout à coup, je l'ai vu courir vers la mer avec une planche de surf. Je lui ai montré du doigt l'endroit où j'avais aperçu Maggie et Andy la dernière fois.

— Ils ont disparu !

Marcus a cessé de courir pour regarder vers l'horizon.

— Je ne comprends pas ce qui s'est passé, ai-je insisté. Le temps d'un battement de cils, ils n'étaient plus là…

Il a repris sa course, et, après avoir jeté la planche sur l'eau, il s'est mis à pagayer.

— Je viens avec toi !

— Non. Reste ici et essaie de faire fonctionner le téléphone.

Depuis notre arrivée, nous avions cherché à obtenir un signal sur nos deux portables. J'ai tenté de composer le 911 de mes doigts froids et tremblants,

mais quelque chose a attiré mon attention sur la plage, assez loin au nord de l'endroit où je me trouvais. Des humains ? Une petite silhouette, dans une lumière rose, presque au niveau du bras de mer. Certainement pas mes enfants : ni l'un ni l'autre n'auraient été capables de nager aussi vite jusqu'à la côte, même dans les meilleures conditions.

Mais la mystérieuse silhouette était très frêle et couronnée de cheveux sombres.

— Marcus, reviens !

Tout en l'appelant, je courais déjà. Le sable humide était comme du ciment sous mes pieds nus. J'essayais de décrypter l'image que j'apercevais au loin. Que faisait-*il* – ou *elle* ? Cette personne n'était pas debout, en tout cas. J'ai redoublé de vitesse. Les bécasseaux et les mouettes s'envolaient à tire-d'aile sur mon passage. Je n'avais jamais couru aussi vite de ma vie.

— Attention, Laurel ! a crié Marcus derrière moi.

J'entendais le martèlement de ses pas sur le sable. Il me mettait en garde contre les débris dont il était jonché, mais éclats de verre et clous rouillés n'allaient pas me ralentir. Lui non plus n'aurait pas ralenti !

Andy se relevait sur le sable humide, et de légères vagues venaient cogner ses jambes... Mon fils était en vie. J'ai fait de grands signes en l'appelant :

— Andy ! Andy !

Il tirait je ne sais quoi hors de l'eau ; je l'avais presque rejoint quand j'ai réalisé qu'il s'agissait du corps de Maggie. Mon Dieu ! Je me suis précipitée.

— Maman !

Andy a perdu encore une fois l'équilibre et s'est assis. Quand je l'ai rejoint, la tête de Maggie reposait sur ses genoux.

Agenouillée à côté de mes deux enfants, j'entendais la respiration sifflante d'Andy, au-dessus du doux murmure des vagues. Sa cage thoracique s'amplifiait

et se contractait tel un accordéon. Mon bébé... Après l'avoir saisi par le cou, je l'ai embrassé sur le front ; puis toute mon attention s'est fixée sur ma fille.

Marcus arrivait à son tour, tandis que Maggie se mettait à tousser.

— Comment va-t-elle ? m'a-t-il demandé.

Elle avait les yeux fermés, sa peau était bleuâtre, mais elle était en vie. Un râle lui a échappé : elle s'étouffait avec l'eau de mer. J'ai fait rouler sa tête des genoux d'Andy aux miens, en la tournant sur le côté.

— Maggie, c'est ta maman. Tout va bien, ma chérie.

Elle a eu une nouvelle quinte et je n'aurais su dire si elle était consciente. Sa tête reposait comme un poids mort sur mes genoux ; une vague a balayé son visage.

— Elle respire ? s'est inquiété Marcus.

Nous l'avons transportée quelques mètres plus haut, sur la plage, et l'avons allongée sur le ventre. A genoux au niveau de son visage, Marcus a crié :

— Maggie ! Ça va, Maggie ?

Il avait les jambes éclaboussées de sang ; je lui ai demandé s'il s'était blessé, car j'avais l'impression qu'il saignait du genou. Il a regardé ses jambes et a dit :

— C'est Maggie qui saigne.

Marcus l'a alors fait rouler sur le dos, et j'ai remarqué ce qui m'avait échappé quand nous étions assises dans l'eau : une profonde entaille au cou, d'où son sang s'écoulait sur le sable. Marcus a fait passer son tee-shirt au dessus de sa tête et l'a appliqué sur la blessure.

Maggie toussait. Nous l'avons remise sur le ventre ; elle a semblé reprendre son souffle.

— Maggie, tu m'entends, ma chérie ?

Elle a articulé quelques mots incompréhensibles ; je me suis penchée vers elle dans l'espoir de mieux l'entendre.

— Vous avez nagé jusqu'ici ? a demandé Marcus, incrédule, à Andy.

— Pas besoin de nager. Une grande vague est arrivée et elle nous a soulevés dans les airs.

Joignant le geste à la parole, Andy levait les bras au ciel. Maggie a cherché à dire quelque chose. Ses lèvres bougeaient lentement, sans émettre un seul son.

J'ai collé une oreille à ses lèvres :

— Maggie… Que dis-tu ?

Après un silence, elle s'est raclé la gorge, et je l'ai entendue murmurer :

— C'était papa.

54
Maggie

Quelqu'un me tenait la main. J'ai pensé que c'était peut-être papa. Mes poumons me brûlaient quand j'ai inspiré. J'avais mal partout, surtout au cou. J'aurais voulu toucher l'endroit le plus sensible, mais mes bras étaient trop lourds, et, au fond, je m'en fichais : ma tête me semblait bizarrement déconnectée de ma douleur. Si le paradis existait, était-ce comme ça ? L'impression de flotter au-dessus de la douleur, en tenant la main de papa ? Oui, probablement.

« Elle sourit », a dit une voix masculine. Oncle Marcus ? J'ai essayé d'ouvrir les yeux, mais mes paupières étaient aussi lourdes que mes bras.

— Maggie ?

Maman maintenant ; elle me tenait la main.

Je me suis souvenue de la vague. Et je me suis souvenue aussi que j'avais perdu Andy.

— Andy ?

Mes paupières se sont ouvertes brusquement et j'ai cherché à m'asseoir.

— Oh oh ! a dit oncle Marcus, les mains sur mes épaules pour m'allonger dans mon lit.

— Pas si vite, ma chérie, a chuchoté maman.

J'étais dans une chambre toute blanche que je ne connaissais pas. Ma mère, assise à ma droite, me tenait toujours la main ; oncle Marcus, à ma gauche, passait la sienne sur mes cheveux.

— J'ai perdu Andy !

Je parlais d'une voix rauque, qui n'était pas du tout la mienne.

— Andy va bien, a dit maman.

— Pardon ! (J'ai fondu en larmes.) Je l'ai perdu dans la vague.

— Il va bien, Mags, a insisté oncle Marcus. Ne pleure pas ! Il va venir te voir.

J'avais mal au cou. Ma douleur transperçait le flottement, dans ma tête. J'ai eu la nausée et j'ai dégluti une fois, et puis une deuxième. Je n'étais sûrement pas au paradis.

— Tu es au Cape Fear Hospital, m'a annoncé maman. Tu as une blessure au cou, qui doit te faire très mal.

J'ai hoché la tête, les yeux fermés. Andy était-il sain et sauf ? Oseraient-ils me mentir à son sujet ?

Maman m'a demandé :

— Tu as mal quand tu respires ?

— Oui...

— Ça va aller mieux. Vous avez eu une chance inouïe, Andy et toi.

— Ben est ici ?

J'ai rouvert les yeux, et la lumière de la chambre m'a éblouie. Ça m'était bien égal, maintenant, que les gens soient au courant. Je voulais avoir Ben à mon chevet !

— Non, Mags, m'a répondu oncle Marcus. Il n'y a que ta mère et moi.

— Tu disais que papa t'avait sauvée, ou aidée... a dit maman. Que voulais-tu dire, ma chérie ?

J'ai refermé les yeux en me souvenant du calme extraordinaire qui m'avait envahie, au moment où la vague me soulevait dans les airs. Mais j'avais la tête assez claire pour réaliser que cette sensation paraîtrait absurde à ma mère ; moi-même je la trouvais bizarre. Autant ne pas en parler ! J'ai prétendu ignorer de quoi il était question.

Maman a hésité, mais, pour finir, elle n'a pas insisté. La raison principale pour laquelle j'étais là m'est tout à coup revenue à l'esprit. J'ai cherché à m'asseoir en criant :

— L'audience ? Est-ce que...

Maman m'a retenue.

— Différée ! a-t-elle répondu. Ce n'est pas le moment d'y penser.

Je revoyais Andy, en train de me dire, à Sea Tender, qu'il était sorti pendant le *lock-in* pour aller voir ce que devenaient les insectes. J'ai chuchoté que je voulais parler à quelqu'un.

— Tu as besoin de repos, a répliqué oncle Marcus en me frictionnant l'épaule.

— Non, non ! Je veux parler à l'avocat d'Andy. Non, à la police ! Tout de suite !

— Tu es bourrée d'analgésiques, a dit maman. Ce n'est pas le moment.

— Mais si, c'est le moment ! C'était le moment hier... la semaine dernière... et même le mois dernier.

— Qu'est-ce que tu racontes, Mags ? s'est étonné Marcus.

Je ne pouvais pas leur en dire plus ; ils risquaient de me freiner, alors que je savais ce que j'avais à faire. Depuis des semaines...

J'ai ajouté que j'étais lucide, que je n'avais pas perdu le nord, et que je voulais parler à la police immédiatement. La confusion se lisait sur le visage de ma mère et de mon oncle, mais j'ai répété : « Immédiatement ! »

— Ne me laissez pas me dégonfler, ai-je ajouté. Je dois leur raconter ce qui s'est *vraiment* passé.

— Ce qui s'est vraiment passé ? a répété maman. (On lui aurait donné cent ans !) Andy t'a raconté quelque chose ?

Elle était terrorisée. Sans doute à l'idée que j'allais faire une révélation qui enverrait Andy en prison pour de bon. Aurait-elle été dans le même état si elle avait su que c'était moi qui allais me retrouver derrière les barreaux ?

— Il nous faudrait un avocat, a répété oncle Marcus, au moins pour la dixième fois.

Flip Cates venait de m'informer de mes droits. J'étais bien contente que Marcus lui ait demandé de venir à la place de cet étrange sergent Wood, mais il n'était pas question que j'attende l'arrivée d'un avocat. J'avais déjà attendu Flip une bonne heure !

J'ai secoué la tête – une erreur de ma part. Le médecin m'avait dit que ma blessure risquait de se rouvrir si je bougeais la tête. J'ai effleuré mes pansements du bout des doigts : la coupure me brûlait et tout mon corps me faisait mal, mais j'avais refusé de prendre d'autres analgésiques tant que je n'aurais pas parlé à Flip. On aurait alors pu prétendre que je n'étais pas en pleine possession de mes moyens au moment de ma déclaration à la police.

Maman s'est levée pour jeter un coup d'œil sur mon pansement ; ça ne saignait pas. Elle a murmuré :

— Réfléchis bien, Maggie. Tu pourrais t'entretenir au téléphone avec maître Shartell, avant de dire quoi que ce soit.

— Je peux attendre, a déclaré Flip.

Il avait pris la place d'oncle Marcus et avait posé un magnétophone sur la table roulante. Oncle Marcus se tenait au pied de mon lit.

J'ai répété que je ne voulais pas parler à maître Shartell. Ma mère et mon oncle me harcelaient à ce sujet depuis que j'avais annoncé mon intention de me confier à la police.

— Il va couper les cheveux en quatre jusqu'à ce que je ne sache plus moi-même ce que je dis ! Je veux raconter ce qui s'est vraiment passé la nuit de l'incendie.

Ma mère a fait tourner son alliance usée autour de son annulaire.

— Tu ne peux pas couvrir Andy, ma chérie.

J'ai protesté :

— Je ne le couvre pas ! En fait, c'est lui qui me couvre depuis le début. (J'ai tourné les yeux vers Flip). On peut commencer tout de suite ?

— Comme tu voudras, Maggie. Je te pose des questions ou tu préfères parler ?

— Je préfère parler.

— Très bien.

Il a enclenché le magnétophone et l'a un peu approché de moi sur la table.

— Tu peux y aller !

J'ai pris une profonde inspiration et j'ai commencé à parler.

55

Maggie

Quand on aime vraiment quelqu'un, quand on partage chacune de ses joies et de ses souffrances, c'est à la fois merveilleux et terrible. C'était comme ça entre Ben et moi. Rien de ce qu'il éprouvait ne me laissait indifférente ! Je le trouvais absolument formidable, au-dehors comme au-dedans. Toujours patient avec les enfants de l'équipe de natation. Toujours prêt à encourager Andy, sur lequel il misait autant que moi. J'aimais Ben pour cela, pour sa tendresse quand nous étions ensemble, et parce qu'il adorait sa fille. Et aussi parce qu'il se donnait tant de mal à la brigade des pompiers, malgré ses terribles angoisses.

Voici ce qu'il m'avait raconté, un soir, à Sea Tender : « Quand j'étais petit, mon père m'enfermait dans un placard sous l'escalier pour me punir. J'avais la sensation d'étouffer et je paniquais. J'avais beau cogner contre la porte du placard, personne ne venait me délivrer. » Je lui avais caressé l'épaule en l'écoutant. Comment imaginer un père aussi cruel ?

Pourtant, il n'avait jamais souffert de claustrophobie jusqu'au jour où il avait dû utiliser l'équipement SCBA (pour la protection respiratoire), à son premier entraînement avec les sapeurs-pompiers.

« J'étais redevenu un enfant cinq ans, enfermé dans un placard, m'avait-il confié. Et ça recommence chaque fois que je place le masque sur mon visage. C'est plus fort que moi ! Le reste ne me pose aucun problème. Ton oncle me dit de prendre mon temps, mais je crois que ça s'aggrave au lieu de diminuer. »

J'étais sidérée par un tel aveu. Il m'avait révélé un secret et je devais lui manifester une confiance au moins égale.

Une quinzaine de jours plus tard, j'étais chez Jabeen's avec Amber et d'autres filles – à l'époque, je supportais encore de sortir avec elles. On était assises dans un box et il y avait, dans le box voisin, quelques pompiers bénévoles : deux hommes et une femme.

Quand j'ai levé le nez, après avoir bu mon *latte*, j'ai vu Ben entrer. Il m'a adressé un signe de tête que je lui ai rendu. On avait l'habitude de se comporter comme deux entraîneurs de l'équipe de natation, rien de plus.

« Salut ! » a lancé Ben aux bénévoles, en se dirigeant vers le comptoir où servait Sara. Les bénévoles lui ont rendu son salut, et il a commandé un café à emporter. Amber blablatait au sujet de Travis, mais je pensais si fort à Ben – en faisant mine de l'ignorer – que j'entendais à peine ses paroles.

Dès que Ben est sorti, les bénévoles ont pouffé de rire. Au bout d'une seconde, j'ai réalisé qu'ils se moquaient de lui. L'un d'eux a marmonné :

— Une poule mouillée !

Un autre a renchéri :

— Une vraie gonzesse…

Les joues en feu, j'ai senti mon cœur se briser.

— J'ai prévenu Marcus que je ne voulais plus jamais faire équipe avec ce *foutu* bleu, a déclaré la femme. Il m'a lâchée la semaine dernière, dans l'entrepôt. En pleine crise d'hyperventilation !

Ben, un foutu bleu… J'avais compris, car l'argot des pompiers n'avait plus de secret pour moi.

— Et Travis m'a annoncé que s'il voyait encore une fois Marty poser la main sur moi, il le châtrerait ! proclamait Amber.

— Quand on est nul, a ajouté l'un des bénévoles, on reste dans le camion.

— T'as raison ! Il n'a pas intérêt à me faire foirer dans un incendie.

— Chut ! a dit la femme en baissant la voix. Sa copine travaille ici.

— Dawn ? Elle n'est pas là.

J'ai pensé : *Sa copine est assise juste derrière toi, pauvre idiot !*

Ben m'avait dit que les autres bénévoles le taquinaient à cause de son problème avec le SCBA, mais il ne s'agissait pas d'une simple taquinerie. Ces remarques étaient vraiment insultantes.

Jamais je ne raconterais à Ben ce que j'avais entendu ! D'autres filles auraient pu avoir moins d'admiration pour leur copain après un tel épisode ; moi, ça m'a donné l'envie d'en faire encore plus pour l'aider et pour le réconforter.

Je savais qu'il cherchait par tous les moyens à surmonter son problème de claustrophobie. Quand il s'entraînait avec le matériel qu'il avait chez lui, il mettait le masque pour s'y habituer. Il était même allé suivre un stage spécial à Washington DC, et il s'exerçait à ralentir sa respiration : cinq secondes d'inspiration, cinq secondes d'expiration. Ces bénévoles qui se moquaient de lui ne se rendaient pas compte de ses efforts.

« Je suis fin prêt », m'a déclaré Ben, un soir où nous étions allongés sur la plage, par une de ces nuits merveilleuses qui surviennent sans raison en plein hiver. Après avoir fait l'amour, nous étions en train de nous câliner sous un édredon. Il avait annoncé à Marcus qu'il était capable de porter le masque, mais il n'était pas sûr de l'avoir convaincu, et il espérait avoir bientôt la possibilité de faire ses preuves.

Plusieurs semaines s'étaient écoulées sans qu'il ait besoin de son SCBA. Même chose pour les deux semaines suivantes ! Je savais que ses collègues bénévoles se méfiaient de lui ; Ben en souffrait beaucoup, et je commençais à détester certains d'entre eux.

Un jour de mars, il m'a appelée, traumatisé parce que quelqu'un lui avait volé son bip pendant qu'il était sous la douche. Le voleur lui avait laissé un petit mot disant à peu près ceci : *On te prend ton bip parce que ça vaut mieux pour notre sécurité !*

— Je vais finir par donner ma démission, m'a-t-il annoncé par téléphone.

— Qu'est-ce que tu racontes ?

Je me doutais déjà de sa réponse... J'étais dans ma voiture, au niveau de l'unique feu rouge de Surf City (oui, rouge), et j'ai tourné à gauche, alors que je roulais à droite. J'en ai pris conscience quelques secondes après avoir manœuvré.

— J'envisage de retourner à Charlotte, a précisé Ben. Comme ça je serai plus près de ma fille et je pourrai repartir de zéro comme pompier bénévole. J'aime vivre au bord de l'eau, mais je ne supporte plus leurs provocations.

— Reste, je t'en supplie !

A mon tour d'être paniquée ! J'ai freiné brusquement et je me suis garée au bord de la route pour parler sérieusement. J'en mourrais s'il partait.

— Je serais navré de te quitter, a dit Ben. Tu es ce que j'ai de plus précieux ici.

— Alors, ne pars pas !

Je me demandais si je pourrais encore m'inscrire à l'UNC de Charlotte l'automne suivant ; mais Charlotte était loin. Trop loin d'Andy.

— Je prendrai ma décision d'ici une ou deux semaines, a conclu Ben en soupirant avec une profonde lassitude. Je vais voir comment cette affaire évolue... mais je tenais à te confier le fond de ma pensée.

Voilà pourquoi, j'ai imaginé un moyen de faire « évoluer » cette affaire. Il était prévu de détruire le Drury Memorial et de reconstruire l'église d'ici quelques années ; dans ces conditions, un incendie poserait-il un gros problème ? Je savais, en mon âme et conscience, que c'était un crime. Pourtant, aucune vie humaine ne serait en danger. Dans la mesure du possible, j'aiderais le révérend Bill à obtenir plus vite la reconstruction de son église. Et, surtout, je donnerais à Ben l'occasion de se mettre en valeur.

Il m'avait parlé d'une église incendiée à Wilmington. D'après lui, le pyromane – introuvable jusque-là – avait utilisé un mélange d'essence et de gazole. Si j'utilisais le même mélange, la police croirait avoir affaire au même pyromane.

De combien de carburant avais-je besoin ? Et comment faire pour m'en procurer sans attirer l'attention ? Je ne savais pas exactement, mais j'ai fini par trouver deux grands bidons en plastique chez Lowes. Plusieurs soirées avant la date que j'avais fixée pour l'incendie, je suis passée à deux stations-service de Wilmington où personne ne me reconnaîtrait. J'ai acheté l'essence à l'une d'elles, le gazole à l'autre. On ne m'a adressé aucune remarque, et j'ai gardé les bidons dans mon coffre.

J'ai attendu le bon moment. Ce samedi-là, Ben allait dîner avec des copains dans un restaurant proche de la caserne des pompiers. Quand l'appel serait lancé, il pourrait donc arriver très vite et monter dans le premier camion. J'avais un plan précis, mais tout devrait être parfaitement synchronisé : j'agirais assez tard pour que personne ne me voie verser le carburant, assez tôt pour que Ben ne soit pas encore rentré chez lui. C'était jouable, et je me sentais relativement sereine.

Et puis maman m'a demandé de déposer Andy au *lock-in* ce soir-là !

Tout en remplissant le lave-vaisselle, j'ai objecté que j'allais étudier chez Amber. Je prévoyais effectivement d'y aller dès que j'aurais déclenché l'incendie : un alibi, en cas de nécessité.

— Alors, tu le déposeras en chemin, a décidé ma mère. J'ai besoin de préparer une conférence.

J'ai protesté que ça m'obligerait à faire un détour. En fait, j'avais complètement oublié le *lock-in*, alors que c'était moi qui avais convaincu ma mère de laisser Andy s'y rendre. Aurais-je envie d'incendier une église située à moins d'un pâté de maisons du bâtiment où seraient rassemblés des tas de gosses ? La Maison des jeunes ne risquait rien, elle était assez éloignée ; je craignais simplement d'effrayer les enfants, et en particulier mon petit frère.

Mais j'avais déjà tout planifié dans les moindres détails. Et Ben risquait de prendre d'un jour à l'autre la décision de retourner à Charlotte.

J'ai donc accepté de déposer Andy, mais ce changement inattendu me stressait.

Vers dix-neuf heures quinze, j'ai appelé Ben sur son portable, en essayant d'avoir une intonation normale.

— Salut !

J'entendais en arrière-plan le brouhaha du restaurant : conversations et cliquetis de couverts.

— Salut ! Il y a un problème, Maggie ?

— Tu es toujours à Daddy Mac's ?

— Ouais. Et toi, où es-tu ?

— A la maison. Je vais étudier chez Amber. On pourra se parler plus tard ?

— Je suppose. Tu veux que je t'appelle ?

Au lieu de lui demander d'un ton désinvolte combien de temps encore il resterait au restaurant, j'ai lancé à brûle-pourpoint :

— Tu pars à quelle heure ?

— Dans trois quarts d'heure, une heure... Pourquoi ?

— Oh, pour rien. (J'avais peu de temps devant moi.) Je te laisse dîner tranquille. A plus tard ?

— A plus tard.

Après avoir parlé à Ben, j'étais en transes. Mon projet allait échouer ! Puisque le *lock-in* ne commençait pas avant vingt heures, Ben aurait probablement quitté le restaurant quand je mettrais le feu à l'église. Il fallait que je dépose Andy en avance au *lock-in* ; c'était la seule solution.

Je me suis garée si tôt devant la Maison des jeunes qu'aucun autre enfant n'était encore arrivé.

— Tu ne vas pas me laisser seul ici. Il n'y a personne ! a protesté Andy en sortant de la voiture.

Je lui ai donné un coup de coude.

— Je vois un adulte à l'intérieur. Tu peux y aller !

A travers les vitres, j'avais aperçu M. Eggles, facilement reconnaissable – grâce à sa queue de cheval – bien qu'il nous tourne le dos.

Andy a croisé les bras et refusé de bouger.

— Pas question que j'entre avant qu'il y ait d'autres jeunes !

Trop tard pour discuter avec lui... Il faudrait que je déverse mon carburant avec mon frère dans ma voiture. En roulant le long du pâté de maisons, j'ai inventé une histoire de toutes pièces.

— Andy, j'ai quelque chose à faire à l'église. Tu pourras m'attendre dans la voiture et je te ramènerai ensuite au *lock-in*.

J'étais de plus en plus nerveuse. Comment faire pour mener à bien mon projet ? Impossible de déclencher l'incendie en laissant Andy dans la voiture ; j'allais donc verser le carburant, ramener mon frère au *lock-in*, et revenir à l'église pour jeter une allumette – en espérant que Ben resterait aussi longtemps qu'il l'avait dit au restaurant. S'il ne partait pas avec l'équipe du premier camion, l'incendie serait peut-être maîtrisé quand il arriverait sur les lieux !

Je me suis garée de l'autre côté de l'église et j'ai donné des précisions à Andy :

— Je dois répandre un insecticide autour de l'église ; ils ont eu des ennuis avec des insectes et ils m'ont demandé de...

— Quel genre d'insectes ?

— Aucune idée ! (J'ai posé une main sur la poignée de la portière.) Attends-moi ici, sans bouger.

— Des fourmis ? Des abeilles ? Ou bien des guêpes à papier crépon, comme celles qui venaient près de la terrasse ?

— Des guêpes à papier, pas à papier crépon.

— Des cafards aussi ?

— Toutes sortes d'insectes !

— Je vais t'aider.

— Non !

Je sentais des gouttes de sueur dégouliner le long de mon dos, sous mon tee-shirt et ma veste.

— Ecoute-moi bien, Andy. (En empoignant son épaule, je l'ai fait pivoter pour le regarder dans les yeux.) C'est un secret. La personne qui m'a demandé de répandre l'insecticide m'a interdit d'en parler, parce que les gens qui vont à l'église auraient peur s'ils savaient qu'il y a des insectes.

— Pourtant, les insectes sont intéressants. Je veux t'aider !

Andy a ouvert la portière et sauté à terre sans que je puisse l'arrêter.

Je perdrais moins de temps en le laissant me donner un coup de main qu'en entamant une discussion. Après avoir ouvert mon coffre, j'ai sorti les deux bidons ; mes mains tremblaient si fort que j'entendais l'essence ballotter. J'avais apporté des gants en caoutchouc pour ne pas laisser mes empreintes sur les bidons, mais une paire seulement. J'ai donné des mouchoirs en papier à Andy et je l'ai mis en garde.

— Surtout ne touche pas le bidon sans les mouchoirs ! (J'avais chuchoté bien qu'il n'y ait personne à proximité.) L'insecticide pourrait te faire du mal si tu en mets sur toi.

— OK. Pourtant je suis pas un insecte...

On s'est dirigés vers l'église. Je portais des tongs que je pensais jeter ensuite, au cas où je laisserais l'empreinte de mes semelles. Je n'avais pas pensé aux chaussures d'Andy. En fait, j'étais incapable de réfléchir. Voilà tout !

— Tu verses de ce côté, Andy. Tout le long de l'église. N'oublie pas un seul centimètre carré. Moi, je m'occupe de l'autre côté.

Il a répété :

— Pas un seul centimètre carré !

— Rappelle-toi que tu ne dois pas toucher le bidon. Et fais attention de ne pas t'éclabousser.

Je tremblais de la tête aux pieds quand j'ai commencé à répandre l'essence. Malgré l'obscurité, je pouvais distinguer des aiguilles de pin craquantes, qui s'enflammeraient dès que j'y mettrais le feu. A cause de l'odeur suffocante, j'ai tourné la tête pour inspirer et j'ai retenu mon souffle le plus longtemps possible, avant d'inspirer une autre bouffée d'air frais. J'ai longé un côté de l'église en procédant de cette manière ; j'espérais qu'Andy n'était pas tombé dans les pommes.

L'appareil à air conditionné était tout contre l'église – si proche que je n'ai pas pu verser d'essence derrière. Aucun problème : avec toutes ces aiguilles de pin, un petit emplacement sans essence ne changerait rien à l'affaire.

Andy m'a rejointe au moment où je terminais.

— J'ai fini !

— Moi aussi.

On a rejoint la voiture. Fin de la première étape. Ouf ! J'ai jeté les bidons et mes tongs dans un grand fourre-tout que j'avais apporté exprès, et je l'ai rangé dans mon coffre. Enfin, j'ai enfilé mes sandales avant de me mettre au volant. Andy était déjà installé à la place du passager.

D'un air faussement enjoué, je lui ai demandé, en démarrant, s'il était prêt à aller à son premier *lock-in*.

— A condition qu'il y ait d'autres jeunes !

— Il y en aura sûrement maintenant. Tu te souviens de ce que je t'ai dit à propos de l'insecticide ?

— Quoi ?

— Je t'ai dit de n'en parler à personne.

— Oui, c'est un secret, parce que ça ferait peur aux gens.

— Parfait !

D'autres jeunes étaient arrivés. Dès qu'il a aperçu Emily Carmichael, Andy a oublié sa timidité. Il a foncé vers elle sans même me dire au revoir.

J'ai roulé de nouveau le long du pâté de maisons, en direction de l'église, ma boîte d'allumettes sur les genoux. Je me disais : *Tu peux te le permettre, puisqu'ils ont prévu de démolir bientôt l'église.* Et je pensais aussi à ces vieilles maisons qui sont quelquefois incendiées pour l'entraînement des pompiers. Quelle différence ?

J'ai décidé de commencer par faire un saut à Daddy Mac's pour vérifier que la camionnette de Ben était toujours sur le parking. Une perte de temps, mais je me suis dirigée vers le restaurant avec la conviction que je devais le faire.

La camionnette blanche de Ben était garée juste devant l'entrée. En la voyant, je me suis sentie déçue : au fond de moi j'aurais aimé qu'elle soit déjà partie, afin de renoncer à mon projet dément. Comme elle n'avait pas bougé, j'ai eu soudain une vision de tout ce qui allait se passer : le déclenchement de l'incendie ; les pompiers appelés d'urgence ; Ben prenant son bip, courant jusqu'à la caserne et grimpant dans le camion. Il serait si excité. Sans doute un peu troublé, mais prêt à montrer aux autres bénévoles qu'il était devenu l'un des leurs et qu'on pouvait lui faire confiance.

Un véritable film se déroulait dans mon esprit tandis que je rejoignais l'église. J'ai décidé de me garer en face, près de Jabeen's fermé – de sorte que je pourrais marcher jusqu'à l'église, déclencher l'incendie, et courir le long du pâté de maisons, dans le noir, sans être aperçue.

Aussitôt sortie de ma voiture, j'ai jeté le sac où étaient stockés les bidons et mes tongs dans le conteneur derrière Jabeen's. J'ai réalisé ensuite que si quelqu'un retrouvait les bidons, mes tongs lui sauteraient aux yeux. Alors, j'ai plongé une main dans le conteneur, retiré le sac, jeté à nouveau les deux bidons, et gardé mes tongs, qui ont abouti, avec le sac, dans une poubelle devant la façade.

Je me dirigeais vers l'église quand j'ai aperçu une foule de gosses autour de la Maison des jeunes, plongée dans l'obscurité. Que se passait-il ? J'ai fourré la boîte d'allumettes dans la poche de ma veste, avant de foncer vers la Maison des jeunes. Les gosses commençaient à marcher dans ma direction et j'ai perdu toute assurance.

Dès que j'ai vu Andy, je l'ai pris à part.

— Il y a un problème ?

— Une panne d'électricité. On va s'installer à l'église.

J'ai éprouvé un extraordinaire soulagement – du sommet de mon crâne à l'extrémité de mes orteils. Plus rien ne m'obligeait à réaliser mon projet. Je devais même y renoncer, que j'en aie envie ou non. C'était comme si une folle avait tout planifié, en comptant sur moi pour dénouer les ficelles à sa place. J'étais libre !

J'ai regagné ma voiture en courant et j'ai roulé vers la maison d'Amber, mais j'ai été prise tout à coup de haut-le-cœur. Garée sur le parking d'une maison déserte, j'ai ouvert ma portière et j'ai vomi sur le sable.

À cet instant, j'ai su où je voulais aller. C'était papa que je voulais voir, et non Amber. J'ai pris la direction de Sea Tender.

56

Laurel

Mes larmes m'étouffaient presque. J'aurais voulu partir pour que Maggie ne me voie pas m'effondrer. En même temps, j'avais envie de la serrer dans mes bras et de lui dire que tout allait s'arranger. J'ai finalement décidé de rester, car, en l'écoutant raconter son histoire, je m'étais posé une question primordiale : *Où était la mère de cette jeune fille ?*

Comment avais-je pu être aveugle à ce point ? Comment avais-je pu ignorer qu'elle se faufilait hors de la maison au beau milieu de la nuit ? Qu'elle était rarement là où elle était censée aller ? Qu'elle n'était pas sur le chemin de la tentation, mais déjà capable de faire le mal ? Où étais-je donc ?

Evidemment, je connaissais la réponse. J'étais avec Andy et je laissais Maggie se débrouiller toute seule, comme je l'avais toujours fait depuis qu'elle était venue au monde. J'ai essuyé mes joues du revers de la main.

— Tu avais l'impression d'être deux personnes à la fois ? a demandé Marcus quand Maggie s'est tue. La folle et toi ?

Elle a croisé les bras, en glissant les mains sous ses aisselles comme si elle avait froid.

— Une double personnalité ? Non, j'étais moi-même !

Nous avons échangé des regards, Flip, Marcus et moi. La même pensée nous était venue à l'esprit, et Flip s'est chargé de l'exprimer.

— Mais, en fin de compte, as-tu, oui ou non, déclenché l'incendie, Maggie ?

— *Non !*

Maggie a secoué la tête, comme si elle oubliait la blessure à son cou.

— C'est justement ce que j'essayais de vous expliquer. (Elle a effleuré son bandage). Quand j'ai réalisé que les gosses seraient à l'église, j'ai renoncé à tout. Pour rien au monde je n'aurais mis le feu à un bâtiment où il y avait du monde !

Flip ne la croyait pas : son regard le trahissait.

J'ai pris l'une des mains que Maggie cachait sous ses aisselles ; elle était froide et je l'ai gardée dans les miennes pour la réchauffer. Je me souvenais qu'elle m'avait tenu la main quand nous roulions vers l'hôpital, après l'incendie. Elle ne voulait pas la lâcher, et je me souvenais de son choc évident quand je l'avais appelée pour lui annoncer que l'église était en feu.

— Alors, après avoir parlé à Andy, tu as roulé directement jusqu'à Sea Tender ? a demandé Flip.

— Oui, et j'ai appelé ma mère pour lui annoncer que le *lock-in* était transféré à l'église.

J'ai hoché la tête.

— C'est exact. Mais tu étais chez Amber quand tu m'as appelée, non ?

— C'est ce que tu croyais mais je n'y étais pas.

Flip m'a questionnée :

— As-tu entendu un bruit de fond quand Maggie t'a appelée ?

— Non.

Je préparais une conférence pour une association de professeurs et je ne gardais aucun souvenir précis de cet appel – sinon que le *lock-in* avait changé de lieu. J'avais redouté qu'Andy ne soit perturbé.

— Qu'as-tu fait à Sea Tender, Maggie ? a demandé Flip.

Elle a laissé planer son regard jusqu'au bout du lit, vers un léger renflement des couvertures, au-dessus de son orteil bandé – sa seule autre blessure sérieuse. Puis elle a chassé de son front une mèche imaginaire et hésité un instant avant de murmurer :

— Je me suis assise un moment sur la terrasse. J'étais... J'avais l'impression d'avoir évité une grosse bêtise...

— Quelqu'un t'a vue ?

— On était en mars... Les maisons étaient désertes.

Flip s'est agité sur sa chaise, les bras croisés.

— Mais enfin, comment a démarré l'incendie ?

Maggie, les larmes aux yeux :

— Je n'en sais rien. Sincèrement, je n'en ai aucune idée, mais je peux affirmer que ce n'est pas moi qui ai mis le feu. Et Andy non plus !

— Et si on faisait une pause ? a proposé Marcus.

Il était temps. Maggie, qui avait eu un courage exceptionnel pendant l'heure passée, commençait à craquer. Je ne me sentais pas très bien non plus.

Flip a arrêté son magnétophone et s'est levé.

— Bonne idée. Je prendrais volontiers une tasse de café.

— Je t'accompagne, a dit Marcus en se levant à son tour. Ça va, Maggie ?

Elle a hoché légèrement la tête en fuyant nos regards.

— Tu viens avec nous, Laurel ?

Marcus souhaitait sans doute que je vienne discuter avec Flip et lui de ce que nous venions d'entendre, mais je n'avais pas l'intention de bouger. Sans lâcher la main de ma fille, j'ai répondu que je ne voulais pas la quitter.

Seule avec moi, elle a fondu en larmes pour de bon. Elle s'agrippait à ma main en sanglotant :

— Pardon, maman. Je te demande pardon pour tout !

J'ai cherché à l'apaiser, et elle a ajouté :

— Je me sens soulagée d'avoir parlé... mais j'aurais dû dire la vérité dès qu'on a commencé à soupçonner Andy.

— Tu nous as tout dit maintenant, c'est l'essentiel, ai-je murmuré.

— Il y a autre chose, maman. C'est grave, mais moins grave que l'incendie, et ça n'aura d'importance que pour toi. Il s'agit de Sea Tender.

— Je sais que tu y rejoignais Ben.

— Il n'y a pas que ça. J'y vais depuis que j'ai mon permis de conduire. J'y vais seule... sans être avec un garçon...

— Pourquoi ?

Dawn m'avait dit qu'elle fumait de la marijuana. Y allait-elle pour se droguer ?

— Tu vas penser que je suis folle... encore plus folle que tu ne croyais.

— Je ne te crois pas folle !

— Quand j'y allais, je me sentais proche de papa. Je m'asseyais parfois sur la terrasse en pleine nuit, je fermais les yeux, et j'avais tout à coup l'impression de sentir sa présence. La présence de son esprit...

J'ai frissonné, car j'aurais juré que Jamie était avec nous dans la pièce.

— Tu penses que je suis cinglée, maman ?

— Si tu l'étais, tu ne serais pas la seule de la famille, parce que j'ai rêvé plus d'une fois qu'il me rendait visite pendant la nuit.

Maggie a écarquillé ses grands yeux bruns.

— Vraiment ? Tu penses que c'était *vraiment* lui ?

— Comment savoir, Maggie ? Mais je pense qu'il nous a laissé son empreinte – d'une manière différente – à toutes les deux ; et nous avons besoin de garder un contact avec lui.

Elle a cessé de pleurer et m'a regardée dans les yeux.

— Pardonne-moi de t'avoir lancé à la figure son histoire avec Sara ! C'était odieux de ma part.

— Cette découverte a été douloureuse pour moi. (Mon chagrin me semblait dater déjà de plusieurs semaines, à cause du choc que je venais de subir.) Du moins, elle m'aide à comprendre ce que tu ressens maintenant au sujet de Ben.

Maggie a tourné la tête vers la fenêtre ; dans ses yeux brillait le reflet en forme de rectangle de la lumière solaire.

— S'il se souciait de moi, il serait ici, à mes côtés, non ?

— En effet !

Même si c'était le cas, il avait intérêt à rester à distance de Marcus et moi pour l'instant.

— Tu crois que Ben était vraiment... tu sais... *avec* Dawn en même temps qu'avec moi ?

— Oui, je crois, ma chérie.

Je revoyais Dawn, la nuit précédente, en léger peignoir satiné, quand elle avait fait irruption dans le salon. *Qui est là, Benny ?*

— Je lui faisais totalement confiance. Je l'aimais tant... Je l'aime encore.

— Je sais que ça fait mal.

Maggie s'est tournée vers moi.

— Tu n'es pas terriblement furieuse contre Sara ?

J'ai soupiré. J'étais furieuse, mais cela ne regardait que moi.

— C'est une si vieille histoire, Maggie. Et il m'arrive de regretter certaines choses que j'ai faites autrefois.

— Ton alcoolisme ?

— Oui, mais pas uniquement ! Beaucoup de gens commettent, dans leur jeunesse, des erreurs qu'ils se reprocheront plus tard. Nous avons été amies si longtemps, Sara et moi… J'espère que nous trouverons le moyen de tourner la page.

J'ai eu une pensée pour Keith. Sara accorderait-elle un jour son pardon à Maggie ? À sa place, en serais-je capable ?

— Maman, m'a dit Maggie, c'est si pénible ! Je voudrais tout effacer. L'incendie, Ben, tout…

— J'aimerais moi aussi que tu puisses chasser tout cela de ta mémoire ; mais sais-tu ce que m'a dit un jour ton père ?

— Quoi ?

— Tu te souviens que j'ai perdu mes parents quand j'étais très jeune, et qu'ensuite mon oncle et ma tante ont rompu les liens avec moi ?

— Oui.

— J'avais cherché à oublier mes parents, à vivre ma vie sans penser à eux. Sans un regard en arrière… Quand j'ai raconté cela à ton père, il m'a dit que si l'on évite de regarder nos deuils en face, ils reviennent nous mordre.

Maggie a souri.

— *Nous mordre* ? Ce sont exactement les mots de papa ?

— Oui, je les ai retenus, quoique je n'aie pas toujours suivi ses conseils. Il voulait dire par là qu'il faut assumer son chagrin.

— Tu as essayé de penser à tes parents ?

— Pas avant ma cure de désintoxication ! Pendant cette cure, j'ai versé des torrents de larmes en leur souvenir. Mais j'ai appris qu'on ne fait pas qu'une seule fois son deuil dans une vie. On doit affronter sans cesse de nouvelles épreuves, et il faut apprendre à les gérer... pour poursuivre son chemin. Ben ne sera pas ton dernier chagrin, ma chérie, mais de merveilleuses expériences surgiront des moments difficiles.

J'avais les larmes aux yeux à l'idée des moments difficiles qui l'attendaient ; elle a deviné ma pensée.

— Andy devra tout de même se présenter à l'audience ?

— Je ne connais pas bien le système, mais il n'ira pas en prison.

— Moi, j'irai.

C'était une affirmation et non une question.

— Je vais te trouver un excellent avocat et je serai tout le temps à tes côtés. Je te le promets, Maggie !

Pendant quinze ans, j'avais eu tant de force pour son frère, maintenant je serais forte pour elle.

— Je regrette de ne pas avoir été une meilleure mère pour toi, ai-je conclu. Tu étais si indépendante et Andy tout le contraire... J'ai parfois oublié que tu avais besoin de moi autant que lui !

— Non, pas autant ; mais je pense que j'aurai vraiment besoin de toi à partir d'aujourd'hui. (Elle m'a regardée au fond des yeux.) On peut sans mal s'imaginer que c'est moi qui ai déclenché l'incendie, maman. J'ai bien senti que Flip ne croyait pas tout ce que je disais.

— Sans doute, mais moi je te crois.

— A cent pour cent ?

— A cent pour cent, ma chérie !

J'ai souri à ma fille. J'ignorais tant de choses à son sujet... Je ne pouvais pas jurer qu'elle n'aurait pas incendié une église emplie d'enfants, mais j'avais une certitude absolue : pour rien au monde elle n'aurait mis le feu à une église où se trouvait Andy.

57

Marcus

Une fois de plus, j'étais dans une chambre d'hôpital – une véritable fournaise. J'avais roulé jusqu'à Chapel Hill pour parler à Sara des aveux de Maggie, le genre de chose qui me semblait infaisable par téléphone. Après avoir hésité à lui parler en présence de Keith, j'avais estimé qu'il avait le droit de savoir – sans doute plus que quiconque ; mais je ne voulais pas le voir piquer une crise. Il était déjà furieux quand il soupçonnait Andy d'avoir mis le feu. Quand il aurait Maggie pour cible, Maggie qui n'avait pas de handicap mental comme circonstances atténuantes... j'avais tout intérêt à me trouver le plus loin possible.

Et pourtant je me tenais au pied du lit, tandis que Sara réajustait le volumineux pansement sur la partie gauche du visage de son fils.

Je me suis lancé :

— Maggie avait une liaison avec Ben Trippett.

— Mais non, a objecté Sara, comme si j'avais proféré une absurdité. Ben est avec Dawn !

— Apparemment, il était avec les deux.

— Oh non ! Pauvre Dawn.

Sara s'est assise sur une chaise, près du lit de Keith.

— Maggie ne savait pas qu'il était aussi avec Dawn. (J'allais prendre la défense de ma nièce, comme je ne manquerais pas de le faire les jours suivants.) Il prétendait avoir rompu avec elle.

Sara a froncé les sourcils.

— C'est horrible. Moi qui prenais Ben pour un type bien !

— La pathétique vie amoureuse de Maggie vous intéresse tant que ça ? a ronchonné Keith.

Il avait l'œil droit fermé et semblait souffrir. Des rides creusaient son front ; l'une d'elles, plus profonde, marquait la peau rougie et pelée entre ses sourcils.

J'ai alors raconté comment les autres pompiers rendaient la vie intenable à Ben en raison de sa claustrophobie, comment Maggie voulait l'aider et craignait qu'il ne quitte la ville si elle n'intervenait pas. Je parlais sans la moindre émotion, comme sous anesthésie. Mes poumons fonctionnaient difficilement, tant j'étais engourdi ; et je ne pouvais toujours pas me mettre en tête que Maggie était coupable.

Apparemment, Sara ne comprenait pas non plus.

— Quel rapport avec l'incendie ? m'a-t-elle demandé.

En me balançant d'un pied sur l'autre, les bras croisés devant moi, j'ai expliqué que Ben croyait avoir finalement surmonté son problème de claustrophobie.

— Mais, ai-je précisé, il devait faire ses preuves. Donc...

— Tu ne vas pas me dire que Maggie a déclenché l'incendie ? a dit Sara.

— Si, elle a avoué ; mais elle pensait que les enfants ne seraient pas là. Souviens-toi ! Le *lock-in* n'était ...

Sara m'a interrompu.

— Je ne te crois pas. Jamais Maggie n'aurait fait ça ! Et si par hasard elle protégeait Ben ? Il a peut-être mis le feu à l'église, et elle s'accuse à sa place.

— Je te répète que Maggie voulait l'aider. Elle était folle de lui. Si accro qu'elle en perdait la raison !

Le visage blême, Sara a plaqué une main sur sa bouche comme si elle retenait un cri.

— Maggie a répandu de l'essence autour de l'église. Andy l'a aidée parce que... C'est une longue histoire, ai-je précisé, mais il ne se rendait pas compte de ce qu'il faisait. Voilà pourquoi on a retrouvé ses empreintes sur le bidon.

— Mon Dieu ! a soufflé Sara d'une voix défaillante. C'est impensable. Une petite jeune fille aussi parfaite aurait pu faire du mal à tant de gens ?

C'était impensable pour moi aussi ; pourtant le récit de Maggie était cohérent. Tous ces éléments se complétaient comme les pièces d'un puzzle. Tous, sauf l'affirmation que, pour finir, elle n'avait pas déclenché l'incendie. On pouvait supposer qu'elle avait consulté les textes juridiques sur Internet et réalisé que les accusations dont elle devrait répondre seraient moins lourdes si elle n'avait pas mis elle-même le feu. J'avais parlé des heures avec elle pour l'amener à en dire plus, mais elle n'avait pas cédé. J'avais tendance à la croire parce que c'était Maggie ; tout en ayant des doutes parce que cette partie de son histoire ne tenait pas debout.

— Elle ne voulait faire de mal à personne ! ai-je plaidé.

— Comment peux-tu dire ça ? Elle a mis le feu à l'église !

Maintenant que Sara avait retrouvé sa voix, sa colère pouvait exploser. Sa pâleur avait disparu, ses joues s'empourpraient. En une seconde, son affection pour Maggie s'était muée en un profond mépris.

— C'est une criminelle, Marcus !

— Elle jure que ce n'est pas elle qui a mis le feu. Quand elle a vu que le *lock-in* était transféré dans l'église, elle a renoncé à son projet.

— Un phénomène de combustion spontanée ! a ricané Sara.

J'ai admis que j'avais du mal à comprendre, moi aussi.

Quand j'ai regardé Keith, silencieux depuis quelques minutes, j'ai vu des larmes couler sur sa joue non bandée.

— Oh, mon bébé ! s'est exclamée Sara en séchant ses larmes avec un mouchoir en papier. Mon chéri...

Il était sur le point d'éclater en sanglots.

— Je croyais que tout était de *ma* faute... que c'était moi qui...

— Comment ça, ta faute ? s'est étonnée Sara.

Keith a fini par retrouver son souffle.

— J'étais sur le porche, derrière l'église, pour fumer une cigarette. Au moment où j'ai jeté mon allumette, des flammes ont surgi. D'énormes flammes... Elles bloquaient les marches, alors je suis rentré dans l'église en courant et j'ai été coincé dans l'incendie comme tout le monde. Je me croyais coupable.

— Oh, Keith !

Sara l'a serré dans ses bras. La raideur des bandages qui entouraient les bras et les mains de son fils devait lui donner l'impression d'étreindre un bloc de bois. Elle pressait son visage contre le sien et j'ai vu leurs larmes se mêler.

— Mon pauvre bébé. Tu t'es cru coupable pendant si longtemps ! Tu n'y es pour rien, mon chéri. Absolument rien !

Eberlué, j'ai laissé les paroles de Keith me pénétrer. Le soulagement agit parfois comme un goutte-à-goutte, parfois comme un raz-de-marée. En l'occurrence, il s'agissait d'un raz-de-marée ! J'avais les yeux brûlants, je ne sentais plus mes membres, je suffoquais, et mon cœur était comme pétrifié.

Maggie avait dit la vérité ! Cette terrible histoire n'avait rien de réjouissant, mais, pour un peu, j'aurais hurlé de joie.

J'ai appelé Flip de ma camionnette pour le prier d'envoyer quelqu'un prendre la déposition de Keith à Chapel Hill. Ensuite, j'ai enfoncé l'accélérateur. J'avais hâte de rentrer à Cape Fear, de retrouver Laurel et Maggie, de voir Andy, et de réfléchir à la suite des événements.

On me demandait souvent pourquoi je ne m'étais jamais établi, pourquoi je n'avais jamais fondé une famille. Je répondais invariablement que ce n'était pas mon genre ou que je n'avais pas trouvé l'oiseau rare. J'avais connu bien des femmes. Des passades d'une nuit, quelques liaisons de trois mois, de six mois, et même d'un an une ou deux fois. Il y avait à vrai dire une bonne raison pour laquelle je n'avais jamais fondé une famille : j'en avais déjà une.

Epilogue

Andy

Six mois plus tard

Je suis assis sur le banc, à la piscine, et j'attends mon tour. Je n'aime pas nager autant qu'avant. Je gagne moins souvent, maintenant que j'ai perdu mon réflexe du sursaut, mais maman dit que je dois continuer jusqu'à Noël. Ensuite, je pourrai abandonner. Notre nouvel entraîneur est une entraîneuse, qui s'appelle Kiki. Ben est allé vivre avec sa femme, à Charlotte. Au début, j'ai pleuré parce qu'il me manquait, mais maintenant je me rappelle à peine comment il était. Maman dit que j'ai été bouleversé parce qu'il est parti juste après Maggie. Pour moi, c'était comme si j'avais perdu deux personnes en même temps.

J'aime une autre fille de mon équipe de natation, alors je la regarde nager le papillon – qu'elle nage mieux que tout le monde. Oncle Marcus me demande de faire spécialement attention à mon espace personnel, maintenant que je deviens adulte. Mais il devrait faire attention à son propre espace ! En ce moment, il est assis dans les gradins, avec un bras autour des épaules de maman. Quelquefois, ils s'embrassent. La première fois que je les ai vus s'embrasser, j'ai dit « Beurk ! Qu'est-ce que vous faites ? » Maman m'a répondu qu'il faudrait que je m'habitue, et qu'il y aurait beaucoup d'autres baisers ! Elle parlait d'oncle Marcus et elle, parce que, moi, je n'ai pas le droit d'embrasser les gens qui ne font pas partie de la famille.

Je vais voir Maggie chaque mois. Je suis content de la voir, mais je n'aime pas la prison parce qu'il y a des gens qui font peur ; comme cette dame avec des araignées tatouées sur le cou. Maggie ne devrait pas être là ; c'est une très bonne personne et je n'arrive toujours pas à comprendre pourquoi elle est en prison. En tout cas, je me demande pourquoi mon copain Keith et moi on n'est pas avec elle. Maggie et moi, on a répandu autour de l'église cet insecticide, qui était en vrai de l'essence. En lançant une allumette, Keith a tout fait brûler. Si Maggie, Keith et moi on a un rapport avec l'incendie, je ne comprends pas pourquoi Maggie est la seule en prison ; c'est pourtant comme ça.

La nuit, il m'arrive de me demander comment faire pour qu'elle s'évade. Je lui ai parlé de mon projet la dernière fois que je suis allé la voir. Elle m'a répondu en riant : « Panda, tu es un sacré numéro ! » Ensuite, elle est redevenue très sérieuse et elle m'a dit que sa place était en prison. « J'aurai une seconde chance dans ma vie, alors que les trois personnes qui ont péri dans l'incendie n'en ont eu qu'une », c'est exactement ce qu'elle m'a dit.

Sur mon mur en liège, j'ai un grand calendrier, et chaque jour que je barre me rapproche de celui où elle rentrera à la maison.

Alors, elle aura sa seconde chance.

Laurel

On m'a pris ma fille la semaine de son dix-huitième anniversaire. On l'a jugée coupable d'incendie criminel et, grâce à son avocat, l'accusation d'homicide involontaire n'a pas été retenue. Elle a fait preuve d'un courage surprenant.

Elle avait commis un acte atroce – complètement insensé. A mon avis elle aurait eu besoin d'un suivi psychologique plutôt que d'une incarcération, mais il ne m'appartenait pas d'en juger. Je me demande comment elle sera après douze mois de prison. En quoi aura-t-elle changé ? Je serai une tout autre mère, c'est mon unique certitude. J'ai l'intention de l'inonder d'amour. Elle aura dix-neuf ans, mais elle sera toujours ma jolie petite fille ; et quand je la tiendrai à nouveau dans mes bras, on ne pourra jamais, plus jamais me l'arracher.

Remerciements

Lors de mon premier voyage de recherche à Topsail Island, je suis entrée par hasard dans une agence immobilière pour demander mon chemin. En apprenant mon nom, Lottie Koenig m'a confié qu'elle adorait mes livres et m'a serrée dans ses bras. C'était ma première rencontre avec les habitants chaleureux de Topsail Island. Lottie m'a fait visiter l'île avant de me présenter une autre ressource précieuse, Patsy Jordan, elle aussi agent immobilier et résidente de longue date de Topsail Island. A son tour, Patsy m'a présenté Anna Scott, l'une des rares ados sur l'île. Anna s'est révélée une mine de renseignements sur ce que serait la vie pour les adolescents dans *Avant la tempête*. Je suis reconnaissante à ces trois femmes pour leur aide et leur enthousiasme.

Merci à mes meilleurs amis Elizabeth et Dave Samuels ainsi que Susan Rouse pour m'avoir généreusement prêté leur maison de Topsail Island le temps de mes recherches.

Je n'aurais pas pu écrire cette histoire sans l'aide de Ken Bogan, capitaine des pompiers de la ville de Surf City. Ken s'est donné du mal pour améliorer ma compréhension des personnages de pompiers, m'enseigner les méthodes d'enquête sur les incendies criminels, et bien plus encore. Ken et sa femme, Angie, m'ont également fait découvrir Sears Landing Grill, où je suis arrivée munie d'une liste de quarante-cinq questions. Au cours du dîner, ils ont répondu à chacune d'elles et l'auraient fait pour quarante-cinq autres si je le leur avais demandé. Merci, Ken et Angie ! Merci aussi à ces autres pompiers de Surf City : Tim Fisher, Kevin « Butterbean » Head et Bill Lindsey.

J'ai trouvé plusieurs sources excellentes sur le syndrome d'alcoolisation fœtale (SAF), mais aucune à la hauteur de Jodee Kulp, activiste, écrivain et mère d'une fille atteinte du SAF. *The Best That I Can Be*, livre que Jodee a écrit avec sa fille, Liz, m'a été d'une grande aide pour comprendre Andy. Jodee a non seulement répondu à mes questions, mais a aussi lu le premier chapitre d'Andy pour vérifier que je tombais juste avec son personnage.

Pour m'avoir aidée à mieux saisir le système judiciaire pour mineurs, je suis redevable aux avocats Barrett Temple et Evonne Hopkins, ainsi qu'à Gerry McCoy.

Pendant que j'écrivais, j'ai gardé à portée de main le livre de Ray McAllister, *Topsail Island : Mayberry by the Sea*. C'est un excellent cadeau, écrit avec amour, pour ceux qui voudraient en savoir davantage sur l'île.

A l'occasion d'une tombola organisée par le North Carolina Writers' Network (réseau des écrivains de Caroline du Nord), Jabeen Akhtar a gagné le droit d'être citée dans *Avant la tempête*. J'espère qu'elle est contente que j'aie donné son nom à un café ! Bien que certains endroits mentionnés dans *Avant la tempête* existent, Jabeen's Java, l'église Drury Memorial et Sea Tender sont, comme les personnages eux-mêmes, des créations de mon imagination.

Je suis aussi reconnaissante aux personnes suivantes pour leurs diverses contributions : Sheree Alderman, Trina Allen, Brenda Burke-Cremeans, BJ Cothran, Valerie Harris, Christa Hogan, Pam « bless your heart » Lloyd, Margaret Maron, Lynn Mercer, Marge Petesh, Glenn Pierce, Emilie Richards, Sarah Shaber, Meg Skaggs, David Stallman, MJ Vieweg, Brittany Walls, Brenda Witchger, Ann Woodman et mes amis de l'ASA.

Merci aux lecteurs de mon blog, en particulier Margo Petrus, pour m'avoir inspiré le titre de ce livre.

Enfin, j'entends souvent dire que les agents et les éditeurs sont trop occupés pour prendre le temps d'aider leurs auteurs à créer les meilleurs livres possibles. Ce n'est absolument pas vrai dans mon cas. Merci à mon agent, Susan Ginsburg, et à mon éditrice, Miranda Stecyk, pour leur talent, leur sagesse, leur engagement et leur passion. Vous êtes les meilleures !

Cet ouvrage a été imprimé en France par

à Saint-Amand-Montrond (Cher)
en avril 2011

N° d'édition : 8092 – N° d'impression : 111255/1
Dépôt légal : avril 2011